OMBRE

À Benoit Gareau,

Un jour ce livre sera
célèbre dans le monde entier!

Bonne lecture!

Mai 2009

Nathalie Parent

OMBRE

Ombre
Dépôts légaux :
Bibliothèque nationale du Québec
Bibliothèque nationale du Canada

Saint-Pie (Québec)
J0H 1W0 Canada
www.leseditionsjka.com

ISBN : 978-2-923672-10-6
Imprimé au Canada

À Daniel Soucy, sans qui cette œuvre
n'aurait jamais vu le jour

RENCONTRE

L'air frais hivernal l'enveloppa aussitôt qu'il mit un pied hors du chalet. La neige s'amoncelait tout autour. Mais cela lui importait peu. Depuis plus d'un an qu'il était en arrêt d'emploi, il ne sortait que très rarement. Alexandre était une âme solitaire. Il en avait toujours été ainsi. Même durant le temps où il vivait avec sa femme Catherine. Il s'était isolé dans son chalet en attendant que le temps vienne alléger sa douleur. Mais en ce jour, il n'en pouvait plus de rester à l'intérieur.

Le chalet qu'il habitait depuis la mort de sa femme était situé dans les Laurentides. Il s'agissait d'un chalet assez vieux, mais auquel il tenait. Les voisins les plus proches étaient à plusieurs kilomètres de distance. Les commodités se faisaient plutôt rares et une voiture était quasi indispensable. Un petit village situé à environ une demiheure se trouvait être ce qu'il y avait de plus près en voiture. Évidemment, les commerçants maintenaient des prix peu abordables. Mais Alexandre s'en moquait; l'argent ne lui faisait point défaut. Son compte de banque regorgeait d'économies qu'il avait amassées avec Catherine. Il avait amplement de quoi vivre jusqu'à la fin de ses jours.

Il se rendit à la quincaillerie du village afin d'acheter ce qui lui manquait pour construire son armoire. Machinalement, il prit un sac de clous et des planches de bois, se rendit à la caisse et y déposa le tout. Un homme dans la soixantaine avancée l'accueillit avec un immense sourire. Il avait une paire de lunettes posées sur le bout de son nez ainsi qu'un béret bien ajusté sur sa tête afin de couvrir son crâne dégarni. Il avait une allure bien soignée, et ce, même si les clients ne se montraient que très rarement. Le quincaillier semblait être bien heureux de voir du monde.

— Vous désirez un isolant pour la niche ? demanda le caissier.

— Pardon ? s'enquit Alexandre.

— Un isolant, monsieur. Vous savez, si vous construisez une niche pour chien, c'est préférable de l'isoler pour qu'il soit à l'abri des intempéries.

Alexandre s'esclaffa et lui répondit :

— Ah ! Non, ce n'est pas pour une niche. Je vais me construire une petite armoire. Et d'ailleurs, je n'ai pas de chien.

— Désolé, je croyais que c'était votre chien là-dehors, il rôde depuis un certain temps. Il semble être à la recherche de quelqu'un.

Alexandre se tourna vers la vitrine et il aperçut un chien husky. Celui-ci sembla content de le voir. Il le fixait avec un regard intense tout en aboyant gentiment. Alexandre était fasciné par le chien. Les souvenirs depuis longtemps enfouis dans sa mémoire remontaient à la surface. Voyant qu'il était perdu dans ses pensées, le caissier s'impatienta.

— Hum ! Une magnifique bête, n'est-ce pas ?

— Oui, en effet. Combien vous dois-je ?

Lorsqu'il sortit de la quincaillerie, il remarqua que le chien était toujours là. Mais il s'était déplacé de quelques pas. Arrivé au coin de la rue, il se retourna pour vérifier si Alexandre le suivait. Alexandre avança vers le chien et celui-ci vint à sa rencontre. Tout en le caressant, Alexandre scruta les environs afin de voir à qui il pouvait bien appartenir. Il semblait totalement seul.

— Salut, mon beau. Alors, tu es perdu ?

De toute évidence, il ne s'agissait pas d'un chien errant. Son poil luisant ainsi que son bon état général le prouvaient. Il avait un bout d'oreille en moins. Mais cela n'affectait en rien sa beauté. Seulement, s'il s'était égaré, la faim devait le tenailler. Alexandre le laissa quelques minutes pour aller lui chercher à manger. Lorsqu'il ressortit de nouveau, le chien husky était là à l'attendre. Pourtant, il y avait tant d'autres passants. Mais il ne semblait être attiré que par Alexandre. Et il en était de même pour Alexandre. Oui vraiment, ce chien le captivait. Il était en tout point semblable à celui que son père lui avait offert lorsqu'il était jeune, mis à part qu'il avait un bout d'oreille en moins. Alexandre ouvrit le petit sac brun et donna le contenu au chien qui dégusta le tout avidement !

La neige n'avait point cessé de tomber et le vent se levait. Regardant encore une fois aux alentours, Alexandre remarqua une petite boutique de vêtements présentant une robe de mariée dans la vitrine. Dans un patelin semblable, on pouvait habiller pratiquement toute la famille dans la même boutique et la mariée de surcroît, pensa Alexandre. Catherine aurait certainement adoré cette robe. Mais la mariée n'était plus à son côté. Comme pour confirmer cette pensée, la vitrine lui renvoya son propre reflet à proximité de la robe défraîchie par le soleil. Il paraissait avoir vieilli à cause de la neige qui avait partiellement recouvert ses cheveux d'un noir de jais et de quelques flocons qui avaient atterri sur ses sourcils. Ainsi finirait-il ses jours : vieux et seul. Compatissant avec les chiens errants ayant subi un sort semblable au sien. Il caressa une fois de plus le chien, puis reprit son chemin. Quand il arriva à l'intersection, il se retourna afin de voir si le chien consommait toujours son repas. Mais il n'y était plus. Alexandre haussa les épaules et rentra chez lui.

Cette nuit-là, il rêva de son chien, celui qui, vingt-cinq ans auparavant, avait partagé avec lui une période de sa vie. Son superbe chien husky lui avait donné tant de joie. Dans son rêve, il était allongé sur son lit d'enfant. De ses mains habiles, à la lueur de la lampe, il produisait des ombres de toutes sortes qui paraissaient immenses au plafond. Son chien couché à ses pieds regardait ses mains exécuter toutes les formes possibles. Lorsque le chien regarda au plafond, il se mit à reculer et se lamenter, manifestement apeuré par les ombres.

Au petit matin, Alexandre n'avait qu'un souvenir flou de son rêve. Il se leva et entreprit de se préparer un petit déjeuner. En regardant au-dehors, il vit que la neige avait enfin cessé et que le vent était tombé. Il passa une bonne partie de la journée devant le téléviseur. Ce n'est que plus tard dans l'après-midi, alors qu'il sortit pour ramasser du bois de chauffage, qu'il aperçut les empreintes dans la neige. Il ne faisait aucun doute qu'il s'agissait de traces de chien. Il scruta les alentours, mais aucun chien n'était à l'horizon. La sonnerie du téléphone retentit et il rentra précipitamment afin de décrocher le combiné.

— Salut Alexandre, c'est Carl. Alors comment va ta convalescence, mon vieux ?

— Pas mal. Je crois que je pourrais reprendre le boulot d'ici quelque temps, dit-il sans vraiment y croire !

— Heureux de t'entendre le dire. Diane et moi avons pensé t'inviter à souper la semaine prochaine, ça t'intéresse ?

Carl était un ami de longue date. Leur amitié datait du temps où ils fréquentaient le collège. C'est à cette même époque qu'ils avaient rencontré Diane et Catherine qui devinrent peu de temps après leurs épouses. Alexandre avait fait carrière en construction et Catherine, sa femme, était une décoratrice renommée au sommet de sa gloire. Jusqu'à ce que le destin frappe ce fameux soir de l'accident qui devait lui coûter la vie.

Alors qu'elle conduisait à une vitesse convenable, un énorme camion, sortant de nulle part, avait heurté de plein fouet son véhicule. Celui-ci avait fait plusieurs embardées avant de se retrouver dans un fossé. Catherine avait une jambe sectionnée, son visage était couvert de sang et un bout de métal avait transpercé ses poumons. Tous ces détails, Alexandre ne les connaissait que trop bien puisqu'il avait vécu les événements en question. Assis du côté passager, sa tête tournée vers Catherine, il avait vu l'énorme mastodonte foncer droit sur eux. Quelques secondes après, il tenait Catherine dans ses bras.
— Tiens le coup, les secours ne vont pas tarder à arriver, lui avait-il dit.

Mais il savait pertinemment qu'elle glissait lentement vers sa mort. Elle ouvrit la bouche pour lui murmurer à l'oreille ce qui devait être ses dernières paroles.
— Alexandre, je t'aime, mon chéri. J'ai si froid. Pardonne-moi, je regrette.

C'est ainsi que la mort vint s'emparer de celle qu'il aimait le plus au monde. Les mois qui avaient suivi l'accident fatidique avaient été extrêmement pénibles pour Alexandre. Il avait dû porter le deuil et jusqu'à ce jour, à cause des blessures qu'il avait subies au dos, il n'avait pu reprendre le travail. Quelques semaines après l'accident, il s'était rendu à son chalet, bricolant un peu n'importe quoi pour passer le temps. Mais plus le temps passait, plus il s'ennuyait. Bien qu'il fût conscient que jamais il ne pourrait retrouver sa vie d'autrefois, il croyait néanmoins pouvoir recouvrer une certaine sérénité en travaillant.

Il accepta donc volontiers l'invitation de Carl et Diane. Alexandre savait qu'ils attendaient un enfant et il n'ignorait pas qu'ils ne possédaient toujours pas de berceau. Ainsi, il entreprit d'en construire un avec ce qu'il avait acheté à la quincaillerie. Cela lui donnait amplement le temps jusqu'au souper de la semaine prochaine.

Il pensa s'installer à l'extérieur pour travailler. Mais il y renonça, car le ciel semblait se couvrir de nouveau. Il se mit au travail avec acharnement sans voir le temps passer. Il ne s'arrêta que pour un bref moment. Il vint jeter un coup d'œil à la fenêtre pour constater la progression de la neige. Le paysage était d'une blancheur absolue. Il soupira bruyamment et appuya son front sur la fenêtre froide. Comme si, ce faisant, il parviendrait à éloigner ses pensées qui voguaient inlassablement vers Catherine. Car à chaque moment de répit qu'il s'accordait, il se remémorait malgré lui sa vie avec Catherine. Et aussi, bien entendu, l'accident mortel qui l'avait prise beaucoup trop tôt.

Selon les médecins, rien n'aurait pu empêcher la mort de Catherine. Et lui-même devait être reconnaissant d'être encore en vie. Mais les derniers mots de sa femme résonnaient sans cesse dans sa tête. Elle lui avait demandé pardon et affirmé qu'elle regrettait. Elle savait pertinemment que cet accident venait de lui coûter la vie. Elle regrettait de partir sans lui, mais ne pouvait en rien changer le cours des événements.

Pour oublier, Alexandre passait son temps à effectuer différents travaux. Il n'allait se mettre au lit que lorsqu'il était épuisé, évitant ainsi de sombrer dans ses souvenirs qui le hantaient. Il quitta donc la fenêtre et se remit à l'œuvre. Le temps fila à toute allure. Il en oublia même de manger.

Au milieu de la nuit, toujours concentré sur son travail, il eut un sursaut lorsqu'il entendit un hurlement à l'extérieur, non loin du chalet. Non qu'il ne fut pas habitué aux animaux qui vivaient tout près, mais cela lui avait fait perdre sa concentration. Il se rendit à la fenêtre et constata que la noirceur intense de la nuit enveloppait complètement les alentours. Il revint devant son chef-d'œuvre quasi terminé. Épuisé, il renonça à y passer la nuit. Il monta se coucher et s'endormit presque aussitôt.

Au petit matin lorsqu'il s'éveilla, il resta allongé dans son lit, tendant l'oreille à l'écoute des oiseaux. Cependant, aucun son ne lui parvint. Signe que le mauvais temps était toujours présent. En tirant les rideaux de sa chambre, il eut une image de désolation. Le temps était gris. Tout semblait mort. Par contre, la neige n'était plus que de minimes flocons qui semblaient s'être égarés en tombant des nuages. Il déjeuna rapidement et entreprit d'achever le berceau.

Quand il eut terminé, il décida d'ajouter une couche de peinture en quelques endroits. Malgré le temps maussade, il irait tout de même à la quincaillerie se procurer de la peinture. Il monta au deuxième étage prendre une douche. Tout en se lavant, il pensa vaguement qu'il était plus que temps pour lui de recommencer le boulot à temps plein. Il en était conscient non seulement parce qu'il avait accompli plusieurs petits travaux durant l'année qui venait de s'écouler, mais parce qu'il sentait peu à peu revenir son bien-être ou du moins la sensation qu'il était toujours quelqu'un. Évidemment, le souvenir de sa douce Catherine restait sans cesse à la surface, mais il n'ignorait pas qu'elle aurait souhaité qu'Alexandre poursuive sa vie.

Lorsqu'il sortit de la douche, il entendit un bruit à l'étage inférieur. Attrapant son peignoir au passage, il se dirigea lentement vers l'escalier et descendit les marches avec précaution, sans émettre le moindre bruit. Au passage, il empoigna le premier objet contondant qui lui tomba sous la main, un bâton de base-ball. Une à une, il examina les pièces. Tout semblait en ordre et aucune porte ou fenêtre n'avait été fracassée. « Ça y est, je deviens fou », marmonna-t-il.

Il s'habilla en vitesse et sans prendre la peine de se raser, il quitta le chalet. Sa jeep Cherokee n'eut aucune difficulté à rouler sur la route enneigée. Arrivé à mi-chemin, il aperçut une voiture sur le côté de la route. Alexandre s'en approcha afin de voir s'il pouvait être utile. Un vieil homme aux cheveux blancs tentait de sortir son véhicule d'une impasse.

— Un coup de main, cher monsieur ? questionna Alexandre.

— Ce n'est pas de refus, s'empressa de répondre le vieillard.

La voiture en question, une vieille Buick, n'avait besoin que d'une simple petite poussée pour s'en sortir. Le travail terminé, Alexandre salua le vieillard et reprit sa route. Le vieil homme était resté quelques instants dans sa Buick afin de se réchauffer. Chose étrange : quand Alexandre regarda dans son rétroviseur, il aperçut la Buick avec son conducteur, mais, près de la voiture, il y avait une silhouette. Alexandre avait eu la certitude que le vieillard était seul. Il continua néanmoins de rouler. Il perdit de vue la Buick pendant quelques secondes alors qu'il s'engageait dans un tournant. Quand il regarda une fois de plus dans son rétroviseur, la Buick apparut de nouveau. Mais le vieillard était encore seul. Personne ne se trouvait assis au côté passager. « Bon sang ! Mais qu'est-ce qu'il m'arrive ? Un congé trop long, voilà ce que ça donne », pensa-t-il.

Enfin, au bas de la route, le village se présenta à ses yeux. Arrivé à la rue principale, il gara sa jeep sans difficulté. Évidemment, les rues étaient désertes. Avec un temps pareil, les gens préfèrent rester au chaud près du foyer.

Alexandre fit un arrêt à l'épicerie; il acheta quelques provisions. Il flanqua le tout dans sa jeep. Avec un froid sibérien pareil, la viande ne risquait rien. Il se dirigea ensuite vers la quincaillerie. Il pouvait apercevoir une pancarte sur la porte sans toutefois pouvoir la lire. Quand il arriva tout près, un aboiement le surprit et il se retourna. Le chien husky venait de tourner le coin de la rue et se dirigeait vers lui, la queue branlante.

— Bonjour, toi. Alors toujours dehors ? lui dit Alexandre en se penchant pour le flatter.

Malgré le fait qu'il était habillé chaudement, il sentait le froid s'infiltrer jusque dans ses os. Il se releva pour jeter un coup d'œil sur la pancarte de la quincaillerie.

« Fermé pour une période indéterminée. Merci de votre compréhension. »

Alexandre effectua un demi-tour et se dirigea de nouveau vers l'épicerie. En le voyant entrer pour la deuxième fois, la caissière sembla mécontente de devoir refermer une fois de plus son roman.

— Vous avez oublié quelque chose ? demanda-t-elle.

— Non, je me demandais seulement si vous saviez quand la quincaillerie sera à nouveau ouverte.

— Eh bien ! M. Parker, le propriétaire, est décédé d'une crise cardiaque hier. Donc, si personne ne prend possession du commerce, j'imagine qu'il ne rouvrira pas avant longtemps.

— Il n'avait pas de famille proche ? s'enquit Alexandre.

— Je l'ignore, monsieur. En passant, je vous conseille d'attacher votre chien quand vous l'emmenez au village. Certaines personnes en ont peur, vous savez, dit la caissière en pointant vers la rue.

Alexandre se retourna pour regarder le chien qui semblait l'attendre dehors.

— Il n'est pas à moi, répondit-il en tournant les talons.

Il sortit de l'épicerie et alla droit à sa jeep. Jusqu'à ce qu'il y arrive, il ne s'était point aperçu que le chien le suivait. Il ouvrit la portière et eut un sursaut quand le chien entra dans la voiture.

— Hé ! Sors de là ! lui dit-il.

Il tapota sur sa cuisse et le chien sortit en trombe du véhicule. Une fois qu'il fut hors de la jeep, Alexandre s'y précipita et referma la porte. Il démarra et prit la route en direction du chalet. Évidemment, ce qu'il avait craint arriva : le chien avait couru à vive allure derrière le véhicule. Il ralentit et le chien le rejoignit en moins de deux. Alexandre regarda la pauvre bête qui semblait à bout de souffle. Cependant, il attendit qu'Alexandre lui donne la permission d'entrer.

— Allez, monte, mon vieux !

L'OMBRE

Alexandre arriva au chalet sans encombre. Il sortit les sacs de la voiture et pendant ce temps, le chien attendait qu'on lui ouvre la porte du chalet. Comme s'il y avait toujours été !

En y entrant, il fit un tour complet. Après avoir rangé ses provisions, Alexandre chercha le chien qui s'était évaporé dans la maison. Il le trouva confortablement couché dans son lit. Alexandre vint s'asseoir près de lui et le chien se mit à lui lécher la main. Maintenant qu'il était plus près, il observa la cicatrice de son oreille droite. Peut-être s'était-il battu avec un autre chien. Cependant, la coupure diagonale était une ligne parfaite.

— Il faudrait que je te trouve un nom, hein ! Mon beau ?

Le chien sauta en bas du lit et vint se mettre en contre-jour près de la lumière, produisant ainsi une ombre gigantesque sur le mur. Alexandre éclata de rire.

— Toi, tu as de l'imagination ! D'accord, on y va pour Shadow. En plus, c'est un nom qui te va très bien puisque tu m'as suivi comme une ombre !

Le reste de la semaine alla bon train. Au grand bonheur de Shadow, Alexandre sortait pratiquement tous les jours. Leur complicité était parfaite.

À la veille du souper prévu avec Carl et sa femme, Alexandre téléphona à celui-là afin de confirmer sa présence. Alexandre lui annonça qu'il arriverait au courant de l'après-midi. Il comptait passer chez son employeur pour l'informer de son imminent retour. Une fois ses appels terminés, il se posta devant le téléviseur. On y présentait un festival de films en noir et blanc. Ce soir, on passait à l'antenne le film de Frankenstein daté de 1932. Alexandre étant un adepte de films d'horreur, il avait déjà vu ce film une bonne dizaine de fois. Il le regarda tout de même jusqu'à la fin.

Puis, il se rendit à la cuisine pour se préparer un sandwich. Il pouvait entendre les nouvelles qui débutaient. En bref, on annonçait qu'un incendie avait éclaté dans un quartier résidentiel. Puis, un meurtre atroce avait été commis à Sainte-Agathe dans les Laurentides.

Alexandre revint au salon, sandwich dans une main et bière dans l'autre. Son attention étant captée par le bulletin, il déposa distraitement le tout sur la table du salon.

Le jeune homme en question était âgé de vingt ans. Une dame l'avait trouvé non loin de chez elle. Celui-ci avait le corps maculé de sang. On l'avait, disait-on, rué de coups jusqu'à ce que mort s'ensuive. Selon les proches de la victime, on ne lui connaissait aucun ennemi.

— Depuis quelque temps le taux de criminalité a augmenté dans la région, continua la lectrice de nouvelles.

Alexandre se leva et vérifia que les portes étaient bien verrouillées. Il se rappelait le bruit qu'il avait entendu la veille et restait sur ses gardes. Il appréciait néanmoins la présence de Shadow au chalet. Il éteignit le téléviseur et monta se coucher.

Contrairement à l'habitude qu'il avait prise depuis qu'il habitait avec Alexandre, Shadow ne vint pas se coucher près d'Alexandre. Malgré cela, celui-ci s'endormit paisiblement

Au milieu de la nuit, Alexandre entendit Shadow émettre un grognement. Quand il ouvrit les yeux, il aperçut à la lueur de la lune Shadow couché près de l'entrée de la chambre. Il était étendu et ses oreilles rabaissées vers l'arrière de sa tête. Ses crocs sortis, il ne cessait de grogner. Alexandre retira lentement la couverture et posa ses pieds par terre. Il fixa l'entrée tout en se levant sans bruit. Avançant sur la pointe des pieds, il arriva à proximité du chien. Il pensa que s'il y avait un danger imminent, le chien se précipiterait en avant. Mais puisqu'il restait immobile peut-être ressentait-il de la crainte. Alexandre jeta de nouveau un regard sur le chien. Son poil hérissé et ses crocs imposants, il était toujours aux aguets, scrutait le corridor. Quand Alexandre revint poser ses yeux dans la demi-pénombre du corridor, il aperçut pendant une fraction de seconde une ombre sur le mur. Il sursauta et recula, manquant de trébucher. Du plus profond de son être, la peur le tenaillait. Ce qu'il avait aperçu n'était pas une ombre projetée par un individu ou une bête quelconque. Elle avait surgi au milieu du mur pour ensuite grimper jusqu'au plafond et enfin disparaître brusquement. Un peu comme si elle s'était fondue à l'intérieur du plafond. Un aboiement de Shadow le fit revenir à la réalité. Le corps couvert de chair de poule et le cœur battant à tout rompre, il sortit néanmoins de la chambre en prenant soin d'atteindre l'interrupteur et d'allumer. Mais à présent, la chose n'était plus présente. Shadow se dandinait à ses pieds comme si rien d'étrange n'était survenu. Alexandre effectua le tour des pièces sans rien y trouver comme il s'y attendait. Il passa le reste de la nuit assis dans son fauteuil à réfléchir.

Le soleil se leva enfin, présentant une journée radieuse. Les rayons intenses et aveuglants amenaient la neige à fondre à vue d'œil. Tout en se préparant un café, Alexandre ouvrit la porte afin de laisser sortir Shadow. Celui-ci hésita quelques instants pour ensuite se précipiter hors de la maison. Il était beaucoup trop tôt pour se mettre en route. Néanmoins, Alexandre commença à se préparer. En temps normal, il aurait patienté sans problème. Les passe-temps ne lui manquaient pas. Mais aujourd'hui c'était différent, il avait une envie urgente de quitter le chalet. La nervosité était présente dans chacun de ses gestes; il en était à sa troisième tasse de café. Il s'était même surpris à chercher des cigarettes qu'il aurait pu avoir oubliées dans un tiroir quelconque. Depuis près d'un an qu'il avait cessé de fumer ! Mais à présent, il en ressentait la nécessité, l'urgence.

Il n'avait jamais cru aux phénomènes paranormaux. Mais à présent que pouvait-il en penser ? Même s'il avait tendance à croire que son imagination lui jouait des tours, il savait que ce qu'il avait aperçu était réel. Il avait du mal à rester en place.

Après s'être douché et habillé convenablement, il appela Shadow à plusieurs reprises, mais n'obtint aucune réponse. Après une vingtaine de minutes, Alexandre s'impatienta. Il mit les écuelles de nourriture à l'extérieur et ferma le chalet. Il jeta un dernier coup d'œil rapide qui s'avéra sans résultat. Il prit la route en se disant que, de toute façon, avec une journée aussi splendide, Shadow serait juste assez bien à l'extérieur.

Confortablement installé derrière son volant, il se remémora une fois de plus les événements de la veille. La possibilité d'une hallucination était peu probable puisque Shadow avait été témoin de l'incident. Il tentait de s'accrocher à l'idée que quelqu'un se trouvait dans le chalet. Mais étant donné les circonstances, il avait plutôt la certitude qu'il s'agissait d'un phénomène auquel aucune explication ne pourrait être envisagée. Il tenta tout simplement d'oublier. Il ouvrit la fenêtre du véhicule de quelques centimètres afin d'y laisser entrer l'air frais et de se changer les idées. Il eut un petit sourire en pensant que bientôt le printemps serait de retour. Puis, ses pensées bifurquèrent de nouveau pour revenir à l'incident de la veille. Alexandre s'aperçut qu'il se rongeait les ongles. Non, vraiment, il était beaucoup trop nerveux. Des cigarettes, voilà ce dont il avait besoin. Il ouvrit la boîte à gants et fouilla machinalement sans grand espoir d'en trouver. Celle-ci était pleine d'objets de toutes sortes et aucun paquet ne s'y trouvait. Il approchait du village; il pourrait enfin s'en procurer. Lorsqu'il vint pour refermer le coffre, un objet resta coincé dans l'ouverture. En forçant, il parvint à le refermer. Mais deux ou trois bricoles tombèrent au sol. Il renonça à tenter de les remettre dans le coffre.

Il arriva enfin au centre du village. Il se gara et fonça ensuite directement au dépanneur. Il se procura deux paquets de cigarettes et dès qu'il fut à l'extérieur, s'empressa d'en allumer une. Tout en ouvrant le paquet, il aperçut des gens qui sortaient de la quincaillerie. Tout en fumant sa cigarette, son regard ne cessait de fixer la quincaillerie. Un passant le fit sortir de son état léthargique.

— Vous êtes tombé sous le charme ? questionna le passant.

— Sous le charme de quoi ? répondit Alexandre d'un air ahuri.

— La nièce du propriétaire de la quincaillerie ! Ça, c'est une femme, mon cher ami. Elle est sympathique, mais elle sait vous remettre à votre place en moins de deux.

— Ah ! J'ignorais que la quincaillerie était à nouveau ouverte, dit Alexandre.

Comme si Alexandre ne lui avait pas adressé la parole, le passant poursuivit l'éloge de la nouvelle propriétaire.

— Un conseil, mon ami, si vous voulez qu'elle accepte de vous voir, trouvez son chien et elle viendra.

Le sourire d'Alexandre fendu jusqu'aux oreilles disparut aussitôt.

— Un chien ? Quel genre de chien ? s'empressa-t-il de demander.

— Un chien errant dont son oncle lui avait parlé. Apparemment celui-ci le nourrissait. Il trouvait qu'il faisait pitié à voir. Toutefois, le chien ne semblait pas vouloir rester avec le vieux.

Pour rien au monde Alexandre n'allait se séparer de Shadow. Car, il en était certain, il s'agissait de lui. Alexandre salua distraitement le passant qui sembla se replonger dans un monologue sur cette femme qui avait fait chavirer son cœur. Il resta toutefois bouche bée quand il s'aperçut qu'Alexandre s'éloignait.

TANIA

Alexandre se dirigea lentement vers sa jeep, puis soudainement changea de direction. Il jeta son bout de cigarette et entra dans la quincaillerie. Contrairement à ce qu'il s'était imaginé, la nièce du propriétaire était vraiment jolie. Le passant qui lui en avait parlé n'avait pas eu tort. Malgré la perte de son oncle qui dessinait une certaine tristesse dans son regard, elle était resplendissante. Ses cheveux blonds ondulés arrivaient tout juste à la hauteur de ses seins. Ses grands yeux bleus semblaient tout observer. Elle posa son regard sur Alexandre qui s'empressa de détourner le sien. Après avoir terminé sa transaction avec deux clients, elle les remercia et se retourna enfin vers Alexandre. Si jolie fût-elle, son sourire à lui seul acheva Alexandre.
— Bonjour ! En quoi puis-je vous être utile ? demanda-t-elle.
— Je ne cherche rien en particulier. Enfin, je veux dire que je..., balbutia Alexandre.

Elle ne sembla pas le trouver ridicule pour autant. Son sourire se prononça davantage. Certes, Alexandre n'ignorait pas qu'il produisait aussi un certain effet troublant chez la gent féminine. Il était d'une assez grande stature, avec un regard perçant et un sourire envoûtant. Alexandre était sans conteste un homme séduisant.

— Vous êtes venu par curiosité. Pour voir qui avait pris la relève ?

— En fait, c'est pour le chien que vous cherchez.

— Vous savez où il est ? Est-ce qu'il va bien ?

— Vous êtes vraiment inquiète pour ce chien husky ?

Cette fois c'est elle qui paraissait embarrassée.

— Oui, mon oncle m'en a beaucoup parlé et j'adore les chiens. Il m'a dit qu'il était très attachant et qu'il avait quelque chose de particulier.

— Oui, son oreille. N'est-ce pas ? Écoutez, je dois partir, mais si vous désirez, je peux vous laisser mon numéro de téléphone et vous pourrez passer le voir si ça vous dit. Par contre, je vous avise tout de suite, je l'ai adopté depuis quelques jours déjà et j'y suis très attaché.

Au moment où il inscrivait son numéro, la clochette d'entrée se retentit. Lorsqu'il releva la tête, Alexandre aperçut le client qui venait d'entrer. Il s'agissait du passant qui lui avait parlé un peu plus tôt devant le dépanneur. Celui-ci ne cacha pas sa surprise quand il vit qu'Alexandre tendait un bout de papier à la jeune femme.

— D'accord, je vous appelle aussitôt que je pourrai me libérer, dit-elle.

Sur ce, Alexandre s'apprêta à quitter les lieux, non sans prendre le temps d'adresser un sourire narquois à l'autre homme.

En entrant dans sa jeep, Alexandre semblait être sur un nuage. Après quelques kilomètres, il se ralluma une cigarette. En inspirant, il en eut un dégoût total. Comment avait-il pu fumer la première sans en ressentir le moindre effet ? Le stress de la veille était sans aucun doute l'explication. Mais à présent, sur son petit nuage dû à l'effet que la jeune femme avait produit sur lui, il n'avait nullement besoin de cigarette. Il ouvrit la fenêtre et s'en débarrassa.

Une fois rendu en ville, Alexandre arrêta chez son employeur, M. Rickfield. Le grand édifice qui abritait les bureaux de la compagnie de construction où il travaillait était situé au centre-ville. La secrétaire l'accueillit avec enthousiasme. Ayant vu Alexandre à quelques reprises dans le passé, elle ne l'avait manifestement pas oublié. Elle le conduisit dans le bureau de M. Rickfield sans perdre de temps.

Celui-ci termina son coup de téléphone prestement. Il prit ensuite la peine de se lever et de venir tendre la main à Alexandre le plus chaleureusement du monde. Ce même geste arrachait d'ailleurs toujours un sourire à Alexandre. Son employeur était un homme de petite taille dont les cheveux commençaient à blanchir. Cet homme paraissait si frêle qu'Alexandre avait du mal à lui serrer la main convenablement de peur de la lui briser.

M. Rickfield ne cacha pas sa joie quand Alexandre lui apprit qu'il avait l'intention de reprendre le travail. Les hommes sur le terrain appréciaient le travail d'Alexandre. Et M. Rickfield en était conscient. Ils discutèrent durant une quinzaine de minutes. Alexandre ne devait plus attendre que l'accord de son docteur et pourrait reprendre le travail. Satisfaits de leur entretien, les deux hommes se quittèrent.

Alexandre reprit la route en direction de chez Carl. Moins d'une heure après, il sonna à la porte. Sa femme Diane vint lui répondre.

— Alexandre ! Quel plaisir de te voir ! Mais entre, voyons, dit-elle d'un ton enjoué.

Alexandre s'empressa d'entrer, refermant la porte derrière lui. Il lui fit la bise et jeta un regard à l'intérieur. Rien n'avait changé depuis la mort de Catherine. Elle avait presque entièrement décoré cette maison. Son talent artistique était sans conteste des plus remarquables. Diane, quant à elle, était une petite femme assez menue. Elle avait toujours eu un air sévère. Mais à présent, Alexandre la voyait resplendir de bonheur. Elle ne passait pas une minute sans rire. Décidément, cet enfant était le bienvenu.

— Carl ne va pas tarder à arriver. Dis-moi comment tu vas et ce qu'il y a de nouveau.

Diane semblait être encore plus heureuse qu'Alexandre de voir du monde.

— Eh bien ! Je vais beaucoup mieux. Évidemment, je n'ai pas vraiment rencontré de monde ces derniers temps. Mais tu me connais, j'ai besoin de solitude. Par contre, je dois ajouter que j'ai adopté un chien husky.

— Vraiment ? Ça alors, Catherine aurait été folle de joie.

Diane ouvrit grand les yeux et scruta le visage d'Alexandre, ne sachant si elle avait eu tort de parler de Catherine. Pendant quelques secondes, Alexandre baissa les yeux, fixant le sol, puis assura à Diane qu'il se portait bien.

Quinze minutes plus tard, Carl arriva du marché les bras remplis de sacs. Alexandre eut un moment de surprise en l'apercevant, car celui-ci s'était laissé pousser la barbe et semblait avoir quelques livres en moins. Remarquant l'hébétude d'Alexandre, il pouffa de rire.

— Ma femme voulait que je me laisse pousser la barbe pour paraître plus mature, dit-il d'un ton moqueur.

Diane lui jeta un regard menaçant.

— Dis-lui plutôt que tu es devenu paresseux et que c'est tout juste si tu arrives à faire ta toilette ! répliqua Diane.

Le souper se passa superbement bien. Diane avait préparé des fruits de mer. La table tout entière regorgeait de victuailles. Alexandre s'empiffra mais n'abusa pas du vin. Ils se remémorèrent de vieux souvenirs. Certains même se rattachaient à Catherine. Ce n'est que plus tard dans la soirée que Carl fit visiter la chambre du futur bébé. Alexandre se rendit compte qu'il avait complètement oublié d'apporter le berceau.

— Merde ! s'exclama-t-il.

— Quoi, Alexandre ? Je sais qu'on n'est pas de calibre devant la décoration que Catherine a effectuée dans la maison. Mais dis-moi que ce n'est pas si affreux.

— Non, ce n'est pas ça, Carl. J'ai oublié de vous apporter un berceau que j'ai construit cette semaine.

— Ah ! C'est gentil de ta part. Ça fera le bonheur de Diane. Peut-être pourrais-je aller le chercher chez toi cette semaine ?

— D'accord, et par la même occasion, tu pourras voir mon chien.

— Comment se nomme-t-elle ? questionna Carl.

— C'est un mâle; il s'appelle Shadow, répondit Alexandre

— Non, idiot, la femme qui t'a fait oublier le berceau. Toi qui n'oublies jamais rien. Et d'ailleurs, ça se voit dans tes yeux.

— Elle ne m'a pas fait oublier : j'ai fait sa rencontre après être parti de chez moi.

Comme toujours, Carl avait réussi à faire dire à Alexandre ce que celui-ci avait tenté en vain de cacher. Se rendant compte qu'il avait avoué ce qui lui trottait dans la tête, Alexandre éclata de rire.

— D'accord, tu as gagné. J'ai rencontré une superbe femme aujourd'hui. Mais pour être franc avec toi, j'ignore son nom. L'idiot que je suis était trop embêté pour le lui demander.

— Alexandre, tu me déçois, mon vieux, lui répondit Carl, repoussant l'air du revers de la main.

— Attention, mon cher ami. Ne saute pas si vite aux conclusions. Je lui ai donné mon numéro de téléphone.

— Et qu'est-ce qui te fait croire qu'elle te téléphonera ?

— Shadow, le chien errant que j'ai adopté.

— Ah ! Je vois. C'est le chien qui l'intéresse. Elle a perdu son caniche et elle veut le récupérer quitte à te faire les yeux doux pour que tu croies que tu as une chance.

— Toujours aussi sarcastique ! C'est plus compliqué que cela. Et en passant, ce n'est pas un caniche, mais un husky.

Carl lui adressa un petit sourire.

— Catherine aurait été ravie, dit Carl en s'apprêtant à quitter la pièce.

Alexandre posa une main sur l'épaule de Carl.

— Diane m'a fait la même remarque à mon arrivée. Pourtant, Catherine ne m'a jamais parlé du fait qu'elle aurait désiré un chien. Elle vous en a parlé ?

— Écoute, ça n'a plus d'importance à présent. Elle a simplement dit qu'elle aurait aimé avoir un chien. Ça doit être une idée qui lui est passée par la tête. Peut-être qu'elle était seulement triste parce qu'il y avait un chien mort au coin de la rue.

L'irruption de Diane dans la chambre empêcha Alexandre de sombrer dans ses pensées.

Ils passèrent le reste de la soirée à discuter. Quand, beaucoup plus tard, Alexandre décida qu'il était temps de partir, Diane était couchée depuis plus de deux heures déjà. Alexandre refusa l'invitation de Carl à rester pour la nuit. Sur ce, il le quitta, promettant de conduire prudemment. Bien qu'ils n'en aient jamais reparlé après cette rencontre, Carl et Diane pensèrent qu'Alexandre avait fort changé. Il paraissait beaucoup plus distant.

Quand il arriva au chalet, il aperçut Shadow sur le porche. Les écuelles de nourriture ne contenaient plus rien. Shadow était des plus heureux quand il vit Alexandre revenir. À l'intérieur du chalet, tout semblait en ordre.

À présent, les peurs qu'il avait ressenties la veille s'étaient estompées. Il ne pensait plus qu'à la jeune femme dont il ignorait le prénom. Il s'allongea sur le lit et ferma les yeux. Ses pensées voguèrent pour enfin revoir son magnifique sourire, ses gestes voluptueux, ses yeux d'un bleu profond se posant sur lui. Elle semblait si irréelle et pourtant, elle existait. Au plus profond de son être, il savait qu'elle n'était peut-être point libre même si elle ne portait aucune bague à son doigt. Il continua ses songes jusqu'à ce qu'il entendît un grognement. Un petit son à peine audible. Il prêta l'oreille et de nouveau, le son lui parvint, beaucoup plus perceptible cette fois. Tout près de lui. Nul doute qu'il s'agissait de Shadow. Mais à ce moment, il se trouvait au pied du lit. Alexandre sentit une goutte de sueur glisser le long de sa tempe. Il ouvrit néanmoins les yeux. Shadow, complètement allongé, fixait la porte de la chambre entrouverte. Il était aux aguets, ne grognant que légèrement. Toujours couché sur le dos, appuyé sur ses deux coudes, Alexandre observait. Trop étrange, le fait que le chien reste couché au pied du lit. Un peu comme la première fois. Shadow semblait flairer un danger quelconque, mais au lieu d'aller à sa rencontre, il attendait. Comme s'il protégeait Alexandre sans vraiment affronter le danger !

La respiration saccadée d'Alexandre resta en suspens durant quelques secondes. Là, juste devant lui, à l'extérieur de la chambre se tenait une ombre. Elle devait mesurer tout au plus six pieds. Elle était d'une noirceur infiniment dense. Alexandre savait pertinemment qu'il se trouvait sans défense. Il ne s'agissait aucunement d'une ombre produite par une personne. Elle avait surgi de nulle part. Comme munie d'une grande cape, elle attendait inlassablement au seuil de la chambre d'Alexandre, incapable d'avancer plus près. Celui-ci n'osait bouger. La sueur longeait chaque infime partie de son corps, se mêlant aux frissons qui le parcouraient. Il resterait ainsi figé sur son lit pendant des heures pourvu que l'ombre ne s'approche pas. Mais soudain, contre toute attente, Shadow se dressa sur ses quatre pattes et toujours au pied du lit, se mit à hurler. La gorge Alexandre se serra et sans quitter l'ombre des yeux, il s'avança vers Shadow et posa une main sur lui. Son poil était hérissé et il tremblait de tous ses membres. Lorsque de nouveau, il aboya, l'ombre eut un mouvement de recul et comme la première fois, elle eut tôt fait de s'évaporer dans le mur.

L'instant d'après, Shadow semblait s'être apaisé. Prenant son courage à deux mains, Alexandre tenta de se lever. Ses membres refusaient d'obéir. Shadow se tourna vers son maître pour l'inviter à le suivre. Les nerfs à vif, Alexandre trouva néanmoins la force de se lever après quelques minutes.

À l'extérieur, la noirceur était absolue. L'horloge indiquait trois heures du matin. Alexandre avait certes l'esprit embrouillé, mais il n'avait aucun doute sur ce qu'il devait faire dès que le soleil se pointerait à l'horizon : il partirait. Soit il délirait complètement, soit cette maison était hantée.

Cinq heures après l'événement, c'est-à-dire à huit heures du matin, la sonnerie du téléphone retentit. Alexandre sursauta et manqua tomber de la chaise où il s'était endormi. Accourant pour répondre, il se demanda comment, dans une pareille situation, il avait réussi à trouver le sommeil. Il décrocha le combiné.

— Allô ? répondit-il haletant.

— Bonjour ! Puis-je parler à Alexandre ? demanda une voix féminine.

— C'est moi-même. Qui est à l'appareil ? s'enquit Alexandre impatiemment.

— C'est Tania, la nièce du quincaillier. Écoutez, si j'appelle dans un mauvais moment...Oh ! Je suis désolée, peut-être est-il trop tôt ?

Si, la veille au soir, Alexandre s'était endormi en pensant à elle, ce matin, par contre, elle était à mille lieues de ses pensées.

— Non, non, au contraire...Tania. Joli prénom, en passant. Prénom que j'ignorais jusqu'à présent, s'empressa-t-il de lui répondre.

Ils ne discutèrent que quelques instants. Tania avait congé ce jour même et elle désirait passer voir le chien. Alexandre lui donna son adresse avec empressement. Il monta ensuite au deuxième, prenant la peine de scruter chaque recoin. Il s'assura que Shadow le suivait de près. Pour une raison quelconque, il croyait que Shadow repoussait le danger. Il devait absolument prendre une douche avant l'arrivée de Tania. Quand Shadow fut bien installé sur la descente de bain, Alexandre entra dans la douche. Contrairement à son habitude, il ne chanta pas une fois sous l'eau.

Lorsque quelques minutes plus tard, il s'apprêta à sortir, il entendit Shadow aboyer. Son cœur se remit à battre intensément. « Si cette chose ne me tue pas, je vais mourir d'une crise cardiaque », pensa-t-il. Il sortit de la douche en pressant le pas. Il observait le couloir dans l'inévitable attente de voir l'ombre apparaître hors du mur quand la sonnerie de la porte d'entrée se fit entendre. Cela ne faisait qu'une quinzaine de minutes qu'il avait parlé à Tania. Muni que d'une simple serviette autour de la taille, Alexandre ouvrit la porte. Tania se trouvait devant lui. Tel un rayon de soleil flamboyant, son petit sourire mesquin était fixé sur son visage d'ange. Chacun leur tour, Tania et Alexandre rougirent de la tenue de ce dernier.

— Je suis navré, je sors de la douche. Vous avez fait drôlement vite, dites donc.

— Oui, j'étais à deux pas chez une amie. J'aurais dû vous avertir.

Après s'être habillé, Alexandre invita Tania à faire le tour de la demeure. Curieusement, à sa grande déception, Shadow ne semblait plus être dans la maison. Pourtant, Alexandre l'aurait sans nul doute aperçu s'il était sorti.

Ils s'installèrent au salon. Tout en conversant, Alexandre admirait la beauté de Tania ainsi que sa façon d'être : simple et mystérieuse à la fois. Vraiment, elle était renversante. Sur son petit nuage, Alexandre en redescendit aussitôt quand Tania lui demanda s'il avait une petite amie. La surprise puis la déception se lurent sur son visage. Il trouva néanmoins le courage de répondre.

— Je suis célibataire. Ma femme est décédée l'an dernier dans un accident.

Après une avalanche d'excuses, Tania ne trouva plus aucun mot à ajouter. Visiblement, elle était extrêmement mal à l'aise. L'atmosphère s'était comme alourdie soudainement.

Au loin, un aboiement se fit entendre, venant ainsi rompre le lourd silence qui pesait dans la pièce. Avec le consentement de Tania, Alexandre prépara un repas qu'ils partagèrent. Ils passèrent le reste de l'après-midi en promenade aux alentours. Le décor hivernal était somptueux. La nature environnante à son état mort était simplement éblouissante. Alexandre n'avait jamais été un homme de ville. La nature ainsi que la solitude qu'elle offrait étaient ce qu'il y avait de plus merveilleux pour lui. Il avait bien accepté de vivre en ville avec Catherine à cause de son métier de décoratrice. Par contre, il avait acheté le chalet pour son bien-être personnel. « Une nécessité, avait-il expliqué à Catherine. De plus, avait-il continué, quand nous serons vieux, nous pourrions y vivre et ainsi laisser la maison en ville aux enfants que nous aurons. »

— Le paysage est à couper le souffle. N'est-ce pas ? demanda-t-il à Tania.

— Oui, tout à fait. C'est splendide. Mon oncle y a passé toute sa vie. Si mon travail n'était pas si loin, je crois que j'aurai fait de même.

— Que faites-vous dans la vie ? demanda Alexandre.

— Je suis mannequin, répondit-elle, le regardant droit dans les yeux.

Pris par surprise, Alexandre se sentit intimidé et son visage passa au rouge vif. Mais il reprit le contrôle l'instant d'après presque amusé du comportement enfantin dont il faisait preuve.

— Alors, c'est pour cela que votre visage m'était si familier. J'ai d'abord pensé que je vous avais connue dans un passé lointain. Cela doit faire toute une différence de travailler derrière un comptoir.

— En effet. Mais, ce n'est que provisoire. J'ai deux contrats prévus pour les mois à venir. Et, entre-temps, je compte vendre la quincaillerie de mon oncle.

Alexandre vit le regard de Tania s'attrister et ne prolongea pas la conversation sur le sujet. Il était évident que la vie de Tania ne lui permettait pas de gérer une petite quincaillerie dans un petit patelin. Son oncle la lui avait léguée et malgré tout ce que cela représentait, elle ne pouvait la garder.

Pendant les instants de silence, Alexandre appelait désespérément Shadow. Mais à aucun moment, il ne répondit à l'appel. Alexandre en vint même à se demander si d'une quelconque façon, Shadow n'esquivait pas la visite.

— Tania, je suis désolé pour Shadow. J'ignore sincèrement où il se trouve.

Elle sembla perdue dans ses pensées. Alexandre la regarda dans les yeux afin de savoir ce qui n'allait pas, mais elle détourna le visage. Mais pas assez vite pour qu'Alexandre ne remarque ses yeux remplis de larmes. Alexandre laissa passer quelques secondes puis continua :

— Si vous croyez que je vous ai menti, c'est faux. J'ai vraiment...

— Non, ça va, je pensais à mon oncle. Dites-moi, il y a une raison particulière pour que vous l'ayez nommé Shadow ?

— C'est assez étrange, la façon dont le nom m'est venu en tête.

Tania interrompit la marche; elle semblait avide d'en savoir plus. Alexandre lui raconta comment Shadow avait bondi hors du lit, projetant ainsi une ombre sur le mur. Tania n'ajouta aucune remarque. Alexandre lui sourit et ils reprirent le chemin. Le soleil commençait à descendre à l'horizon. Tout en se dirigeant vers le chalet, Alexandre posa la question qui lui brûlait les lèvres depuis ce matin.

— Vous n'êtes pas trop déçue que Shadow manque à l'appel ?

— Oh ! Il fallait s'y attendre, non ? C'est un chien d'extérieur. Mais non, je ne suis pas trop déçue, au contraire, j'aime bien votre compagnie.

Sans mot dire, ils poursuivirent leur route jusqu'au chalet. En y arrivant, la conversation reprit de plus belle. L'heure du souper passa en douce sans qu'aucun des deux s'en aperçoive. Vers neuf heures, Tania se leva du sofa dans lequel elle était assise depuis la fin de l'après-midi.

— Il est tard, je crois que je dois partir.

Il était évident qu'une attirance mutuelle les dominait. Le temps passé ensemble avait été sublime. Alexandre vint la reconduire à sa voiture et lui fit promettre de l'appeler dès qu'elle serait de retour chez elle. Il fit demi-tour vers le chalet, sachant qu'une fois qu'elle serait partie, il quitterait le chalet, car pour rien au monde, il n'y dormirait de nouveau. Il se retourna pour saluer Tania et se rendit compte qu'elle n'avait toujours pas mis le contact. Il rebroussa chemin et vint la rejoindre. Arrivé près de la voiture, il remarqua que Tania fulminait.

— Problème de démarrage ? lui demanda-t-il, connaissant déjà la réponse.

— Cela fait trois fois ce mois-ci que je l'emmène au garage pour réparer ce foutu problème.

— Écoutez, Tania, je crois que je pourrais y jeter un coup d'œil, je m'y connais assez bien en mécanique. Seulement, ça serait préférable de le faire demain; il se fait tard et il fait assez frais ce soir.

Il lui proposa de la reconduire chez elle, ce qu'elle accepta non sans un certain malaise à cause du dérangement qu'elle lui occasionnait. L'idée de lui offrir de rester pour la nuit frôla les pensées d'Alexandre, mais il s'abstint de le demander. Il rentra chercher son manteau et ses clefs. Il jeta un coup d'œil sur les écuelles de Shadow, pensant qu'il devrait les mettre à l'extérieur. Mais sachant qu'il serait de retour au petit matin, il les laissa dans la cuisine. Il monta dans sa jeep et mit le contact. Tania prit place à ses côtés en prenant soin de ramasser les objets épars à ses pieds.

Certaines personnes, lorsqu'elles sont mal à l'aise, cessent de parler, tandis que d'autres se mettent à parler sans arrêt. Tania appartenait à la deuxième catégorie. Elle le remercia à plusieurs reprises de bien vouloir la reconduire. Elle lui avoua qu'elle avait vraiment passé une très belle journée. Elle parla ainsi pendant plusieurs minutes, ne laissant à Alexandre que le temps d'émettre de brèves remarques. Puis soudainement, elle se tut et ouvrit la lumière intérieure de la voiture.

— C'est une photo de votre petite amie ? questionna-t-elle.

Alexandre se retourna brièvement et aperçut qu'elle tenait un des petits objets qui étaient tombés de la boîte à gants plus tôt. Il s'agissait effectivement de sa femme portant une robe d'été. Alexandre posa de nouveau ses yeux sur la route sans parler.

— J'ignorais que vous aviez un chien husky auparavant, dit-elle.

— Nous n'avons jamais eu de chien. C'est peut-être un chien qui passait par là. Pour être honnête, je n'ai aucun souvenir de cette photo, répondit Alexandre

— C'est votre maison en rangées derrière elle ? C'est plutôt joli.

Alexandre sourit malgré lui.

— Si c'est une maison blanche avec d'innombrables fleurs, oui, ça l'est.

Soudain, Tania émit un cri d'étonnement. Alexandre sursauta et s'empressa de lui demander ce qui n'allait pas.

— Le chien, c'est lui. C'est le même ! répondit-elle presque en hurlant.

— Quoi ? s'exclama Alexandre tout en dirigeant la jeep vers l'accotement.

— Son oreille droite, elle est coupée comme mon oncle l'avait dit.

Il lui prit la photo des mains. Il ne pouvait en croire ses yeux. Lentement, avec précaution, il sortit la photo du petit cadre. Sa femme, sa maison en rangée et Shadow…, car sans conteste, il s'agissait de Shadow. Voyant qu'Alexandre était submergé de questions, les yeux agrandis fixant la photo ou plus précisément Shadow, Tania lui demanda :

— Peut-être l'a-t-elle emmené au chalet et qu'il s'est égaré, Alexandre. Elle ne vous en a donc jamais parlé puisqu'il n'était plus là.

— Non, impossible. Quand nous venions au chalet, c'était toujours ensemble. Je ne comprends vraiment pas comment il a pu arriver jusqu'ici ! Le pire dans tout cela, c'est que je ne l'ai jamais aperçu au chalet, en supposant qu'elle l'ait laissé là-bas. C'était toujours au village. Et il m'a tout de suite paru intrigué par ma présence.

Alexandre retourna la photo et y aperçut une note au verso : « En souvenir de vous deux. Signé Erika. »

— Erika, murmura Alexandre

— De qui s'agit-il ? demanda Tania.

— Une amie que nous avions en commun au lycée.

— Elle doit sûrement être au courant de ce qui est advenu du chien. Ou du moins pourquoi votre petite amie ne l'a pas gardé, proposa Tania.

Alexandre reprit la route; ils restèrent sans parler tout le reste du trajet. Quand enfin ils arrivèrent, Tania s'apprêta à sortir, mais Alexandre la retint en posant une main sur son épaule.

— Je suis désolé, Tania. Toute cette histoire est si bizarre.

Tania, qui s'était retournée pour lui faire face, lui sourit gentiment.

— Qu'y a-t-il d'autre, Alexandre ?

— Autre chose que je suis dans l'impossibilité de raconter. Disons simplement qu'il s'agit de certains faits étranges qui se sont produits dernièrement. J'irai voir Erika demain. Si vous voulez m'accompagner, vous êtes la bienvenue.

— J'aurai accepté volontiers, mais il y a la quincaillerie; je dois y travailler durant la matinée. Par contre, si vous voulez m'attendre, je pourrais vous téléphoner à mon retour à la maison et nous irions ensemble.

— D'accord, mais ne me téléphonez pas : je ne passerai pas la nuit chez moi. J'irai vous prendre à la quincaillerie.

Elle le regarda, perplexe. Elle baissa les yeux comme pour cacher un embarras évident.

— Votre nouvelle petite amie n'aura pas d'objection à ce que vous arriviez si tard ? lui demanda-t-elle en rougissant.

— Je n'ai pas de petite amie. Je vais dormir à l'hôtel pour cette nuit. Je ne suis pas à l'aise à l'idée de passer la nuit au chalet. C'est tout ce que je peux vous dire pour le moment. Je préfère paraître mystérieux plutôt que sénile à vos yeux.

— Je vois, les faits étranges dont vous m'avez parlé !

— Rien qu'à y penser, j'ai des frissons sur tout le corps. Restons-en là, d'accord ?

— Je veux bien. Par contre, vous n'irez pas à l'hôtel ce soir : je vous offre le gîte.

— Je ne sais pas quoi dire. On se connaît à peine. Mais si je ne vous importune pas, j'accepte volontiers. De plus, si vous le souhaitez, j'irai vous conduire au travail demain.

Sur ce, ils entrèrent. Malgré l'heure tardive, ils prirent un café et poursuivirent leur conversation. Environ deux heures plus tard, Tania se leva et alla chercher le nécessaire pour qu'Alexandre puisse dormir confortablement sur le divan. Celui-ci était d'ailleurs sans conteste des plus moelleux. Alexandre s'y cala sans tarder. Aussitôt couché, il s'endormit. Il ne dormit qu'un court laps de temps. Il s'éveilla en sursaut, émettant un cri rauque. Tania accourut aussitôt, encore tout endormie mais avec un visage reflétant l'inquiétude.

— Qu'y a-t-il, Alexandre ?

— J'ai cru entendre un hurlement.

— C'est sans doute un cauchemar.

— Peut-être. Mais cela semblait si réel.

Il se passa la main dans son épaisse chevelure noire. Toujours les yeux fixés sur Tania, il lui sourit. Elle s'était agenouillée près de lui. Elle avait les cheveux en bataille, mais même cela ne diminuait en rien la façon dont elle avait d'être belle. De son doigt, elle caressa le contour du visage d'Alexandre. Il ferma les yeux et sentit qu'elle approchait son visage du sien. Le désir le submergeait. Lentement, elle posa ses lèvres sur celles d'Alexandre et suavement, l'embrassa. Ainsi, ils firent l'amour une grande partie de la nuit.

Au petit matin, Tania attendit jusqu'à la dernière minute pour le réveiller. Lorsqu'elle fut prête, elle vint le rejoindre au lit et le tira du sommeil avec douceur. Une fois encore, le désir de la posséder était présent. Mais elle devait aller au travail, il le savait bien.

— Je serai de retour pour une heure. Tu ne vois pas d'inconvénient à ce que je prenne ta jeep ? lui demanda-t-elle.

Elle avait les clefs de la jeep en main. Alexandre voulut se lever mais y renonça, sachant qu'il la retarderait.

Il passa donc la matinée seul chez Tania à méditer sur les deux sujets qui occupaient son existence depuis quelques jours : Tania et Shadow. Il se rendit compte jusqu'à quel point il s'était trompé en se croyant bien dans la solitude. À présent, même si cela ne faisait que très peu de temps qu'il était avec Tania, il savait qu'elle était faite pour lui. Dès le premier jour, il avait su. La plupart des hommes avaient un faible pour Tania. Alexandre avait aussi succombé et elle l'avait préféré aux autres. Ses pensées se tournèrent vers Shadow qui avait lui aussi passé une infime partie de sa vie avec Catherine. Alexandre se leva et se rendit à la cuisine. Malgré les deux cafés qu'il avait consommés, il sentait le sommeil le gagner. L'horloge de la cuisinière indiqua presque midi. Tania serait de retour pour une heure. Il se dit qu'avant de se rendre chez Erika, il devrait peut-être l'informer de sa visite. Il avait bien son numéro de téléphone, mais seulement, il se trouvait au chalet. Pour gagner un peu de temps, il pensa demander à Tania de passer le prendre. Il ouvrit le carnet de téléphone qui se trouvait sur la table de salon et y chercha le numéro de la quincaillerie. Il aperçut, caché sous un tas de revues, ce qui semblait être un journal intime. Machinalement, sans vraiment s'en rendre compte, il l'ouvrit pendant que, de son autre main, il décrocha le combiné et composa le numéro de la quincaillerie. Une voix féminine lui répondit, mais ce n'était pas celle de Tania. La voix était beaucoup plus aiguë. La femme lui demanda de patienter un instant.

Le journal de Tania relatait sa vie au quotidien. Rien de vraiment spécial. Alexandre n'avait d'ailleurs jamais saisi pour quelle raison certaines personnes ressentaient le besoin d'écrire leur vie. N'était-ce pas quelque chose de personnel ? Pourquoi coucher sur papier et courir le risque que quelqu'un le découvre ?

Tania avait une écriture allongée. Les lettres courbaient vers la droite.

« Aujourd'hui, je me suis rendue au studio pour une séance photo… ».

— Allo ? répondit la voix à l'autre bout de la ligne.

Alexandre, un peu surpris, demanda à parler à Tania et mal à l'aise, referma le journal de celle-ci.

— Désolée, monsieur, Tania est déjà partie.

— Déjà ? Elle vient de s'en aller ? demanda Alexandre
— Bien, en fait, elle est partie il y a plus d'une heure. Elle m'a demandé de rentrer plus tôt. Je crois qu'elle avait des courses à faire.

Alexandre la remercia et mit fin à la conversation. Une heure et demie passa. Il était au bout de sa patience quand il entendit le ronronnement de sa jeep. Il sortit en trombe et aperçut Tania qui se dégageait du véhicule en affichant son superbe sourire, sans toutefois avoir le moindre sac en main. Il lui rendit son sourire, se sentant apaisé aussitôt.
— Navrée pour le petit retard, ma relève n'était pas à l'heure.

Alexandre fronça les sourcils mais sans plus. Il ne la questionna pas sur ce mensonge évident. Il jugea que cela ne le concernait pas. Du moins, pas à ce stade de la relation. Il abandonna l'idée d'aller chez lui chercher le numéro d'Erika.

ERIKA

Ils se mirent en route quinze minutes plus tard après avoir mangé un repas rapide. Chemin faisant, la conversation se limita à la pluie et au beau temps. Il était clair pour Alexandre que Tania avait la tête ailleurs. Quant à lui, il s'inquiétait de savoir s'il aurait dû lui dire qu'il avait téléphoné à la quincaillerie.

Le soleil tentait tant bien que mal de percer les nuages. Mais ceux-ci s'obstinaient à rester en première place. Alexandre se souvint de sa dernière journée passée avec Catherine. Une journée semblable à celle-ci. Il y avait quelque temps déjà que la routine s'était installée dans leur relation. Elle s'était faufilée graduellement dans leur quotidien. Contrairement à certains couples qui se réveillent un beau matin s'apercevant que la flamme de leur amour n'est plus, Alexandre et Catherine avaient vu la routine arriver et l'avaient acceptée. Alexandre se demanda pourquoi en ce jour il était si nostalgique. Catherine hantait inlassablement sa mémoire. Peut-être ressentait-il de la culpabilité.

La jeep d'Alexandre dépassa une voiture, la laissant l'instant d'après à une très bonne distance derrière. La voix de Tania dont la nervosité était flagrante le fit revenir à la réalité.

— On ne va tout de même pas se tuer pour savoir d'où vient le chien, dit-elle d'une voix tremblante.

Alexandre lâcha l'accélérateur, jetant un regard sur l'odomètre qui indiquait une vitesse de près de cent cinquante kilomètres à l'heure. Peut-être Tania avait-elle aussi été perdue dans ses pensées ou bien trop timide pour dire promptement à Alexandre qu'il dépassait la limite de vitesse permise. Tania sembla s'apaiser aussitôt qu'il ralentit. Elle accepta les excuses d'Alexandre, mais s'empressa de lui demander ce à quoi il pouvait bien penser pour être aussi distrait.

— Je pensais à Catherine et à Erika, dit-il le plus franchement du monde.

— Ah ! Je comprends.

— Avant de rencontrer Catherine, j'ai fréquenté Erika quelque temps. Ensuite, Catherine a fait son entrée dans ma vie. Elle est arrivée au collège où nous allions, moi et Erika. Le plus surprenant, c'est qu'elles se connaissaient déjà. Ma relation avec Erika s'est dégradée rapidement. Nous ne pensions pas de la même façon. Ensuite, j'étais avec Catherine. Contrairement à ce que j'avais cru au début, elles ne se sont pas détestées du tout. Elles sont restées de très bonnes amies.

— Est-ce qu'une visite-surprise ne sera pas trop difficile ?

— Non, non, je crois que ça ira, répondit-il d'un air détaché.

Quand ils arrivèrent enfin, Alexandre remarqua que la maison d'Erika avait quelque peu changé. La façade avait été repeinte et une rallonge avait été construite. Chose étrange, car la dernière fois que Catherine lui avait parlé d'Erika, elle lui avait confié qu'elle croulait littéralement sous les dettes. Peut-être avait-elle reçu un héritage, pensa Alexandre.

Après avoir actionné le carillon à plusieurs reprises sans obtenir de réponse, Alexandre et Tania s'apprêtèrent à partir quand la porte s'ouvrit. Une vieille dame à la stature recourbée les accueillit. Bien qu'aucune dent ne soit présente dans sa bouche, elle souriait pleinement.

— Bonjour ! dit-elle en plissant les yeux, cherchant à mettre des noms sur les deux jeunes gens qui se trouvaient devant elle.

— Bonjour, madame. Serait-ce possible de voir Erika ?

— Erika Murray ? Je regrette, mon bon monsieur, elle n'habite plus ici. C'est ma demeure à présent, je l'ai acquise.

La vieille dame qui de prime abord avait paru si aimable avait soudainement changé de ton. Une inquiétude se lisait sur son visage.

— Désolé de vous avoir importunée, madame, lui répondit Alexandre.

Sans dire un mot de plus, la vieille dame repoussa lentement la porte. Contre toute attente et à la grande surprise d'Alexandre, Tania retint fermement la porte d'un geste brusque. Alexandre n'en revenait pas. Un tel manque de politesse. En haussant la voix, Tania demanda :

— Une dernière question, madame. Sauriez-vous par hasard où nous pourrions la joindre ?

— Oh ! Bien sûr ! Comme je l'ai déjà dit à votre prédécesseur, elle habite juste au bas de la côte à environ cinq minutes de marche. Je ne connais pas l'adresse, mais vous ne pouvez pas la manquer. Vous verrez un gros écriteau indiquant « Cimetière » à l'entrée de sa demeure. Mais je vous avertis, si vous ou une autre personne de votre organisation revenez encore ici, j'appelle la police.

Alexandre n'avait plus de doute : cette vieille bonne femme était complètement cinglée. Même si Tania avait quelque peu manqué de politesse, cela ne justifiait pas une réponse aussi abrupte, aussi véridique qu'elle puisse être. Alexandre recula de quelques pas tout en entraînant Tania par le bras. Il fixait la vieille dame qui affichait un sourire narquois, le regard vide. Il s'empressa de faire entrer Tania dans la jeep. Il remarqua que son teint était très blême. Il mit le moteur en marche et jeta un dernier coup d'œil en direction de la maison qui jadis avait été celle d'Érika. La vieille y était toujours; elle semblait perdue dans ses pensées. Elle les regardait sans vraiment les voir.

— Ça ira ? demanda Alexandre une fois éloigné.

La seule chose que Tania lui répondit fut que sa mort confirmait le tout. Alexandre, voyant qu'elle semblait encore bouleversée, n'en demanda pas plus. Peut-être pensait-elle à son oncle.

Durant le reste du trajet, la tension s'atténua de quelques degrés. Alexandre avait du mal à croire qu'Erika n'était plus. Chose certaine, il devait en savoir davantage. De quoi pouvait-elle bien être morte ? Elle était jeune et en santé. Évidemment, les dettes qu'elle avait accumulées devaient être pénibles. Mais fallait-il en conclure qu'elle s'était suicidée pour autant ? Et de qui parlait la vieille femme quand elle avait fait allusion à leur prédécesseur ? Malgré tout, ce qui tourmentait le plus Alexandre était que Tania semblait plus perturbée que lui.

Quand le soleil ne fit plus qu'un demi-cercle au-dessus des montagnes, ils étaient de retour chez Tania. Alexandre eut un moment d'hésitation, ne sachant s'il devait s'inviter ou non. Ils entrèrent et Alexandre prit l'initiative de préparer le souper. Tania ne vint à aucun moment lui proposer de l'aide. Assise au salon, elle écrivait. Juste avant de servir, Alexandre l'interrompit pour l'avertir que le repas était prêt. Sans dire un mot, elle se leva et rangea son journal parmi les innombrables livres de sa bibliothèque.

Le repas enfin sur la table, Alexandre commença à déguster ses pâtes. Non pas qu'il fût indifférent au décès d'Erika, mais il avait simplement faim. Tania, quant à elle, ne toucha point à son assiette. Bien que seules les odeurs savoureuses qui émanaient des assiettes eussent fait saliver quiconque, Tania renonçait tout de même à manger. Alexandre avait consommé la moitié de son assiette quand il tenta une approche, tout en étant conscient que le caractère de Tania lui était inconnu.

— Écoute, je suis désolé si le décès d'Erika a fait remonter des souvenirs. Je n'aurais jamais dû t'emmener là-bas.

Tania déposa lentement sa fourchette, intacte, et se leva brusquement.

— Tu n'y es pour rien. Tu ignorais tout de son décès.

Elle se dirigea à la fenêtre de la cuisine qui donnait sur l'avant de la maison. Elle repoussa le rideau de sa main et regarda à l'extérieur.

— Je crois qu'il vaut mieux que tu partes à présent, dit-elle d'une voix neutre.

Alexandre se leva à son tour tout en empoignant les assiettes d'une main nerveuse. Il n'aimait pas le ton qu'elle avait employé. Elle semblait soudainement un peu trop en contrôle d'elle-même pour quelqu'un de bouleversé. Alexandre continua néanmoins de ramasser la table. Tania ne l'aida point, le regard plongé dans l'obscurité de la nuit qu'elle scrutait avidement. Comme si elle attendait quelqu'un !

— Qu'y a-t-il de si intéressant à l'extérieur ? demanda Alexandre promptement.

Elle sortit de sa rêverie en sursautant.

— Je t'ai demandé de partir ! répondit-elle en se tournant vers lui.

Alexandre n'en pouvait plus, il était sur le point d'éclater. Peut-être à cause des sentiments qu'il éprouvait pour elle, il se retint. Il tourna les talons et sans prendre la peine de prendre son manteau, quitta la maison.

Sa colère, si intense, qui bouillonnait jusqu'au plus profond de ses entrailles, ne lui permit à aucune seconde de s'apercevoir qu'il se dirigeait vers son chalet. Il ne s'en rendit compte qu'une fois que la jeep montait la petite côte qui le menait chez lui. La colère qu'il ressentait était beaucoup plus forte que sa peur. Comment Tania avait-elle pu être aussi brusque ? L'annonce de la mort d'Erika avait de toute évidence modifié le comportement de Tania. Mais à présent, il en était certain, elle lui cachait quelque chose. Elle ne s'était pas placée à la fenêtre distraitement pour éviter de lui parler. Non, elle avait plutôt semblé observer quelque chose.

Alexandre stationna la jeep et en sortit de pied ferme. Il regarda la voiture de Tania qui se trouvait à deux pas de la sienne à attendre qu'on la répare. Dès le lendemain, après l'avoir réparée, il irait la laisser devant chez elle. Et chose certaine, il mettrait fin à leur liaison. Durant les années qu'il avait passées avec Catherine, le respect avait toujours été de mise, et ce, même en cas de dispute au-dessus de la moyenne.

Il monta les quelques marches qui le séparaient de la porte. Sur le palier, la lumière du détecteur de mouvement s'alluma. Il eut un moment d'hésitation puis haussa les épaules. À cet instant précis une ombre gigantesque se dessina sur la façade du chalet. Alexandre se tourna pour apercevoir Shadow gravissant les marches pour le rejoindre.

— Shadow ! Comme je suis content de te voir, mon vieux ! Tu m'as fait une sacrée frousse.

Alexandre ne prit pas la peine de monter à sa chambre. Il s'effondra sur le canapé. Trop d'émotions dans un si court laps de temps. Il dormit profondément sans qu'aucun cauchemar vienne perturber son sommeil.

L'ACCIDENT

Malgré son intense fatigue, il s'éveilla assez tôt le lendemain. La journée s'annonçait relativement ensoleillée, lui facilitant ainsi la tâche pour la réparation du véhicule. Une heure plus tard, Alexandre sortit du chalet muni de son coffre à outils. Il s'assura que Tania avait laissé les clefs de sa voiture puis se mit à l'œuvre. Shadow était couché à quelques pas d'Alexandre. Il semblait se prélasser au soleil en observant son maître travailler. Alexandre interrompit sa besogne pour prendre une gorgée de café. Il s'agenouilla et passa sa main sur le pelage de Shadow qui semblait bien apprécier la caresse quand, soudain, il dressa les oreilles. Il se posta sur ses quatre pattes. Une voiture approchait. Alexandre pensa qu'il s'agissait sûrement de Tania en compagnie d'un mécanicien. Mais quand Alexandre mit ses mains en visière, pour mieux voir, il s'aperçut qu'il s'agissait d'une patrouille de police. Quelques minutes plus tard, la voiture de police se gara tout près de la jeep d'Alexandre. Un jeune policier, qui en était probablement à ses débuts, fit son apparition. D'une lenteur exagérée, il sortit du véhicule. Malgré l'autorité qu'il tentait de représenter, sa nervosité se ressentait pleinement. Faisant durer encore le suspense avant le questionnement sur sa venue, il se frotta le menton de sa main moite. Le geste fit sourire Alexandre. On aurait pu se demander s'il s'interrogeait ou bien s'il tentait de savoir si sa barbe avait poussé. Il observa la jeep d'Alexandre avec attention. Tout en retenant son chapeau d'une main comme s'il avait peur qu'il s'envole malgré l'absence totale de vent en ce jour, il s'approcha enfin d'Alexandre.

— Bonjour, monsieur l'agent. En quoi puis-je vous être utile ? l'accueillit Alexandre.

— Vous êtes Alexandre Montreuil ? dit le policier sans vraiment quitter la jeep des yeux.

— Effectivement !

— C'est votre véhicule ?

— Oui.

Le policier fouilla dans sa poche et en ressortit un calepin.

— Vous connaissez un dénommé Carl Dufresne ?

— Oui, c'est un vieux copain. Pourquoi ? Qu'y a-t-il ? Il ne lui est rien arrivé, n'est-ce pas ?

Les yeux Alexandre semblaient s'agrandir à mesure qu'empiraient les pensées qui défilaient dans sa tête.

— Votre ami a été victime d'un accident au courant de la journée d'hier. Apparemment, vous l'ignoriez. Soyez sans crainte, il est hors de danger.

Alexandre bombarda le policier de questions. Celui-ci leva la main pour le faire taire.

— C'est moi qui pose les questions. Étiez-vous en conflit avec M. Dufresne ?

— Non, bien sûr que non, au contraire. Mais pourquoi vous me....

— Parfait. C'est exactement ce que sa femme nous a dit, acquiesça le policier, impassible à l'étonnement évident d'Alexandre.

Alexandre perdit patience. Pourquoi l'agent de police venait-il le questionner à propos de Carl ? Tant de questions tourbillonnaient dans sa tête. Il n'avait qu'une envie : se rendre à l'hôpital pour être auprès de son ami.

— Vous en avez encore pour longtemps avec vos questions ? demanda Alexandre d'un ton sec.

— Vous êtes bien pressé, M. Montreuil ! Mais avant de vous laisser partir, j'aimerais savoir où vous étiez hier après-midi.

— Quoi ? J'étais chez une amie. Pourquoi toutes ces interrogations ?

Après une brève explication du policier, Alexandre apprit que Carl avait eu son accident à proximité du chalet, pour ne pas dire sur le terrain même d'Alexandre. De toute évidence, il était venu rendre visite à Alexandre, et peut-être, par la même occasion, chercher le berceau. Le policier quitta les lieux peu de temps après qu'Alexandre eut répondu au reste de ses innombrables questions.

Alexandre se mit aussitôt en route vers l'hôpital, qui se trouvait à environ une heure de route. Quand il y arriva enfin, il trouva Diane, la femme de Carl, au chevet de ce dernier. Carl était fort heureusement hors de danger. Mais Alexandre ne cessait de se demander pourquoi on l'avait questionné d'une façon suspicieuse. Il était évident qu'il n'y était pour rien dans l'accident de Carl.

Diane paraissait exténuée. D'une main, elle caressait les cheveux de Carl et de l'autre, son énorme ventre. Heureusement, l'accident de Carl n'avait pas provoqué l'accouchement, bien que de toute évidence, il s'en fût fallu de peu. Après avoir échangé quelques mots avec Alexandre, Diane quitta la chambre pour aller chercher du café. Elle paraissait distante. Bien sûr, l'accident pouvait de prime abord être l'explication à son humeur froide. Mais Alexandre avait plutôt l'impression qu'elle lui en voulait personnellement. Il en eut la confirmation quand Diane franchit le seuil de la porte.

— J'espère que tu n'y es pour rien, Alexandre, lui lança-t-elle froidement.

Sur ce, Alexandre se retrouva enfin seul avec Carl. Son état se résumait à une jambe cassée, plusieurs fractures à l'abdomen et une partie du visage défiguré. Allongé sur son lit d'hôpital, il ne paraissait pas trop souffrir de tout cela. Les médicaments qu'on lui avait administrés semblaient agir pour son confort.

Il regarda Alexandre et malgré sa condition, lui sourit maladroitement et tenta de parler. Voyant que cela paraissait lui être pénible, Alexandre s'approcha davantage. Il aperçut un verre d'eau avec une paille sur la table. Il le tendit à Carl qui, avec difficulté, prit une bonne rasade.

— Pourquoi n'es-tu pas venu m'aider, Alexandre ? demanda-t-il.

— T'aider ? Mais je n'étais pas chez moi, Carl. J'en suis navré.

— Tu l'as abattu ? demanda Carl.

— Quoi ? Qui ça ? répondit Alexandre tout en se demandant sérieusement si son ami avait complètement perdu la tête.

S'imaginer sortant du chalet avec un calibre 12 en main prêt à tuer le conducteur de l'autre voiture accidentée le fit sourire malgré la situation.

— Le clébard ! rugit Carl émettant une grimace de douleur due à l'effort supplémentaire qu'il fournit.

— Tu parles de Shadow ? s'enquit Alexandre tout en se relevant brusquement. Il devait se rendre à l'évidence que Carl délirait. Il jeta un bref regard en direction du couloir, mais Diane n'y était toujours pas.

Carl comprit parfaitement le point de vue d'Alexandre et le rectifia aussitôt.

— Je ne suis pas cinglé, Alexandre. Je mentirais si je disais que je t'ai vu hier. Par contre, ta voiture y était. Quand je suis descendu, ton moteur était encore chaud. J'ai frappé à la porte du chalet, mais tu n'as pas ouvert. J'ai pensé que tu voulais être seul et je suis parti.

L'effort pour parler lui était de plus en plus difficile. Il continua néanmoins.

— Quand je suis arrivé près de la route, j'ai regardé dans mon rétroviseur. Je pouvais encore nettement apercevoir le chalet à cette distance. J'ai vu ta jeep qui roulait à toute allure en direction de la cour arrière du chalet. Je me suis dit : « Mais qu'est-ce qu'il peut bien fabriquer ? » jusqu'à ce que j'aperçoive sur quoi tu fonçais : le chien. Je ne l'ai vu qu'une fraction de seconde; il courait à toute allure. C'est à ce moment que la collision a eu lieu.

Le regard de Carl semblait revivre l'événement qui l'avait mené à l'hôpital. Il était à bout de souffle. À ce moment, Alexandre sentit la présence de Diane. Il n'aurait su dire si elle était présente depuis un bon moment ou non. Elle jeta un long regard sur Alexandre.

— Je crois qu'il a besoin de repos à présent, lui dit-elle en haussant les sourcils.

Il aurait bien voulu lui expliquer qu'il n'y était pour rien dans cet accident, mais il s'en abstint, choisissant d'attendre le moment opportun. Il s'apprêtait à partir quand il entendit Carl lui adresser de nouveau la parole.

— Je n'ai pas freiné ! continua Carl comme s'il n'avait pas entendu l'interruption de Diane.

— Que veux-tu dire ? le questionna Alexandre en se rapprochant du lit.

— Je n'ai jamais mis le pied sur le frein. Mais j'ai senti juste avant la collision que la voiture freinait. Je devrais être mort, Alex, tu m'entends ?

Diane s'approcha du lit. Elle épongea le front de Carl, tentant de l'apaiser. Malgré sa grossesse avancée, elle gardait une bonne maîtrise de la situation. Par contre, la présence d'Alexandre semblait la mettre mal à l'aise. Autant

Alexandre fut intrigué par le récit de Carl, autant Diane n'en fit pas de cas. Encore une fois, elle plongea son regard intense dans celui d'Alexandre.
— Il délire, Alexandre. Peut-être pourrais-tu repasser une autre fois ?

Sur ce, Alexandre promit à Carl de venir lui rendre visite dès qu'il le pourrait. Il quitta l'hôpital avec l'intention de se rendre directement chez Tania. De toute évidence, elle lui devait des explications. Pourquoi s'était-elle rendue au chalet alors qu'Alexandre n'y était pas ? Quels qu'ils soient, ses plans avaient été involontairement interrompus par Carl. De plus, elle ignorait qu'il avait téléphoné à la quincaillerie le jour où il l'attendait innocemment. Pourquoi avait-elle tenté de tuer Shadow ? C'est la question qui se pose si bien entendu Carl avait été lucide dans ses propos. Alexandre n'en doutait pas le moins du monde.

L'INCONNU

Quand Alexandre arriva chez Tania, la maison était vide. Déjà l'après-midi touchait à sa fin. Elle devait donc être encore à la quincaillerie. Il décida de l'attendre puisqu'elle ne tarderait sûrement pas à arriver. Assis sur les marches et las d'attendre, il ne pouvait s'empêcher de penser aux événements qui lui arrivaient.

Un piéton d'un âge avancé passa devant Alexandre, trimbalant son chien qui semblait tout aussi vieux que lui. Déjà fatigué de sa promenade, le chien s'arrêta devant Alexandre et le regarda de ses yeux vitreux. Alexandre le considéra distraitement. Le petit chien sembla prendre cette infime marque d'attention pour une invitation et tenta donc une approche vers Alexandre. Avec peu d'énergie, il tira sur sa laisse afin de s'engager dans l'allée. Le vieil homme qui, pendant ce temps, s'était allumé une cigarette tira sur la laisse. Il ouvrit la bouche pour appeler son chien, mais une quinte de toux l'en empêcha. Le chien le regarda l'air badaud et rebroussa chemin pour le rejoindre. En reprenant sa route, le vieil homme dit bonjour à Alexandre. En toussant, il mit devant sa bouche la même main avec laquelle il l'avait salué, et s'exclama :

— Ce truc va finir par me tuer.

Alexandre sentait sa tête qui tournait. Lorsque le vieil homme se fut éloigné, il regarda sa montre pour constater qu'il était presque sept heures. La quincaillerie fermait à cinq heures. Il était donc clair que Tania n'y était plus, sans compter le fait qu'elle n'avait plus sa voiture. Peut-être était-elle allée chez une amie.

Alexandre se leva d'un bond. Comment avait-il été aussi distrait ? Et si elle était retournée au chalet pour en finir avec Shadow ? Il prit la route, l'instant d'après, et roula à toute vitesse.

De loin, il pouvait apercevoir la route qui menait au centre du village. Quelque chose d'inhabituel semblait se passer. Plus il s'approchait, plus sa conviction qu'une tragédie s'était produite s'affermissait. Il arriva au carrefour qu'il devait prendre pour se rendre au chalet. Mais sa curiosité se fit trop grande et il se dirigea vers le centre du village.

Une foule était attroupée autour de la quincaillerie. Deux ambulances s'y trouvaient. Le cœur d'Alexandre battait à tout rompre. Lorsqu'il vint pour franchir le seuil de la quincaillerie, un policier l'en empêcha.

— Désolé, m'sieur, vous ne pouvez pas entrer.

— Mais, je suis le petit ami de la propriétaire. Qu'est-il arrivé ?

— Apparemment, un malfaiteur s'est introduit peu avant la fermeture. Chose étrange, le tiroir-caisse est intact. Malheureusement pour la jeune femme, il en est tout autrement. Je ne crois pas que ce soit une bonne idée que vous y entriez.

Alexandre y renonça; le policier avait raison. Néanmoins, sa curiosité le poussa à jeter un bref regard à l'intérieur. Malgré tout le désordre et les gens qui s'y trouvaient, il fut en mesure d'apercevoir près du comptoir le corps inerte de Tania recouvert d'ecchymoses. Une de ses jambes semblait avoir été disloquée. Il eut un haut-le-cœur et sa tête se mit à tourner. D'une main tremblante, il chercha un appui jusqu'à ce qu'il atteigne la façade de brique de l'édifice; il s'y appuya, mais ses jambes ne purent le supporter plus longtemps. Doucement, il se laissa choir le long du mur. Puis, il ramena ses jambes à lui afin d'y déposer ses bras et reprendre ses esprits. Il était désemparé. Tania, cette femme qu'il avait aimée en si peu de temps n'était plus. Elle qui avait été si douce jusqu'à hier soir. Il ne faisait aucun doute à présent qu'elle avait des problèmes. Mais Alexandre n'avait su l'aider. Il s'en voulait tout en sachant qu'il aurait été dans l'impossibilité de faire autrement. Peut-être le temps avait-il été un facteur déterminant dans cette fatalité. Ils n'en étaient qu'au tout début de leur relation, et elle ne s'était pas confiée à lui. Mais qui était cet homme qui l'avait sauvagement assassinée ? Les policiers n'avaient pas à chercher ce qui avait été volé. L'homme en question en voulait directement aux jours de Tania.

Alexandre, perdu dans ses pensées, ne remarqua pas immédiatement qu'un des policiers se trouvait juste devant lui. Quand il releva la tête, les yeux toujours embués, il dut attendre quelques secondes avant de parvenir à voir le visage de l'homme devant lui. Il s'agissait du même policier qui était venu l'informer de l'accident de Carl. Il se pencha pour être à la hauteur d'Alexandre.

— M. Montreuil, il n'y a pas à dire, nos chemins se croisent. Je vous prie de me suivre.

Sans un mot, Alexandre se releva malgré la douleur incessante qui le tenaillait et suivit le policier. Il était évident qu'il était considéré comme un suspect potentiel dans cette affaire.

On le conduisit au poste de police où pendant des heures il fut interrogé. On lui affirmait qu'il était la dernière personne à avoir vu Tania vivante. Et si l'on ajoutait à cela le fait qu'il n'avait jamais porté secours à son ami lors de l'accident de ce dernier, on pouvait croire qu'Alexandre Montreuil avait perdu les pédales.

— Avez-vous tué votre petite amie ? demanda l'officier d'une voix pressante.

— Écoutez, vous n'avez absolument aucun motif pour me retenir ici, s'écria Alexandre à bout de patience.

Le jeune policier à la barbe naissante s'approcha d'un pas mal assuré. Il tentait manifestement de montrer sa grande valeur.

— Vos droits ! Parce que vous croyez en avoir après ce que vous avez fait subir à cette pauvre jeune femme ? Tant que vous êtes ici, n'y songez même pas !

Alexandre, ne pouvant plus supporter l'arrogance du jeune officier, se jeta sur lui. On le maîtrisa rapidement.

Puis, après un laps de temps qui parut à Alexandre durer des siècles, on le conduisit dans une cellule. Les muscles endoloris Alexandre ne l'empêchèrent pas de faire un compte rendu de l'endroit où il se trouvait : il avait à sa disposition un lavabo rouillé, une toilette repoussante et un lit qui faisait paraître le plancher confortable. Une puanteur à faire vomir régnait dans la pièce. Il était exténué moralement et physiquement. Il se coucha à même le sol et s'endormit.

Il fit un rêve étrange mais non perturbant. Il se trouvait dans un champ par une journée fraîche et ensoleillée. Au loin, il aperçut une femme en longue robe blanche qui courait sans hâte en sa direction. Il n'aurait su dire s'il s'agissait de Catherine, de Tania ou bien encore d'une autre femme. Il décida de faire quelques pas vers elle. Dans la distance qui les séparait l'un de l'autre, il aperçut des ombres au sol. Lentement, elles s'élevèrent, créant ainsi une sorte de mur semi-visible entre Alexandre et la mystérieuse femme. Sans vraiment en avoir peur, il arrêta toutefois sa marche.

C'est à ce moment précis qu'il s'éveilla. Un bruit sourd vint le ramener à la réalité. Cela lui prit quelques secondes pour se rendre compte de l'endroit où il se trouvait. Ses membres endoloris et l'odeur nauséabonde lui rafraîchirent la mémoire assez rapidement. Toujours couché au sol, il s'accota sur son bras gauche et toussa. Une douleur lancinante à l'abdomen le fit grimacer. Pendant tout ce temps, il ne s'était pas rendu compte qu'il ne se trouvait pas seul dans la cellule. Un policier maigrichon semblait être la cause de ce réveil brutal.

— Ils vous ont bien maltraités, hein ? J'en suis désolé. La jeune demoiselle qui est décédée était connue de plusieurs de mes gars ici. Par contre, ce n'était pas une raison pour vous faire subir tout cela. Je suis le commissaire, M. Rickson.

Il tendit une main à Alexandre pour l'aider à se relever. Alexandre n'émit qu'un son rauque en guise de réponse à cette présentation.

— Vous la connaissiez, disons… plutôt bien, n'est-ce pas ? demanda poliment le commissaire.

— Écoutez, j'ai déjà répondu à ces questions durant toute la nuit. J'en ai vraiment marre. Pour la centième fois, je veux un foutu avocat, vous comprenez ? Vous n'avez absolument aucune preuve contre moi.

Le commissaire ne se vexa pas le moins du monde de la façon dont Alexandre s'adressait à lui. Il le pria aimablement de le suivre. Un jeune policier qui se tenait à proximité s'avança et enfila des menottes au poignet d'Alexandre. Ils avancèrent dans le long couloir qu'Alexandre n'avait aucun souvenir d'avoir traversé la veille. Arrivé devant la porte, le commissaire le regarda et sur un ton neutre, lui dit :

— Si j'étais à votre place, j'éviterais de raconter ce qui s'est passé hier lors de votre interrogatoire.

Sur ce, il ouvrit la porte et Alexandre pénétra dans la pièce. Contrairement à l'odeur répugnante de sa cellule, un doux parfum de fruit régnait dans cette pièce. Une dame d'une cinquantaine d'années s'y trouvait. Elle avait beaucoup de classe. En un seul coup d'œil, on savait qu'elle n'était pas du coin. De petits filets de cheveux gris parsemaient ses tempes et allaient rejoindre le reste de sa chevelure dans un chignon à l'arrière de sa tête. Elle accueillit Alexandre d'un sourire apaisant et se présenta.

— Bonjour, M. Montreuil, je suis Me Claire Millet, votre avocate. À ce qu'on m'a appris, vous n'aviez pas d'avocat ?

— En effet, répondit Alexandre en s'assoyant non sans émettre un petit grognement de douleur.

— Bien, voilà comment se présente votre situation. Personnellement, je ne crois pas qu'il y ait assez de preuves pour vous inculper. Par contre, le fait que vous attendiez son retour chez elle tandis que le crime a été commis pourrait jouer contre vous.

— Oui, j'étais seul, mais comme je l'ai dit à ces bourreaux, un vieillard m'a bel et bien abordé alors que j'attendais devant la demeure de Tania. Comment aurais-je pu la tuer à la quincaillerie et être chez elle au même instant ?

— Oui, je sais. Cependant, miss Tania Robert habitait une rue plutôt achalandée. Espérons que ledit vieillard ait choisi ce trajet pour la promenade quotidienne de son chien.

Ils discutèrent ainsi pendant environ une heure. Puis, Alexandre se retrouva de nouveau dans sa cellule à attendre patiemment. La nourriture infecte qu'on lui servait lui coupait littéralement le peu d'appétit qu'il pouvait avoir. L'état délabré de la cellule laissait entrevoir qu'aucun entretien n'avait été effectué depuis bon nombre d'années.

Évidemment, les prisonniers n'étaient en cet endroit que pour un court laps de temps, attendant un transfert ou la délivrance.

Le vieillard fut finalement retrouvé et questionné. Il confirma qu'il avait le souvenir d'avoir rencontré Alexandre alors qu'il faisait une promenade avec son chien. Alexandre fut donc libéré peu de temps après. Le vieil homme fut reconduit à son domicile par deux agents.

Ce n'est que lorsqu'ils arrivèrent à un coin de rue de la demeure du vieil homme que l'enquête prit un nouveau tournant. Le vieillard était au beau milieu de ses interminables palabres, et ce, même s'il se trouvait à proximité de sa résidence. Il leur raconta que pendant cette même soirée au cours de laquelle il avait croisé Alexandre, un inconnu était venu chez lui. Quand il avait ouvert la porte, il s'était trouvé en face d'un homme vêtu d'un trois-pièces, de forte stature et peu enclin à sourire. Malgré son aspect assez sévère, l'homme avait tout de même fait preuve d'un savoir-vivre exemplaire. Il s'était informé auprès du vieillard si par hasard, il était en mesure de lui fournir des renseignements sur un certain Alexandre Montreuil. Et le vieillard lui avait répondu qu'il ne connaissait malheureusement personne de ce nom. L'inconnu s'était ensuite penché, au dire du vieillard, et avait donné la description exacte du dénommé Alexandre Montreuil

Le vieil homme, voyant qu'il avait capté l'attention des policiers, était aux anges. Évidemment, il leur expliqua qu'il avait indiqué l'endroit où il avait aperçu M. Montreuil, précisant que ce n'était pas très loin. Et l'inconnu lui avait affirmé qu'il savait très bien où c'était puisqu'il s'agissait de la demeure d'une certaine miss Robert.

L'un des policiers était totalement abasourdi. Il frappa d'une main le tableau de bord.

— Bon sang ! Pourquoi vous ne nous avez pas raconté tout cela au poste ? demanda-t-il sur un ton hystérique.

Le conducteur, qui n'avait dit mot, lui jeta un regard réprobateur.

— Calme-toi, Harry. Nous ne serions pas plus avancés que maintenant. C'est un homme assez âgé. Il ne faut pas l'oublier.

— Ouais ! Ça va. Peu importe, nous devons retourner au poste à présent. Mais puisqu'on est devant votre maison, monsieur, vous devriez y laisser votre chien.

Le chien en question était couché sur les jambes du vieillard. Il semblait démontrer que cette promenade en voiture l'ennuyait au plus haut point. Ce n'est que lorsqu'il aperçut la maison qu'il perdit son air penaud.

— Non ! Hors de question, jeune homme. Comme je l'ai dit plus tôt à un de vos confrères, si je vais au poste, Bunky m'accompagne. Mais si vous ne voulez pas connaître la fin de mon histoire, libre à vous ! lança-t-il malicieusement.

— Je veux surtout la description de cet homme, dit le policier, voyant qu'il ne pouvait que se résigner à la requête du vieil homme.

— Quelle est la suite, je vous prie, M. Sloberski ? s'enquit le conducteur, tout en faisant demi-tour.

— Eh ! Bien, après m'avoir dit que M. Alexandre Montreuil était chez miss Tania Robert, il m'a avoué qu'Alexandre attendrait encore longtemps sa venue. Puis sans rien ajouter, il inclina davantage son chapeau et partit.

Constatant que les hommes de loi l'écoutaient toujours avec attention, il lui parut opportun d'ajouter ses propres réflexions.

— Ce qui m'échappe, c'est pourquoi il est venu chez moi. Vous savez, j'habite à deux rues de chez miss Robert et je ne la connaissais pas du tout.

— C'est simple, il vous a suivi. Apparemment, il tenait à s'assurer que vous aviez bien vu M. Montreuil, lui répondit le policier assis du côté passager.

— À quoi ressemble-t-il ? Mis à part sa grande stature ? demanda le deuxième agent.

Le vieillard s'empressa de répondre avec autant de précisions qu'il se pouvait. Arrivé au poste, l'agent chargé de l'enquête ajouta les nouvelles informations au rapport.

La description pour dresser le portrait-robot fut plutôt incomplète. L'homme en question avait le menton pointu, était rasé de près, et sa bouche quasi démunie de lèvres n'avait en aucun moment laissé place à un sourire. À cause de son chapeau qui penchait vers l'avant, ses yeux avaient été impossibles à distinguer. Le vieil homme avait ajouté que, même si un certain ombrage le couvrait, il pouvait dire que son teint était extrêmement clair.

Deux policiers furent envoyés au chalet d'Alexandre afin de s'informer auprès de celui-ci s'il avait un ennemi potentiel pouvant correspondre à cette description. Malheureusement, ils en revinrent bredouilles, car Alexandre ne s'y trouvait pas.

Une fois libéré, Alexandre s'était rendu au chalet. Mais la vue de la voiture de Tania qui attendait d'être réparée lui fit rebrousser chemin ! Quand il arriva en bas de la route, il aperçut Shadow qui monta dans la voiture sans tarder dès qu'Alexandre eut ouvert la portière. Ils roulèrent ainsi sans destination précise. Après un certain temps, Alexandre étant las de conduire, ils sortirent de la jeep. Il n'avait qu'une vague idée de l'endroit où il se trouvait. Alexandre se sentait comme dans un état de semi-conscience. En ce moment, il ressentait à peine sa douleur. Comme s'il avait trop souffert, la douleur n'était présente qu'en parties infimes dans son esprit. Il ne savait plus que penser. Tant de tragédies ! Qu'allait-il advenir de lui à présent ? Durant un an, il avait souffert du décès de Catherine. Le soleil était de nouveau apparu pour se retirer brusquement. Il était hors de question de retourner au travail dans un proche avenir. Pendant une fraction de seconde, il s'imagina travaillant dans les hauteurs des gratte-ciel... plongeant dans le vide, tout en étant parfaitement conscient de son acte. Il secoua la tête en signe de négation. L'an passé, après la mort de Catherine, alors que de telles pensées suicidaires étaient venues le tourmenter, il avait opté pour le chalet afin de se reposer et faire son deuil. Mais à présent, les faits étranges lui coupaient toute envie d'y mettre les pieds. Peut-être que finalement la folie le gagnait sournoisement.

Malgré la fatigue, il prévoyait se rendre à sa maison en ville. Dans son état, il devait renoncer à passer la nuit au chalet. Qui sait quelle ombre l'y attendait ! Se dirigeant vers sa jeep, il ne remarqua pas immédiatement que Shadow ne se trouvait plus à son côté. Il était plusieurs mètres derrière lui. Quand il se retourna, il aperçut un petit garçon d'environ cinq ans qui cajolait Shadow sans aucune crainte. Alexandre rebroussa chemin et revint auprès de Shadow qui appréciait sans gêne les caresses du jeune garçon. Le père de celui-ci ne semblait pas désapprouver que son fils soit en contact direct avec un chien trois fois la taille de son gamin. Il sourit tendrement puis prétexta qu'il ne se sentait pas bien et qu'ils devaient rentrer à l'instant. Le petit obéit immédiatement à son père sans broncher. Il regarda le chien et posa sa main minuscule dans celle de son père.

Alexandre reprit la route avec Shadow. Chemin faisant, il se retrouva à quelques minutes de la maison de Tania. Il avait en tête, depuis sa sortie de prison, de s'y rendre pour une petite inspection. Mais hanté par la culpabilité de son action, il hésitait. Normalement, il n'aurait jamais osé. Mais au point où il en était, il pouvait bien se le permettre. Si la maison de Tania n'avait pas été fouillée de fond en comble par les policiers, il avait une chance d'y retrouver le journal dans lequel il l'avait vu écrire à plusieurs reprises. Finalement, il s'assura que personne ne l'épiait et tenta d'ouvrir portes et fenêtres qui, malheureusement, s'avérèrent toutes closes. Il passa donc au plan B qui consistait à briser un des carreaux menant au sous-sol. Accomplir un tel acte portait sa nervosité à son comble. Une fois à l'intérieur, un sentiment d'intense tristesse vint se joindre à son angoisse. Mais il savait que c'était pour la bonne cause. Il espérait y trouver des explications, rationnelles ou non, sur le meurtre de Tania. Tout semblait classé comme au dernier jour où il avait mis les pieds chez elle. Il se rendit au salon et scruta la bibliothèque. Il avait le souvenir très précis d'avoir vu Tania y insérer le journal. Mais peut-être qu'après tout, les policiers avaient déjà mis la main sur le carnet. À deux doigts de renoncer à son projet, il l'aperçut enfin. Avec sa couverture rouge et plutôt usée, le journal, dans lequel Alexandre plaçait tous ses espoirs, attendait là. Il se demandait si le jour où il l'avait ouvert pour y jeter un coup d'œil, il aurait pu changer quoi que ce soit dans la vie de sa bien-aimée. Il chassa cette pensée, s'empara du journal et ressortit par où il était entré. Il parcourut la distance jusqu'à sa maison en ville en moitié moins de temps qu'il l'aurait fait habituellement.

Il rentra chez lui et composa le numéro pour éteindre l'alarme. La femme de ménage était certes venue faire son nettoyage habituel. Malgré les fenêtres closes, une délicieuse odeur émanait de l'intérieur. Shadow semblait parfaitement à l'aise dans la maison. Alexandre le regarda gambader puis haussa les épaules. Il se rendit à la cuisine et ouvrit le réfrigérateur pour se servir une bière. Il n'y trouva que de l'eau. Malgré sa fatigue, il opta pour lire, ne serait-ce que quelques pages du journal de Tania.

Un peu moins de la moitié du journal faisait mention des faits culminants de la vie de Tania, de son métier, son oncle et ses parents. Elle avait passé une grande partie de sa jeunesse avec son oncle, ses parents étant toujours en voyage. Sa mère était décédée alors qu'elle était adolescente. Quant à son père, il avait refait sa vie avec une autre femme. Il se refusait à voir Tania, car elle reflétait le portrait de sa mère, ce qui lui était par conséquent trop difficile à supporter. Après avoir atteint l'âge de se débrouiller seule, elle partit donc pour la grande ville, laissant son oncle au village.

C'est lors d'une séance photo qu'elle avait fait la connaissance de son dernier petit ami. Elle l'avait fréquenté pendant deux ans. Elle ne mentionnait pas la raison de leur rupture, ce qui irrita quelque peu Alexandre. Si cet homme avait mal pris leur séparation, il n'était pas impossible qu'il ait eu l'idée de la traquer.

Il continua sa lecture et parvint finalement aux pages qui faisaient allusion à son oncle. En lisant ces lignes, Alexandre eut la certitude qu'ils s'entendaient à merveille. Tania décrivait son oncle comme son confident.

Alexandre omit encore de lire quelques pages. Bien des détails s'y trouvant étaient encore inutiles. Puis, il arriva à un passage concernant Shadow : « Mon oncle m'a téléphoné. Il avait l'air vraiment heureux. Il m'a raconté qu'il avait fait la connaissance d'un magnifique chien husky. Je crois que c'est une bonne chose pour lui, car il est si seul. Parfois, je me dis que je devrais peut-être aller vivre là-bas. »

Quelques pages plus loin, Alexandre arriva à un passage qui lui fit redresser les cheveux sur la tête :

« Dernièrement, je suis passée rendre visite à mon oncle. Le pauvre, il était bouleversé. Il m'a raconté que durant la nuit passée, il a aperçu, alors qu'il s'éveillait, une ombre qui semblait sortir du mur. Au début, je croyais qu'il plaisantait, mais j'ai vite aperçu la terreur dans ses yeux. Peu importe si c'était un rêve, une hallucination ou même sa propre ombre projetée sur le mur, il avait vu quelque chose d'effroyable et avait de la difficulté à surmonter cela. On a vraiment fait le tour des possibilités. Mais apparemment, aucune d'elles ne semblait être en mesure de le dissuader de croire qu'il avait aperçu quelque chose de paranormal. »

Shadow vint interrompre Alexandre en passant près de lui. Celui-ci lui tapota la tête distraitement et tenta de poursuivre sa lecture. Mais Shadow continua inlassablement de le distraire. Résigné, Alexandre ferma le journal. Il se leva et ses pensées voguèrent vers son avocate.

Il se demanda si celle-ci avait vraiment fait en sorte de retrouver le vieillard ou bien si c'était la police qui avait ramené ce dernier au poste.

À cause de la façon dont on l'avait traité durant son séjour au poste de police, Alexandre n'avait guère de confiance en ces supposés hommes de loi. Il était tout à fait inconcevable de se comporter de la sorte, même dans un patelin aussi insignifiant.

Il décida de téléphoner à son avocate. Il se faisait déjà un peu tard, mais il avait besoin de parler à quelqu'un. Il n'allait tout de même pas téléphoner à Diane, la femme de Carl, pour lui parler de tout cela. Par la même occasion, il pourrait demander à Me Millet si elle avait des nouvelles de l'enquête. Il chercha la carte qu'elle lui avait laissée. Quand il l'eut trouvée, il décrocha le combiné et il eut à peine le temps de composer le premier chiffre qu'il raccrocha. Il venait d'entendre Shadow émettre un petit son aigu. Lorsqu'il se retourna, il put le voir avec un air piteux à l'entrée de la cuisine.

— Oh ! Désolé, mon vieux, je t'ai complètement oublié.

Affamé, Shadow le suivit alors qu'il se dirigeait vers la cuisine. Il ne restait plus rien à manger qu'Alexandre pût lui donner. Il devait se rendre au dépanneur.

L'instant d'après, il enfilait ses souliers et partait en compagnie de Shadow en direction du dépanneur. La nuit était noire et apaisante. Le dépanneur n'était situé qu'à deux coins de rue, mais il pressa le pas de peur de manquer de temps avant la fermeture. Bien qu'il se sentît complètement las et dépourvu de bonheur, un début de sourire apparut sur la commissure de ses lèvres. Étant donné que la nuit était relativement chaude, la plupart des fenêtres des maisons étaient grandes ouvertes. On entendait la vie quotidienne des gens qui vivaient à l'intérieur. Un nourrisson qui pleurait à chaudes larmes, probablement à cause de coliques. Un homme totalement ivre qui pestait contre ce qui devait être sa femme. Parfois Alexandre pouvait même apercevoir l'intérieur des demeures. Le style de certaines laissait à désirer, tandis que d'autres étaient merveilleusement bien décorées. Ceci l'amena à se souvenir de Catherine. Elle avait suivi des cours de décoration intérieure, mais on ne pouvait nier que chez elle, ce talent était inné. Alexandre se rendit compte qu'il s'était beaucoup trop laissé emporter par ses souvenirs. Il ressentait à présent un pincement dans la gorge, car les émotions tortueuses le gagnaient sournoisement.

Il chassa toutes ses pensées de sa tête au moment où il franchissait le seuil du dépanneur. Il colla un de ses plus beaux sourires sur sa bouche et entra, faisant ainsi retentir les clochettes de la porte. En souriant de la sorte, il éviterait les questions fureteuses que pourrait lui poser Richard, le propriétaire du dépanneur. Au fil des ans qu'il avait passés en cet endroit, Alexandre connaissait parfaitement la façon d'être des habitants de longue date. Richard, dans son éternelle fraternisation, avait appris à démystifier les états d'âme de tous ses clients, incluant les plus discrets. Ainsi, il arrivait à connaître une bonne partie de leur vie.

Le dépanneur était désert; on n'y entendait que le bruit d'un vieux néon qui semblait lutter pour sa survie en n'émettant qu'une faible lueur qui s'éteignait aussitôt. Richard surgit de derrière le comptoir où, semblait-il, il s'était assoupi.

Richard était un homme d'une soixantaine d'années, toujours accueillant et rempli de bonté. Ses petits yeux noisette avec à peine quelques rides autour le faisaient paraître beaucoup plus jeune qu'il ne l'était. Sans oublier qu'il avait une chevelure abondante qu'il se plaisait à lisser vers l'arrière.

— Ça alors, M. Montreuil ! Quelle bonne surprise ! Comment allez-vous ? demanda Richard dans une première tentative subtile pour obtenir des ragots.

— Oh ! Pas si mal. Vous savez, on se remet sur pied avec le temps qui passe, répondit Alexandre tout en ouvrant le réfrigérateur pour en sortir une caisse de bière qu'il vint déposer sur le comptoir.

— Moi et ma femme, on se demandait si vous alliez mettre votre maison en vente. Finalement, vous êtes revenu pour de bon ?

— Je n'en sais encore rien. Peut-être. Vous avez de la nourriture pour chien ?

— Vous avez un chien ? Quelle race ? demanda Richard, désappointant Alexandre du même coup.

Ce dernier, qui s'attendait à échapper à la conversation, n'avait fait que la dévier. Il se retourna, s'attendant à voir Shadow près de lui, mais il n'y était pas. Pourtant, il aurait juré qu'il était entré avec lui dans le dépanneur.

— Oui, j'ai trouvé un magnifique chien que j'ai décidé de garder. Je crois qu'il est resté à l'extérieur.

— Ah bon ! Il a dû lire la pancarte interdisant les animaux, dit Richard, amusé par son sens de l'humour.

Le sourire d'Alexandre se prononça davantage sans vraiment qu'il s'en rendre compte. Comment pouvait-on interdire les chiens à l'intérieur quand le propriétaire lui-même en possédait un, aussi minuscule qu'il puisse être ?

— Alors, votre petit pékinois va bien ? demanda sarcastiquement Alexandre.

— Oui, oui, il va merveilleusement bien, répondit Richard un peu sur la défensive.

Alexandre ajouta un paquet de cigarettes à ses achats et s'apprêtait enfin à partir quand Richard ajouta :

— Au fait, M. Montreuil, faites attention, un chien trouvé appartient toujours à quelqu'un. Tenez, par exemple, cet homme qui est venu la semaine passée et qui cherchait son chien husky. Évidemment, cette fois-ci, ça ne peut être le vôtre puisque vous venez seulement d'arriver, n'est-ce pas ?

Alexandre relâcha sa prise sur les sacs qu'il tenait, lesquels vinrent se fracasser sur le sol. Il reprit ses esprits presque aussitôt et interrogea Richard sans plus attendre.

— Que vous a-t-il demandé exactement ?

— Il m'a expliqué que son chien husky avait disparu et qu'il y avait de fortes chances que ce soit dans les environs. J'ai répondu qu'aucun de mes clients ne m'avait parlé de chien qu'ils auraient trouvé. Ensuite, l'homme a acheté un paquet de cigarettes puis s'en est allé.

Alexandre avait la conviction que, s'il n'avait pas acheté lui-même de cigarettes, Richard ne lui aurait probablement pas parlé de l'inconnu.

— Richard, seriez-vous capable d'en faire une description ? demanda Alexandre.

— Oui, bien sûr. Il était assez grand. Ses cheveux étaient très courts et foncés. Il portait un habit noir et un chapeau melon. Il inspirait l'autorité.

— Bon, d'accord. Les policiers pourront sûrement produire un portrait-robot de cet homme. Quand est-il venu exactement ?

— Il y a environ une semaine.

Satisfait des réponses qu'il avait obtenues, Alexandre quitta Richard en lui spécifiant qu'il n'avait pas à s'inquiéter et qu'il allait sans doute recevoir la visite des policiers. Il s'empara de ses achats et repartit. Bon sang ! Mais qui était cet homme ? Était-ce lui qui avait assassiné Tania pour ainsi pouvoir l'atteindre, lui ? Alexandre était tellement perdu dans ses pensées qu'il remarqua à peine la présence de Shadow à ses côtés.

Le temps s'était refroidi. Alexandre regretta de ne pas avoir pris son manteau. De petits frissons lui passaient dans le dos. Était-ce dû à l'air frais ou bien à l'impression qu'il avait d'être suivi ? Contrairement à un peu plus tôt, alors qu'il se rendait au dépanneur, les bruits qu'avait émis chaque foyer étaient à présent plus atténués que jamais. Shadow ne cessait de retourner la tête comme pour voir si quelqu'un les suivait. Pourtant, il n'émit aucun son. Alexandre ne se sentait aucunement en sécurité. N'importe qui pouvait surgir et lui faire la peau en moins de deux. Le bruit des arbres bercés par le vent était tout ce qu'il entendait. Il se demandait s'il n'était pas devenu fou. Un homme qui le poursuivait pour une raison quelconque était une chose. Mais les ombres qu'il voyait ne s'expliquaient d'aucune manière rationnelle. Peut-être n'était-il qu'au premier stade de sa folie et qu'ainsi il pouvait s'en rendre compte.

Quand ils arrivèrent au premier coin de rue, Shadow accéléra sa vitesse de promenade. Alexandre sentit son adrénaline monter et il le suivit d'un pas rapide. Il était maintenant persuadé qu'on le suivait. En arrivant devant chez lui, il traversa l'allée pour aller rejoindre Shadow qui se trouvait devant la porte d'entrée. Alexandre pénétra à l'intérieur, se retourna et fixa la rue sans y voir personne, ce qui, au lieu de le rassurer, ne fit qu'accentuer sa crainte.

— Allez, Shadow ! Amène-toi.

Shadow obéit sur-le-champ. Alexandre referma la porte et s'essuya le front du revers de la main. Il se demanda s'il n'avait pas trop poussé dans toute cette histoire. Il était conscient qu'avec tous les derniers événements, il était à fleur de peau. Il s'ouvrit une bière et donna à manger à Shadow. Par habitude, il ouvrit le téléviseur et se dirigea sans vraiment s'en rendre compte à la fenêtre. Il tira le rideau; rien, mis à part un vieux chat de gouttière cherchant refuge contre la nuit froide. Peut-être que Tania s'était sentie épiée peu avant sa mort. En pensant à cela, un frisson lui parcourut de nouveau la colonne vertébrale. Car, comme Tania, il se trouvait à la fenêtre, sans trop savoir ce qu'il observait.

CLAIRE ET HAROLD

Un peu plus tard, alors qu'Alexandre était perdu dans ses pensées, le téléphone sonna. Il n'avait dit à personne qu'il se trouvait à sa maison en ville. D'une main hésitante, il décrocha le combiné. La voix qui lui parvint l'apaisa immédiatement.

— Bonsoir, M. Montreuil. C'est Mme Millet à l'appareil. Je sais qu'il se fait tard, j'espère que je ne vous dérange pas ?

— Non, non, pas du tout, au contraire. J'allais justement vous téléphoner un peu plus tôt, mais j'ai eu un empêchement, lui répondit Alexandre tout en cherchant des yeux une horloge. Avec tout ce bavardage, il ignorait totalement l'heure qu'il pouvait bien être.

— J'ai du nouveau concernant l'enquête, continua l'avocate.

— Bien, je crois que, de mon côté, j'en ai aussi, d'une certaine manière. Les dames d'abord, je vous écoute.

— Vous savez, le vieillard qui vous a servi de témoin. Pendant que les policiers le ramenaient chez lui, il leur a raconté qu'un homme est venu chez lui et a demandé à vous voir, Alexandre. Apparemment, l'homme en question était plutôt bien habillé : costume trois-pièces et tout le bazar. Mais le vieil homme a raconté qu'il avait quelque chose de repoussant dans sa façon d'être.

Alexandre interrompit l'avocate pour lui faire part de ce que M. Richard, le propriétaire du dépanneur, lui avait dit. Tout en parlant, il observait Shadow qui était profondément endormi sur le parquet. Il savait qu'au moindre mouvement d'alerte esquissé par Shadow, il serait en danger.

Une fois qu'Alexandre eut terminé, elle lui demanda des informations concernant Richard. Alexandre pouvait même entendre le griffonnement d'un crayon sur du papier.

— Je veillerai à ce que le commissaire passe, dit-elle.

— Vous en faites beaucoup pour une avocate. Le plus étrange, c'est que les accusations contre moi sont abandonnées à présent, non ? J'apprécie vraiment votre aide…

Elle l'interrompit brusquement.

— Je dois vous avouer que j'ai grandi dans cette banlieue. En plus, je connais la majorité des habitants des lieux, les plus vieux du moins. Je suis consciente que vous êtes tiré d'affaire, M. Montreuil. Mais voyez-vous, alors que j'allais mettre votre dossier en veilleuse, un copain à moi m'a téléphoné. Il m'a fait part d'un fait, disons plutôt, intéressant, même si ce n'est pas le mot juste.

— Et qu'est-ce que votre ami policier vous a raconté ?

— Il n'est pas policier. Par contre, il travaille en étroite collaboration avec eux. C'est pourquoi ils lui ont remis la bande vidéo de la quincaillerie.

— Bande vidéo ? Mais de quoi parlez-vous ? Il n'a jamais été question de cela. D'ailleurs, je ne crois pas que dans un patelin aussi minable où le taux de vols est pratiquement nul, on pose une foutue caméra vidéo dans une quincaillerie !

— Je vous en prie, M. Montreuil, gardez votre calme. Je sais que vous êtes bouleversé par tout ce qui vous arrive présentement.

Alexandre se sentait totalement pris au dépourvu; les policiers ne lui avaient parlé d'aucune caméra, ce qui ne le surprenait pas outre mesure étant donné la façon dont il avait été traité.

— Je veux bien croire que ces policiers en voulaient au gars qui était soupçonné d'avoir assassiné une jeune femme, c'est-à-dire moi. Mais aucun de ces tarés n'a pensé : « Eh ! Les gars, il y a une vidéo, on peut regarder ce qu'il lui a fait subir », pour finalement se rendre compte qu'il ne s'agissait pas du type qu'ils avaient enfermé.

— Eh bien ! non, c'est là que vous faites erreur. Écoutez, je vous fais confiance en vous disant cela. Alors, n'allez pas tout foutre en l'air d'accord ?

— Ça va, je me calme. Désolé.

— Bien, voilà. Oui, nous croyons que quelqu'un vous en veut. Nous avons émis une hypothèse selon laquelle Tania était traquée par quelqu'un, son ex-petit ami. Supposons qu'il n'a pas accepté la séparation. Par conséquent, il se rend à la quincaillerie, provoque une dispute et sans peut-être le faire intentionnellement, assassine Tania. Évidemment, ce n'est qu'une hypothèse. Quoi qu'il en soit, pas plus tard que demain, nous saurons à quoi ressemble ce type. En ce qui concerne la caméra de surveillance, l'oncle de Tania en a fait poser une, l'an passé. Il soupçonnait les adolescents du coin de lui voler de la marchandise.

— Mais cela n'explique pas pourquoi on m'a frappé de la sorte alors qu'on savait pertinemment qu'il existait une cassette de l'assassin de Tania.

— Je ne peux vous en dire davantage sur ce sujet. Harold, mon vieil ami à qui les policiers ont remis l'enregistrement, était sur le point de la visualiser quand je lui ai téléphoné. Les policiers m'avaient vaguement mis au courant qu'ils avaient eu de la difficulté avec le visionnement. C'est pourquoi ils ont donné la cassette à Harold. Afin qu'il en sorte le maximum possible. Je ne sais dans quel état cette vidéo a été retrouvée. Peut-être que le malfaiteur l'a sabotée ou qu'un objet l'a atteinte.

— Merci de m'en avoir informé. Je suis encore désolé de m'être emporté de la sorte. Ces temps-ci, je suis vraiment dépassé par les événements.

— Je comprends. Alors, pourquoi vous ne venez pas prendre le déjeuner demain ?

— D'accord, j'accepte.

S'étant mis d'accord pour dix heures au petit restaurant situé au centre-ville, ils raccrochèrent. Alexandre s'allongea sur le divan et jeta un dernier regard vers Shadow pour s'assurer une fois de plus que tout était normal. Il était vidé de toutes ses forces. Il s'endormit, bière à la main.

Au petit matin, Alexandre se réveilla frais et dispos. Il s'était éveillé en pensant que peu importait le psychopathe qui le poursuivait, il saurait lui faire face et venger la mort de Tania. Peu importait les conséquences qu'il pourrait y avoir. Quitte à passer le reste de sa vie derrière les barreaux. De toute manière, n'était-il pas lui-même sur le point de devenir cinglé ?

Après avoir pris une douche, il en était à se questionner sur ce qu'il devrait porter quand la sonnerie du téléphone se fit entendre de nouveau. Contrairement à la veille, il se sentait moins inquiet à propos de qui pouvait bien téléphoner.

— Allô ? répondit-il, certain qu'il s'agissait de l'avocate qui voulait annuler leur déjeuner.

— M. Montreuil ? Alexandre ? C'est Claire Millet. Je voulais simplement vous demander si vous accepteriez une petite modification à notre rendez-vous.

— Oui, bien sûr. Quoi donc ?

— Bien, c'est Harold qui m'a téléphoné ce matin. Il a visionné la cassette et en a sorti quelques photos pour me les montrer. Il y a quelque chose d'anormal avec le ruban. Je me suis dit que cela vous intéresserait. Inutile de vous rappeler que tout cela doit rester confidentiel. N'est-ce pas ?

— Bien entendu. Merci pour tout ce que vous faites, Me Millet.

— Oh ! Vous pouvez m'appeler Claire !

Arrivé sur la terrasse du restaurant, Alexandre chercha Claire mais ne la vit nulle part. Cependant, un homme d'âge mûr ayant de petites lunettes posées sur le bout de son nez capta son attention. L'homme en question se gavait du contenu de son assiette remplie à souhait. Il va sans dire que son ventre était suffisamment volumineux pour contenir le tout. Alexandre s'approcha de lui sans avoir la certitude qu'il s'agissait bien de Harold. Mais pour une raison quelconque, c'est ainsi qu'il se l'était imaginé quand Claire lui avait parlé de lui. Un simple porte-document un peu trop rempli était posé sur la table. Arrivé près de là, Alexandre tenta sa chance.

— M. Harold ? demanda-t-il, se rendant compte à cet instant que son nom de famille lui était inconnu.

L'homme se leva de table et prit la peine d'essuyer sa main graisseuse avant de la présenter à Alexandre.

— Vous devez être Alexandre Montreuil, si je ne m'abuse ?

Alexandre se commanda un café, préférant attendre Claire pour manger. Ils bavardèrent quelques instants de tout et de rien avant son arrivée. M. Harold s'avérait être un homme qui parlait énormément. Bien qu'il fût sympathique et enjoué, il n'en demeurait pas moins distant. Il semblait avoir beaucoup de choses en tête. Et le léger retard de son amie commençait visiblement à le rendre impatient.

Quand enfin elle arriva, elle trouva Alexandre et Harold en discussion animée. Elle s'excusa de son retard, maugréant contre le trafic. Une fois de plus, Harold rappela à Claire et Alexandre la confidentialité de ce qu'il s'apprêtait à leur montrer. Alexandre, malgré la gentillesse de Claire et de Harold, arrivait mal à comprendre le pourquoi de leurs agissements. Mais il n'en glissa mot. Il demanda seulement, alors que Harold sortait les photos, si le fait d'être sur une terrasse en plein lieu public n'était pas un peu risqué. Harold répliqua qu'au contraire, cela captait moins l'attention. Ils furent interrompus par la serveuse qui vint prendre les commandes.

Harold présenta les premières photos à Claire qui en les voyant sembla perplexe. Elle ouvrit la bouche puis la referma aussitôt, ne sachant quoi dire. Elle les tendit à Alexandre qui à son tour n'eut d'autre réaction qu'un froncement de sourcils qui s'accentua à mesure que les photos se profilaient devant ses yeux. En premier plan, on apercevait les atrocités que Tania avait subies. On voyait cette dernière assez clairement, du moins autant que le permettait un ruban de cassette de basse qualité. Quant à l'agresseur, sur les premières photos, il était de dos. Puis les suivantes le présentant de face, on ne voyait qu'une vague surface baignée dans l'ombre. Du film complet, Harold n'avait imprimé qu'une quinzaine de clichés. Sur les trois dernières photos, Alexandre put voir distinctement l'homme qui tenait un objet dans sa main. En y prêtant une attention particulière, on pouvait voir que c'était sans aucun doute un chapeau.

— Le chapeau melon, dit Alexandre à voix basse.

— Pardon ? s'enquit Claire.

— Je crois qu'il s'agit bien du même homme, celui qui me poursuit. Richard m'a spécifié qu'il portait un chapeau comme celui-ci.

— Oui, il s'agit sûrement de lui. Le vieillard qui vous a croisé avec son chien a affirmé qu'il portait un chapeau de ce genre. Mais apparemment c'est tout ce que l'on sait. Car avec cette fichue bande, on ne voit rien de plus, compléta Claire.

Harold se leva, serra la main d'Alexandre fermement et posa deux baisers sur les joues de Claire.

— Je dois vous quitter à présent, j'ai du boulot qui m'attend. Mais j'ajouterai à votre attention que nous avons affaire à quelqu'un de très particulier. Comment a-t-il fait en sorte qu'on aperçoive tout sauf lui sur les bandes ? On aurait pu attribuer le flou de l'image à la piètre qualité du ruban. Mais ce n'est pas le cas puisque tout le reste y compris la demoiselle est visible. Voilà le mystère qui me fera perdre beaucoup de cheveux, dit Harold en se passant la main sur le dessus de sa tête.

Les saluant encore une fois, il partit en donnant l'impression qu'il se dandinait. Claire se tourna vers Alexandre et lui demanda ce qu'il comptait faire à présent.

— Je vais aller au poste de police faire une déposition. Ensuite, j'irai rendre visite à un copain qui est à l'hôpital.

Alexandre regarda Claire terminer son déjeuner. Il n'avait aucune intention de terminer le sien, l'appétit l'ayant abandonné soudainement. Ils restèrent encore environ une demi-heure assis sur la terrasse sans vraiment parler d'autre chose que de ce qui les préoccupait au sujet de cet homme. Ils savaient de quoi il était capable, mais ignoraient les motifs qui le poussaient à agir de la sorte. Alexandre commençait à croire qu'il y avait peut-être un lien entre l'assassin et les ombres qu'il voyait chez lui. Mais il se garda d'en parler avec l'avocate, bien que celle-ci soit très à l'écoute et pas seulement en tant qu'avocate ! De plus, elle avait fait preuve d'une extrême confiance envers Alexandre. Il avait tendance à croire qu'en racontant ce genre de chose, il passerait pour un fou. Du moins, c'est ce que lui-même aurait eu comme réaction. Me Millet se leva, prétextant qu'elle avait du pain sur la planche. Alexandre insista pour régler l'addition. Elle accepta à la condition que la prochaine fois ce soit son tour.

Avant de se rendre au poste de police, Alexandre prit la peine de s'informer de l'état de Carl. Diane lui avoua qu'elle était soulagée, car il se portait beaucoup mieux. Si elle paraissait heureuse pour Carl, le ton de sa voix n'avait pourtant aucunement changé quand elle s'adressa à Alexandre. Tout comme lorsqu'il s'était présenté à l'hôpital, Diane paraissait lui en vouloir. Mais Alexandre n'avait pas le temps de s'en faire à ce sujet. La conversation fut tenue assez courte. Quoi qu'en pense Diane, Alexandre irait voir Carl.

Lorsqu'il arriva enfin au poste de police, quelle ne fut pas sa surprise quand il aperçut Harold sortant de l'édifice ! Il ne lui fit qu'un simple clin d'œil, ne voulant apparemment pas que le commissaire Rickson s'aperçoive qu'ils avaient été mis en contact. Alexandre remarqua que celui-ci se trouvait toujours sur le palier, un sourire fendu jusqu'aux oreilles.

— M. Montreuil ! C'est bien que vous passiez par ici. J'ai du nouveau concernant l'enquête. Une enquête qui sort de l'ordinaire d'ailleurs. Je me dois de vous en faire part, car peut-être vous pourriez y apporter une certaine aide.

Alexandre le suivit jusqu'à son bureau. Pour une raison dont il ne doutait pas, les policiers n'osaient pas le regarder. La plupart baissaient la tête à son passage. « Ils éprouvent des remords, ces salauds », pensa-t-il. Une fois dans le bureau du commissaire, la porte close, celui-ci s'excusa une fois de plus de la façon dont Alexandre avait été traité. Tout en lui offrant une tasse de café, il débuta en racontant que le vieillard, M. Sloberski, avait fait une description assez détaillée de l'homme recherché. Alexandre écouta comme si son avocate, Me Millet, ne lui en avait jamais parlé. Une fois qu'il eut terminé, Alexandre s'apprêtait à lui faire part de ce que Richard, le propriétaire du dépanneur, lui avait raconté. Mais M. Rickson continua sans se laisser interrompre :

— Évidemment, cela nous conduit sur une piste beaucoup plus favorable, sans compter que vous êtes d'une certaine manière tiré d'affaire, non seulement grâce au portrait-robot, mais aussi parce que nous avons mis la main sur un élément plutôt révélateur. Il s'agit d'une bande vidéo de la quincaillerie avant le meurtre, mais là-dessus on ne mettra pas trop d'espoir d'avoir les détails, les images ne sont pas très claires.

— Je vois, vous me tiendrez au courant. En fait, j'allais presque oublier, je suis venu au poste pour vous faire part d'une information qui pourrait avoir un lien avec Tania.

Il raconta au commissaire ce que lui avait raconté Richard au dépanneur la veille. Il prit en note les renseignements et y envoya deux officiers.

Alexandre était impatient de repartir. Il comptait rendre une visite à Carl à l'hôpital et voulait poursuivre sa lecture du journal de Tania. Il se leva et tendit une main au commissaire. Au lieu de la serrer et de prendre ainsi congé d'Alexandre, il y déposa un papier. Alexandre le retourna vers lui et vit qu'il s'agissait du portrait-robot.

— Je sais que ce n'est pas parfait comme identification, mais c'est tout ce que nous possédons pour l'instant.

Le visage de l'homme représenté sur la feuille avait un menton très pointu. Sa bouche, quant à elle, s'avérait être une fine ligne dont la commissure des lèvres pontait vers le menton. Un chapeau melon avait été dessiné sur sa tête, cachant ainsi ce que le vieillard n'avait pu identifier.

Alexandre rendit le portrait au commissaire Rickson en lui déclarant qu'il n'avait jamais vu cet homme auparavant. Il n'avait qu'une envie : continuer de lire le journal. Il tenait à savoir comment les événements survenus au cours des dernières semaines concordaient. Tania était apparue dans sa vie à cause de la mort de son oncle. Shadow avait ensuite fait le lien d'une certaine façon entre elle et Alexandre. Mais tout avait déboulé quand Tania avait découvert la photo de Catherine en compagnie de Shadow. Erika, la seule qui pouvait élucider le petit mystère de la photo, était décédée. Coïncidence peut-être. Mais pourquoi la vieille dame qui habitait la maison d'Erika avait-elle fait mention d'un inconnu ? Sans parler de Carl et de son accident. Et maintenant, Tania.

Alexandre était à bout de nerfs. Car peu importait où il décidait d'aller, l'homme qui le poursuivait savait où le trouver. Au chalet ou à sa demeure en ville. Pourquoi ne l'avait-il pas déjà fait ? Maintenant au moins, il avait une vague idée de ce à quoi il ressemblait. Il n'avait point besoin de la confirmation de Richard pour conclure qu'il s'agissait du même homme.

Après avoir échangé encore quelques mots avec le commissaire, il le quitta avec un certain soulagement. Il descendit les escaliers menant au premier, s'arrêta à la cafétéria et s'acheta un sandwich. Non pas que la faim le tenaillait, mais seulement il savait que ses forces l'abandonnaient.

Il mit le pied hors de l'édifice, constatant que la chaleur était toujours aussi accablante. Il déballa le sandwich d'une main maladroite et mangea la première moitié sans aucun appétit. Quant à la deuxième, il la porta à sa bouche qui s'ouvrit mais ne se referma pas, ce qui fit en sorte qu'elle finit droit sur le pavé. Il venait d'apercevoir un homme ressemblant au portrait-robot. Il ne l'avait vu que de profil, mais ça ne pouvait être que lui, il en était certain. L'homme venait à l'instant d'entrer dans un petit café qui se trouvait à proximité du poste de police.

Alexandre rebroussa chemin et manqua de percuter un policier qui sortait du poste.

— Eh ! Ça va, monsieur ? demanda le policier qui évidemment n'obtint aucune réponse.

Alexandre gravit les escaliers à toute vitesse. Une fois arrivé devant le bureau du commissaire, il ne prit pas la peine de frapper à la porte et entra en trombe. À bout de souffle, il l'informa que le suspect était juste à côté. Sans tarder, le commissaire empoigna son arme et interpella deux agents. Alexandre était déjà devant le café quand le commissaire et les deux policiers sortirent du poste.

— M. Montreuil, je vous demande de rester à l'extérieur, lança le commissaire sur un ton autoritaire.

Ils entrèrent dans le café, suivis d'Alexandre qui, malgré les consignes, avait décidé de faire la sourde oreille. Cherchant des yeux l'inconnu, ils furent désappointés de s'apercevoir que seulement trois personnes se trouvaient dans ce lieu. Avec le vacarme qu'eux quatre avaient fait en entrant, il était évident que tous les regards étaient braqués sur eux. Une voix rauque de femme se fit entendre au fond de la pièce.

— On peut vous aider, peut-être ?

Derrière le comptoir, un linge à la main, se trouvait une femme bien proportionnée qui semblait exaspérée par la vie. Le commissaire se présenta et, voyant qu'aucun des trois clients ne correspondait à l'homme recherché, s'informa si les toilettes étaient occupées. La femme corpulente jeta son linge à vaisselle sur le comptoir et s'avança vers eux. D'un sourire sarcastique, montrant des dents on ne peut plus crasseuses, elle dit :

— Si vous avez un besoin urgent, vous pouvez aller vous soulager, il n'y a personne.

Le commissaire ne lui adressa qu'une moue dégoûtée et fit signe aux policiers d'aller vérifier.

— Nous recherchons un homme dangereux, madame. Et nous avons de fortes chances de croire qu'il est entré dans votre commerce, dit le commissaire en jetant un regard interrogateur vers Alexandre.

— Ouais ! À part vous, il n'y a personne qui soit entré depuis peu. Les autres clients sont ici depuis plus d'une heure.

Ayant fait un tour complet des lieux, les deux agents questionnèrent les trois clients.

Quinze minutes plus tard, ils sortirent bredouilles du café. Alexandre était dépassé. Il avait même insisté pour fouiller l'endroit une deuxième fois. La femme du café s'était montrée coopérative.

— Les hallucinations sont fréquentes chez les gens qui ont subi de grands chocs. Vous avez besoin de repos, lui dit le commissaire en lui posant une main réconfortante sur l'épaule.

Alexandre se dégagea subtilement, s'excusa et insista sur le fait qu'il n'avait aucunement besoin qu'on le ramène chez lui. Il grimpa dans sa jeep, laissant le commissaire derrière l'air ahuri. Il roulait sans vraiment s'en rendre compte vers son chalet. Il pensait à Shadow et à ce qu'il pouvait bien venir faire dans cette histoire. Il devait absolument trouver un sens à tout ce qui survenait. Sinon, il allait perdre les pédales.

Il arriva au chalet mais il n'y entra pas. Il se contenta de rester sur le porche, assis sur une chaise berçante. S'assurer que le chalet était en ordre était une chose, y entrer en était une autre. Il était persuadé que l'ombre s'y trouvait toujours. Pourtant, tôt ou tard, il devrait y pénétrer de nouveau, que ce ne soit que pour y prendre ses effets et fermer le chalet pour un certain temps ! Pour l'instant, tout semblait en ordre et rien ne pressait d'en vérifier l'intérieur.

Il se releva, ferma la porte à moustiquaire et retourna à sa jeep. Au lieu de reprendre la route pour aller voir Carl à l'hôpital, il prit place derrière le volant puis se mit à poursuivre sa lecture du journal. Il ressentit un pincement au cœur quand il s'imagina Tania écrivant son journal.

« Suite à mes conseils, mon oncle est allé voir un psychologue. Il va sans dire que, même s'il a suivi mon avis, je ne crois pas qu'il soit vraiment enclin à prendre les médicaments qu'on lui a prescrits. Puis, je commence à croire que j'y suis peut-être pour quelque chose. Mais je dois lui poser encore des questions pour en être certaine.

« Comme je m'en doutais, ils ne l'ont pas interné puisqu'il ne présente aucune menace pour quiconque. Pour sûr, ils vont le suivre de près mais sans plus. Je crois que je vais aller vivre auprès de lui pendant un certain temps. »

Alexandre poursuivit sa lecture encore un peu. Ce qui suivait était plutôt sans intérêt. La vie de Tania au jour le jour. Puis, finalement, il trouva.

« Contrairement à ce que j'avais pensé, mon oncle était d'accord que je vienne vivre chez lui durant quelques semaines. J'étais pourtant persuadée du contraire. Enfin, j'ai eu tort. Il m'a confié que ses hallucinations étaient de plus en plus fréquentes. J'ai renoncé à lui faire admettre que cette ombre était la sienne. Il m'a affirmé à maintes reprises qu'elle se mouvait indépendamment de lui. Selon lui, le chien qu'il avait adopté y était pour quelque chose. Je le crois sur parole. Surtout à cause du chien. Mais je ne peux le lui avouer. Du moins pour le moment. D'un autre côté, m'a-t-il confié, cette ombre avait peur du chien en question. Il a poursuivi son histoire en me racontant qu'un homme le suivait. Je lui ai demandé s'il ne s'agissait pas de l'étranger qui s'était informé sur le chien. Mais il était absolument certain que ce n'était pas lui. Ce qu'il m'a dit par la suite m'a fait glacer le sang. Il m'a expliqué ce qu'il croyait à propos de l'ombre et du chien. Selon sa théorie, chaque personne qui approche le chien mourra peu de temps après. J'ai extrêmement peur pour nous deux. En ce qui concerne cet homme qu'il avait aperçu avec le chien, il ne l'a jamais revu par la suite. »

Alexandre referma le journal quelques instants. Pourquoi Tania ne lui avait-elle pas raconté tout cela ? Il avait peine à le croire, tout en sachant que l'oncle était loin d'être sénile. Malgré son intérêt d'en savoir plus, la fatigue le submergeait. Il prit conscience que la fraîcheur de la soirée faisait sournoisement irruption à l'intérieur de la jeep. Il remonta la vitre et mit le moteur en marche. Il déposa les papiers sur le siège passager et se frotta les yeux. Ses mains extrêmement moites lui firent réaliser qu'il avait certaines peurs qui le dominaient toujours. Il éteignit la lumière intérieure du véhicule et se mit en route, prenant un instant pour jeter un regard vers le chalet. Comme Carl l'avait fait peu avant son accident ! Un frisson lui parcourut le dos. Le chemin du retour se fit sans encombre.

La nuit fut extrêmement longue. Il ne cessait de ressasser le tout dans sa tête. Il commença à s'endormir au petit matin, mais seulement pour à peine deux heures. Shadow avait émis un infime son qui l'avait extirpé hors du lit. Affolé, les yeux complètement ouverts, il dévisagea Shadow qui était couché à ses pieds. Ce dernier regarda Alexandre à son tour, puis retourna la tête en direction du couloir. Il le fit à maintes reprises. Alexandre n'eut la force d'esquisser aucun mouvement. Il était pétrifié. Une forme de curiosité malsaine l'obligeait à garder les yeux ouverts. Au bout d'un certain temps, il réussit à les fermer. Si son heure avait sonné, rien ne l'obligeait à voir de quelle façon la fin se présentait.

Cependant, les circonstances furent qu'il n'eut d'autre choix que de regarder. Shadow avait sauté d'un bond pour atterrir dans le couloir, aboyant de toutes ses forces. Alexandre s'étant avancé sur le rebord du lit, trébucha et se retrouva par terre. Il rampa à même le sol et alla rejoindre Shadow. Sans grand espoir de s'en sortir cette fois-ci, il s'agrippa tout de même à lui. Comme il s'y attendait en levant les yeux, il aperçut devant lui une ombre d'un noir profond. Elle semblait faire des tentatives afin de se détacher du mur qu'elle longeait. Mais jamais elle n'y parvenait. Shadow semblait être ce qui l'en empêchait. Contrairement à la fois précédente, elle paraissait beaucoup plus persistante. Mais Shadow ne lâcha pas la sorte d'emprise qu'il avait sur elle. C'est à peine s'il s'apercevait de la présence d'Alexandre. La scène dura plusieurs minutes jusqu'au moment où l'ombre en question se profila le long du mur pour atteindre le plafond. Alexandre la suivit des yeux et ensuite, sa tête se mit à tourner et il n'eut pas connaissance de ce qui suivit.

Il n'aurait su dire pendant combien de temps il resta inconscient. La langue rude et humide de Shadow le fit revenir graduellement à la réalité. La première chose qu'il vit en ouvrant les yeux, une fois Shadow retiré de son champ de vision, fut le plafond. D'un blanc immaculé, sans ombre aucune. Il se releva lentement, sachant qu'aucun danger ne viendrait le terrasser. Ce dernier événement lui fit réaliser l'importance définitive que Shadow avait désormais dans sa vie. L'ombre craignait de toute évidence le chien.

Alexandre se rendit à la salle de bains et s'aspergea le visage d'eau froide. Il regarda son reflet dans le miroir : son visage livide, ses yeux grands ouverts à l'affût du danger et ses tempes qui battaient à une vitesse fulgurante. Il devait se résoudre à parler à quelqu'un. Le nom de Carl lui vint à l'esprit. Sans nul doute, il est le seul qui pourrait comprendre et peut-être même croire cette sordide histoire.

Il s'habilla et fit sortir Shadow quelques instants. Laissant la porte ouverte, il alla chercher son porte-monnaie et son manteau. Finalement prêt à sortir pour se rendre à l'hôpital, il appela Shadow qui ne se présenta pas. Il réessaya mais sans résultat. Shadow s'était esquivé une fois de plus.

Déçu, Alexandre s'empressa de partir. Il se demanda s'il n'aurait pas dû emporter le journal de Tania avec lui. Mais puisque Shadow n'était plus là, il s'abstint de retourner seul à l'intérieur de la maison.

La saison estivale était amorcée et les touristes commençaient à affluer dans la région au grand bonheur des commerçants. Alexandre, quant à lui, n'avait guère envie de rencontrer qui que ce soit. Il fit donc un petit détour afin d'éviter l'achalandage des artères principales. Tout en conduisant, il se demandait où il pourrait bien passer la nuit. Si au moins Diane n'avait l'absurdité de croire qu'il était responsable de l'accident de Carl, il aurait pu demander à passer la nuit dans leur demeure. Mais probablement qu'une chambre d'hôtel serait la solution même si l'idée ne lui plaisait pas le moins du monde. Il se sentait tellement impuissant face au danger imminent qui le menaçait inlassablement.

LA PSYCHIATRE

Chemin faisant, Alexandre sentait la nausée monter en lui. Évidemment, son chagrin était présent, mais son corps avait besoin d'être rassasié. Il repéra un petit casse-croûte et décida d'y faire un arrêt. À l'intérieur du commerce, il jeta un coup d'œil rapide afin de s'assurer que l'inconnu n'y était pas. Mis à part deux garçons d'une vingtaine d'années qui feuilletaient un magazine, les lieux n'étaient occupés que par des femmes. Une d'elles, âgée d'une cinquantaine d'années, sirotait son café en regardant à l'extérieur. Deux autres, pas vraiment plus jeunes, semblaient en grande conversation. Et une femme beaucoup plus jeune, assise au fond de la pièce, semblait perdue dans ses pensées, fixant son assiette dont le contenu était intact.

Alexandre, se sentant en sécurité, s'installa sur une banquette près de la sortie. La serveuse lui apporta un menu. En y jetant un coup d'œil, il se rendit à l'évidence que même si son estomac criait famine, rien de ce qu'il y avait d'inscrit ne le tentait. Toujours les yeux plongés sur les plats proposés, il sursauta quand la serveuse émit un soupir d'impatience.

— Euh ! Désolé, mademoiselle, je vais prendre un burger et une frite.

Elle s'empressa de disparaître derrière son comptoir pour crier la commande au cuisinier. Alexandre entendit s'esclaffer les deux garçons assis un peu plus loin. Ils avaient toujours le nez dans le magazine et leurs visages étaient rouge écarlate. Alexandre comprit qu'il devait s'agir d'une revue pornographique. Il en eut la confirmation quand l'un des garçons ouvrit la page centrale en diagonale et qu'ils s'émerveillèrent devant ce à quoi ils n'avaient probablement jamais eu accès physiquement. De petites choses simples de la vie de tous les jours avaient pour l'espace de quelques instants réussi à faire oublier à Alexandre sa sinistre existence.

Il revint à la réalité en une fraction de seconde quand derrière lui se fit entendre une porte qui s'ouvrait. Se tournant brusquement, Alexandre se détendit quand il vit un petit garçon qui sortait des toilettes publiques. Celui-ci se dirigea vers la dame assise au fond. Alexandre poussa un soupir de soulagement. La serveuse lui apporta son assiette.

À cause de la superficie restreinte du restaurant, il entendait des bribes de conversation de chacun des clients. Sans vraiment s'en rendre compte, il engloutissait littéralement son plat et fixait le petit garçon et la femme qui l'accompagnait, sa mère sans doute. Apparemment, l'assiette intacte était celle du petit qui refusait catégoriquement de manger. Sans vraiment le réprimander, sa mère tentait tant bien que mal de l'inciter à se nourrir.

La femme, dont Alexandre pouvait voir le visage, avait les yeux bouffis. De belle apparence, elle semblait toutefois bien triste. Elle ne portait pas de maquillage et ses cheveux étaient retenus en queue de cheval visiblement faite à la hâte. Tout en s'essuyant les yeux d'une main, elle caressait le visage de son fils de l'autre. Le petit repoussa l'assiette sur le côté, se leva et vint s'asseoir sur la même banquette que sa mère. Quand Alexandre vit le visage du garçon, il le reconnut aussitôt.

Il s'agissait du gamin qui avait croisé son chemin et qui avait flatté Shadow. Comme pour confirmer ses pensées, le petit regarda Alexandre et s'efforça de lui sourire. Ce dernier lui rendit la pareille même s'il doutait que le garçon se souvienne de lui ! Particulièrement parce qu'en ce moment Shadow n'était pas à ses côtés !

La mère régla l'addition l'instant d'après et se rendit à son tour aux toilettes. Le petit, toujours assis, regardait encore Alexandre. Après quelques minutes, il se leva pour aller attendre sa mère près de la sortie. Lentement, il passa devant Alexandre.

— Bonjour, monsieur. Votre chien n'est pas avec vous aujourd'hui ?

demanda-t-il.

— Non, il se repose en ce moment. Tu as une mémoire prodigieuse, dis donc.

— Je me souviens de vous parce que vous avez les yeux bleus comme ceux de mon père. Il se repose, lui aussi, en ce moment. Vous savez, bientôt il partira en voyage pour toujours.

La mère, voyant que son garçon parlait à un homme qu'elle ne reconnaissait pas, se rapprocha.

— Elle, c'est ma maman. Nous allons rendre visite à mon père à l'hôpital, avant son départ.

Alexandre, qui s'apprêtait à demander au petit la destination du voyage, s'arrêta à l'instant. Il venait de faire le lien incontournable entre le voyage, l'hôpital et la rencontre avec Shadow. Pour quelqu'un d'autre, il n'aurait été question que d'une simple formalité, à savoir que le père de l'enfant est à l'hôpital pour un simple examen de routine avant de faire un voyage.

Il se rappela Erika dont la nouvelle propriétaire de la maison avait dit : « Vous la trouverez au cimetière », ce qui le ramena immanquablement au lien entre eux : Shadow, ce chien qu'il aimait tant, dont la seule présence si réconfortante amenait inévitablement la mort. La seule exception était Carl. Mais il n'avait fait qu'entrevoir Shadow et cela l'avait envoyé droit à l'hôpital sans pour autant que la mort ne survienne.

Mais le gamin semblait en pleine forme tout comme Alexandre qui avait côtoyé le chien pendant une longue période. Si les enfants se trouvaient immunisés contre Shadow pour une raison qui lui échappait, cela n'expliquait pas pourquoi il était le seul adulte à y survivre.

De petites saccades lui secouant le bras le firent revenir à la réalité. Le garçon, impatient devant l'absence de réaction d'Alexandre, tentait vainement d'attirer son attention.

— Ma maman vous parle, dit-il.

— Oh ! Navré, madame.

— Est-ce que vous vous sentez bien ?

— Oui. Merci, j'ai perdu un être cher récemment.

— Mes condoléances, monsieur... ?

— Alexandre Montreuil. Et vous êtes ?

— Nancy Beaulieu. Lui, c'est Nicolas, dit-elle en poussant la porte de sortie.

Alexandre régla sa facture et sortit les rejoindre l'instant d'après.

— Vous avez rencontré mon mari il n'y a pas longtemps ? s'enquit-elle.

— Euh ! Oui, en quelque sorte. Lors d'une promenade avec mon chien.

— Mmmh ! C'est ce que Nicolas m'a raconté; il a littéralement adoré votre chien.

Nicolas monta en voiture, fatigué par sa poursuite de pigeons. Il se retourna vers Alexandre qui était tout près.

— On va se revoir bientôt ?

— Peut-être bien, mon grand. Je vais à l'hôpital pour rendre visite à un ami.

— Votre ami part-il en voyage aussi ?

Alexandre, mal à l'aise, jeta un regard à la mère du petit. Et celle-ci regarda Nicolas avec un certain reproche.

— Ça suffit, Nicolas ! On ne pose pas ce genre de questions.

Mais Alexandre s'efforça tout de même de répondre au gamin.

— Non, je ne crois pas, dit Alexandre en passant une main dans la chevelure du petit.

— Alors, on se verra à l'hôpital, dit joyeusement Nicolas.

Alexandre démarra peu de temps après. Chemin faisant, il laissa une bonne distance avec le véhicule de devant. Il voulait surtout ne pas importuner personne. Il regarda dans son rétroviseur en se demandant ce à quoi il pouvait bien ressembler. Il n'avait pas vraiment dormi ces derniers temps. Sa mine terne laissait amplement voir ce qu'il avait éprouvé. Si Shadow ne lui avait pas causé la mort, l'inconnu qui le pourchassait, lui, ne demandait qu'à le faire.

Arrivé dans le stationnement de l'hôpital, après avoir jeté un bref coup d'œil autour, Alexandre aperçut la voiture de Nicolas et de sa mère. Une fois les portes coulissantes ouvertes, Nicolas vint l'accueillir. Sa mère, un peu plus loin, s'entretenait avec une infirmière.

— Maman, maman, l'interrompit Nicolas.

Faisant la sourde oreille, elle continua à parler à l'infirmière.

— Maman, Alexandre est là. Peut-être qu'on pourrait aller voir son chien après. Tu veux bien, dis ?

Sans répondre, elle se dirigea vers les ascenseurs, tenant Nicolas par la main. Alexandre les suivait.

— Vous allez à quel étage ? s'informa-t-elle.

— Au troisième, répondit Alexandre sans lui retourner la question puisqu'il savait pertinemment que l'étage des phases terminales était le sixième.

— De quoi est atteint votre mari ? Si ce n'est pas trop indiscret, avança Alexandre.

— Ils ont trouvé une tumeur cancéreuse au cerveau.

Sans rien dire, il acquiesça d'un signe de tête. Quant à savoir combien de temps il restait au mari, Alexandre n'aurait osé le demander.

Les portes s'ouvrirent au troisième étage sur un flot de gens déambulant dans le couloir. Quelques-uns s'engouffrèrent dans l'ascenseur, obligeant Alexandre à en sortir précipitamment. Il n'ajouta qu'un simple au revoir au petit Nicolas et sa mère.

Arrivé devant la chambre de Carl, il se retrouva devant un lit vide. Il sortit de la chambre le cœur battant et retourna à l'accueil, face aux ascenseurs. On l'informa que Carl avait obtenu son congé. Il téléphona donc chez lui depuis un téléphone public. Carl lui-même répondit, car Diane était partie faire des courses en prévision du souper. Carl invita Alexandre et celui-ci accepta, non sans quelques hésitations, se demandant si le comportement de Diane serait le même. Après avoir raccroché, il décida de se rendre au sixième étage. Il attendit devant le poste d'accueil pendant plusieurs minutes avant que la secrétaire daigne lui répondre.

— Vous désirez ? s'informa-t-elle promptement sans même arrêter de pianoter sur son clavier.

— La chambre de M. Beaulieu, je vous prie.

— Vous êtes de la famille ?

— Non, un ami. Mais sa femme doit présentement être dans la chambre, vous pouvez l'aviser de ma présence, dit Alexandre sans vraiment réfléchir.

Après avoir obtenu l'autorisation d'entrer dans la chambre, il s'y rendit et trouva Nicolas assis à même le sol, s'amusant avec de petites voitures. Sa mère était installée près du lit, sanglotant près de son mari. Sa voix enrouée tentait d'exprimer ce qu'elle ressentait. Mais ce qu'elle marmonnait importait peu, car il n'y avait que des yeux vides d'expression sur le visage de son mari.

Environ une dizaine de minutes plus tard, le docteur vint faire sa visite. Discrètement, il s'assura qu'Alexandre surveillait le petit. Il s'entretint avec Mme Beaulieu dont le visage blanchissait au fur et à mesure et la respiration haletante s'entrecoupait entre les sanglots. Alexandre n'avait point besoin d'explications supplémentaires pour comprendre qu'il ne restait que très peu de temps à vivre au mari de Nancy Beaulieu. Le docteur, ayant terminé sa lourde tâche, quitta la chambre. Alexandre se rapprocha et posa une main qui se voulait réconfortante sur l'épaule de Nancy, bien qu'il sût qu'une telle souffrance ne pouvait être apaisée que par le temps, et même parfois rien n'y parvenait.

Nicolas aussi s'était rapproché, ses deux petites voitures enfouies dans chacune de ses mains. Il était conscient de ce que sa mère ressentait, de même que de l'état comateux inhabituel de son père. Mais la notion de ce qu'était la mort réellement, il l'ignorait. Alexandre se trouvait mal à l'aise. Il savait que d'une certaine façon, il était responsable de la mort imminente de l'homme qui se trouvait sur ce lit d'hôpital.

Ils descendirent à la cafétéria. Seul le petit Nicolas prit une collation, tandis qu'eux se contentèrent d'un café. Nancy s'informa de l'ami qu'Alexandre était venu voir. Elle le fit plus par politesse qu'autre chose. Elle expliqua à Alexandre qu'elle comptait rester à l'hôpital jusqu'à la fin des visites. Sans hésiter, il lui proposa de rester pour tenir compagnie à Nicolas, sachant du même coup qu'elle pourrait profiter plus aisément du peu de temps qui lui restait aux côtés de son mari. Elle accepta l'offre volontiers. Elle lui avoua qu'elle avait demandé à la gardienne de Nicolas de venir le chercher pour la nuit. Mais elle n'avait pas grand espoir de la voir arriver. Ils remontèrent à la chambre.

Trois heures plus tard, Alexandre se réveilla en sursaut. Il s'était endormi sur un des fauteuils. Non pas que le fauteuil en question fût confortable, mais la fatigue l'avait envahi. À cet instant, il réalisa qu'il sombrait toujours dans le sommeil, lui qui auparavant arrivait à rester éveillé pendant de longues périodes.

Le petit Nicolas se trouvait à demi endormi sur le second fauteuil. Ses yeux mi-clos s'entrouvrirent lorsqu'il vit Alexandre qui s'éveillait. Celui-ci, mal à l'aise de ne pas avoir surveillé Nicolas, jeta un coup d'œil à Nancy. Cependant, elle ne semblait nullement préoccupée par le fait qu'Alexandre n'était pas vraiment présent.

— Désolé, je crois que je me suis assoupi, dit Alexandre à l'attention de Nicolas.

— Mmmh ! Dites, vous croyez que l'ombre viendra me visiter aussi ? demanda Nicolas le plus innocemment du monde.

Alexandre, qui entre-temps s'était levé afin de se dégourdir, crut qu'il allait défaillir. La première hypothèse qui lui vint en tête s'avéra ce qu'il y a de plus rationnel :

— J'ai parlé durant mon sommeil, n'est-ce pas ? s'enquit-il nerveusement.

— Ouais ! Mais n'empêche ! C'était plutôt épeurant. Vous parliez aussi à votre chien.

Nancy les interrompit en leur faisant remarquer que la gardienne de Nicolas venait finalement d'arriver. Le petit devait passer la nuit chez elle, ce qui permettrait à Nancy de se retrouver un peu.

Nicolas se leva d'un bond et alla étreindre sa gardienne avec toutes les forces qu'il possédait. Il la délaissa quelques instants afin de ranger ses effets dans son petit sac à dos. Il embrassa sa mère ainsi que son père et enfin, il fit de même pour Alexandre qui resta un peu surpris. Ensuite, il tendit sa main à la gardienne. Juste avant de franchir le seuil, Nicolas se retourna et demanda à Alexandre d'une voix pleine d'émotion :

— Est-ce qu'on se reverra un jour ?

— Peut-être, mon grand, lui répondit franchement Alexandre.

Alexandre arriva très tôt en fin de journée chez Carl et Diane. À première vue, il remarqua que le jardin situé à l'entrée avait été négligé. Il eut une pensée pour Catherine qui aurait sans nul doute offert ses services pour l'entretien du jardin pendant la convalescence de Carl.

Il dut s'y reprendre à deux fois pour faire retentir le carillon avant qu'on ouvre. Comme il s'y attendait étant donné l'état de Carl, Diane vint lui ouvrir la porte. Elle semblait avoir beaucoup moins de rancune envers Alexandre. Ou bien peut-être n'était-ce qu'une fausse impression ? Elle l'invita à passer au salon et lui offrit même un verre qu'il accepta volontiers.

Il trouva Carl allongé sur le divan. Malgré son état, il semblait resplendissant.

— Alors, mon vieux, comment vas-tu ? s'informa Alexandre.

— Beaucoup mieux, Alex. Et toi ? J'ai appris concernant ta petite amie. J'en suis navré.

— Ah, bon ! Et comment tu as été informé ? demanda Alexandre, perplexe.

— Claire Millet, répondit Diane qui venait d'entrer au salon.

— Quoi ? Mais pourquoi viendrait-elle vous raconter tout cela, et ce, sans mon consentement ? questionna Alexandre qui était à présent hors de lui.

Il lui était facile de s'imaginer que la police avait fait un lien entre l'accident de Carl et le meurtre de Tania, d'autant plus que Diane l'avait mis sur la corde raide en l'accusant d'avoir causé l'accident de Carl. Mais pour quelle raison Claire ne lui avait pas fait part de sa visite, cela lui échappait totalement. Son ahurissement atteignit son comble quand Carl lui apprit quelque chose qu'il ignorait :

— Ça ne te ferait pas de tort, Alexandre. Malgré ce que tu en penses, le simple fait de lui parler te serait probablement bénéfique. C'est une spécialiste ! lui annonça Carl sur un ton neutre.

Diane ne laissa pas à Alexandre le temps de prononcer quoi que ce soit :

— Oui, il a raison. Peu importe ce qui t'est passé par la tête ce jour-là. Une chose est sûre, tu dois tout raconter avant que les choses ne s'aggravent. Mais c'est important que tu te présentes toi-même.

Alexandre était hors de lui. Éclatant de colère, sa voix rauque retentit dans toute la pièce :

— Eh merde ! Carl, tu sais parfaitement bien que je n'ai rien à voir dans ce qui est arrivé. Toi-même, à l'hôpital, tu as dit que ta voiture ne t'obéissait plus. Mais qu'est-ce qui vous arrive à tous les deux ? Je n'arrive pas à le croire.

La moitié du contenu du verre qu'il tenait en main se renversa au sol tant il était agité. Carl, ayant réussi à se relever sur divan où il était allongé, posa une main sur l'épaule d'Alexandre. Celui-ci n'apprécia guère et se retira d'un mouvement brusque qui manqua de peu de projeter Carl au sol. Celui-ci ne sembla pas offusqué pour autant ! L'instant d'après, Alexandre déposa son verre sur la table du salon, jeta un bref regard sur Diane et se dirigea vers la sortie. Il franchit la porte et entendit vaguement Carl qui lui parlait. Il marmonna quelque chose à propos d'aide psychiatrique. Il glissa ensuite une carte de visite dans la main d'Alexandre. Quand celui-ci regarda la carte en question, il y aperçut le nom de son avocate, Claire Millet. Mais apparemment, selon cette carte, elle n'était point avocate. L'inscription « Psychiatre » y figurait.

Il ne prit pas la peine de se rendre à son domicile. Il roula quelques kilomètres et aperçut un téléphone public. Il descendit de son véhicule et s'empressa de composer le numéro de sa présumée avocate. Un message préenregistré se déclencha. Il raccrocha brusquement sans laisser de message. Il rentra chez lui directement. Peut-être arriverait-il à joindre Claire Millet dans la matinée.

Comme à son habitude, Shadow l'attendait vaillamment, toujours aussi heureux de le revoir. Il était couché près de la porte du garage d'où il se releva précipitamment lorsqu'il entendit le bruit du moteur de la jeep. Une fois à l'intérieur, Alexandre s'installa sur son divan, une bière à la main, pour tenter de reprendre ses esprits.

Toujours perdu dans ses pensées, une heure plus tard, il sursauta quand on sonna à la porte. Curieusement, Shadow n'émit aucun jappement et alla se faufiler sous le canapé. Avant d'ouvrir, le simple fait d'être sur ses gardes obligea Alexandre à se rendre à la fenêtre près de la porte d'entrée pour voir de qui il s'agissait. Le salon était situé au centre de la maison, ce qui par conséquent empêchait les visiteurs de savoir si Alexandre s'y trouvait ou non.

Quelle ne fut pas sa surprise lorsqu'il aperçut Claire Millet ! Elle était en compagnie de deux hommes du genre assez costauds. Il s'apprêtait à ouvrir mais se ravisa aussitôt. Malgré sa colère et son envie irrépressible de poser des questions à Claire, Alexandre ne voulut plus ouvrir. Pour quelle raison était-elle accompagnée de deux hommes ? Le très peu de temps qu'il avait passé chez Carl avait suffi à lui faire perdre toute la confiance qu'il avait en Claire.

Il se précipita sans bruit au salon pour y éteindre la lumière et eut un moment d'incertitude, se demandant s'il avait garé la jeep dans le garage ou dans l'allée. L'image de Shadow se relevant pour lui laisser le passage à son arrivée un peu plus tôt lui revint et il poussa un soupir de soulagement.

De nouveau près de la fenêtre, il tenta de capter quelques bribes de conversation. Les deux accompagnateurs se trouvaient un peu plus éloignés de la porte. Il entendit l'un d'eux demander s'ils ne devaient pas attendre le retour de M. Montreuil. Alexandre se raidit instinctivement. La réponse de Claire lui parvint distinctement et lui fit remercier le ciel de ne pas avoir ouvert la porte.

— Non, ça ira. Ils m'ont dit qu'il était parti en furie de chez eux. Peut-être est-il à son chalet. J'y passerai demain et on pourra l'interner en début de journée. Les patients souffrant de dédoublement de personnalité sont parfois difficiles à cerner. Mais il suffit de tomber sur la bonne « personne », dit-elle avec un brin d'humour.

Il attendit qu'ils partent et se rendit à sa chambre, ouvrit la garde-robe et en sortit une valise qu'il déposa sur le lit. Machinalement, il empila quelques-uns de ses effets. Shadow, couché au pied du lit, ne semblait pas dérangé le moins du monde. Alexandre se fit mentalement un itinéraire selon lequel il partirait durant la nuit vers une destination dont il n'avait pour le moment aucune idée. Peut-être que, du même coup, il échapperait à la mystérieuse ombre, à l'inconnu ainsi qu'à l'hôpital psychiatrique dans lequel on voulait l'interner pour aucune raison. Il savait pertinemment qu'il n'avait jamais divulgué quoi que ce soit sur ce qui le tourmentait.

Deux heures plus tard, alors qu'il était dans le hall valise en main et prêt à partir, il hésita. Mais que fuyait-il au juste ? Il avait ses droits comme tous les autres. Il pourrait sûrement s'expliquer. Bien sûr, pensa-t-il, ses hallucinations étaient fréquentes, mais cela ne faisait pas de lui un fou. Mais au fond de lui-même, il savait qu'il ne s'agissait pas d'hallucinations. Et cela, il ne pourrait le faire comprendre à personne. De toute façon, il n'avait été accusé d'aucun crime et il était libre de quitter la ville s'il le désirait. Il n'avait de comptes à rendre à personne.

LA FUITE

Il empoigna sa valise et, suivi de Shadow, quitta la maison. Chemin faisant, il pensa à ce qu'il savait au sujet des dédoublements de personnalité. Pas grand-chose, en fait. Pourrait-il lui-même savoir s'il en souffrait ? Certes, il avait subi un très grand choc et aurait pu y attribuer ce qui lui arrivait. Mais tout cela avait débuté avant que Tania n'entre dans sa vie.

Il s'arrêta finalement après plusieurs heures de route dans un petit motel situé aux abords d'une route de campagne. Il pourrait y passer la nuit en toute quiétude. Il n'était pas recherché par la police nationale, tout de même !

Quand il entra, la lourde porte émit un grincement sonore qui le fit frissonner malgré lui. Évidemment, comme tout bon motel de campagne qui recevait peu de visiteurs en pleine nuit, celui-ci semblait inhabité. Alexandre dut s'y reprendre à plusieurs reprises avant que l'on ne vienne lui ouvrir la porte. Un homme d'une quarantaine d'années, l'air maussade, s'avança vers lui.

— Ça va, j'arrive ! C'est pourquoi ? demanda l'homme.

— Une chambre, répondit Alexandre.

— Ouais, ben ça, je m'en doutais. Combien de temps ? demanda-t-il sèchement.
— Une seule nuit.

L'homme se pencha et fouilla dans une petite boîte de carton. Il en sortit une clef qu'il tendit à Alexandre.
— Ça fait soixante dollars. Payable immédiatement.

Il empoigna l'argent qu'Alexandre lui donna, le compta deux fois et le fourra dans une de ses poches de robe de chambre. Il se gratta machinalement la barbe puis ajouta avec un ton qui se voulait menaçant :
— Les animaux sont interdits dans les chambres.

Alexandre eut un sursaut, car il avait pris la peine de laisser Shadow dans la jeep afin que personne ne l'aperçoive. Mais quand il se retourna, Alexandre ne le vit pas. Il était rassuré. Que Shadow sorte à sa guise et cause la mort de certaines personnes contre son gré était une chose ! Mais qu'Alexandre l'emmène en des endroits où il ne serait probablement jamais allé était tout autre. Il acquiesça d'un signe de tête et prit la clef.

La chambre était tout à fait comme il s'y attendait : en ordre avec un certain aspect délabré. Il attendit environ une vingtaine de minutes et alla chercher Shadow. Dans la chambre, mis à part un téléviseur non fonctionnel, il n'y avait rien d'autre. Il s'allongea sur le lit et entreprit de lire le journal de Tania.

Shadow vint se coucher près du divan. Il regarda Alexandre d'un air penaud. Celui-ci tapota sur un coussin en guise d'invitation. Sans hésiter, Shadow monta en émettant un petit son de satisfaction.

« Venir vivre auprès de mon oncle n'était pas une chose simple. Non que je n'aime pas sa compagnie, mais plutôt parce que je ne peux pas vraiment faire quoi que ce soit pour lui. Je suis consciente qu'il est déjà trop tard. Pourquoi le chien est-il allé le trouver ? Je ne saurais répondre à cette question. Je n'ose pas y penser, mais je me doute bien que c'est en partie à cause de moi.

« À l'époque où j'ai entrepris de faire des liens avec le mal, j'étais désorientée. Je ne croyais pas que cela puisse aller aussi loin. Ce n'était, pour moi, qu'une sorte d'évasion. Rien de tout cela ne me paraissait réel.

« J'ai commencé à assister aux cérémonies, il y a de cela quelques mois. Celles-ci avaient lieu dans un endroit en plein air. Comme une sorte de clairière ! Plusieurs personnes y venaient. Il y avait un énorme feu au centre du cercle que nous formions. Chacun devait enlever ses vêtements et quelqu'un parmi les adeptes nous enduisait le corps d'une sorte de crème.

« Ensuite, après des échanges de sortilèges, de potions ou tout simplement d'histoires, nous dansions. Toujours une danse lente et gracieuse. Chaque fois, je me sentais comme dans une sorte d'euphorie. J'étais parfois effrayée, d'autres fois heureuse et même amoureuse. Amoureuse de celui qu'on ne voyait pas. Mais il était aussi celui que l'on craignait et qu'on attendait. Cela procurait une sorte d'émerveillement. Grâce à lui, nous pouvions atteindre cet état d'ivresse et de bien-être.

« Nous étions environ une vingtaine à assister à ces rites. Surtout des femmes. Peut-être y avait-il cinq hommes tout au plus. Un d'entre eux menait le groupe. Il était mince et chauve. À la fin de chaque cérémonie, quand tout le monde avait dansé, quelques femmes s'offraient aux hommes. Cela m'est arrivé deux fois. La première, de mon propre gré. J'avais dansé avec une surcharge d'énergie. Je me sentais brûlante. J'ai pris le premier homme et nous nous sommes accouplés.

« La deuxième fois, ce fut avec le chef du groupe. J'étais extrêmement fatiguée ce soir-là. Je me suis approchée de lui et j'ai demandé s'il était le Diable en personne. Il m'a littéralement poussée par terre et s'est jeté sur moi. Il m'a chuchoté à l'oreille qu'il était le suppôt de Satan. Depuis ce jour je tente d'effacer cela de ma mémoire. Malgré tout, je suis retournée aux cérémonies. Je m'y sentais comme attirée.

« Puis, j'ai finalement compris. Un soir, alors que la réunion se passait comme d'habitude, tout a basculé. Avant les danses, nous échangions des conseils. Certains tentaient même des expériences. Deux femmes assises près de moi faisaient des tentatives afin de ranimer un chien. Le chien était mort depuis plusieurs jours déjà. Je trouvais cela un peu trop poussé. Car, malgré leurs échecs, elles s'acharnaient à leur projet avec ferveur. Jeter de mauvais sorts à des individus est une chose. Mais espérer faire revivre un être en était une autre.

« Finalement, au bout de la deuxième semaine, le chien s'est mis à remuer. Au début, je croyais à une hallucination. Mais le chien s'est ensuite levé. Nous étions tous ébahis. Les femmes avaient réussi.

« L'une d'entre elles s'est ensuite emparée d'un couteau et a coupé un bout d'oreille du chien. Durant l'opération, le chien n'a pas bronché, comme s'il n'avait pas ressenti la douleur ! Après tout n'était-il pas mort ?

« Une fois que cela fut fait, la bête se dirigea vers l'homme qui menait le groupe, le suppôt de Satan. Tout était donc vrai. Dès cet instant, j'ai tenu à m'enfuir. Mais je ne pouvais le faire avant que la nuit soit terminée.

« Le lendemain, je me suis rendue à la bibliothèque. J'avais quelques jours devant moi avant la prochaine cérémonie. Je n'avais aucune idée pourquoi la femme avait tranché l'oreille du chien. Et je tenais à le savoir.

« La pratique consistait à prendre un animal mort et à l'enduire d'un mélange dont les ingrédients multiples étaient cités dans le livre. Ensuite, il suffisait de faire des incantations tout en sacrifiant de petits animaux tels que des lièvres, des chats ou des oiseaux.

« Une fois la pratique réussie, on devait finaliser le tout en coupant une partie du corps de l'animal ressuscité. La bête, insensible à la douleur, atteignait alors le statut d'immortel.

« J'avais été témoin du fait que ces écrits étaient véridiques. La science avait tout sous le nez. Ces informations continuaient de circuler en douce. Je réfléchissais à tout cela et arrivais à peine à y croire. C'est à cet instant, alors que je refermais le livre, que je sentis une présence derrière moi. Il me regardait intensément. L'homme qui présidait aux cérémonies. Celui qui me faisait éprouver une immense crainte, en ce moment plus que tout autre auparavant. Il a délicatement posé sa main sur mon visage. J'ai fermé les yeux, tremblante de peur. Il est ensuite parti sans rien dire. »

Alexandre essuya la goutte de sueur qui longeait sa tempe. Shadow s'était levé et semblait soudainement agité. S'approchant, Alexandre l'aperçut grattant à la fenêtre par laquelle il l'avait fait entrer. À l'instant précis où il ouvrit la fenêtre, on frappa à la porte. C'est alors que Shadow se mit à grogner férocement.

— Mais qu'est-ce que tu fais ?

En guise de réponse, Shadow grogna davantage et s'avança vers la porte. Alexandre n'hésita pas un seul instant. Il s'empressa de prendre son sac et sortit par la fenêtre qu'il referma doucement. Qui que ce soit qui frappât à la porte, Alexandre ne devait pas ouvrir. Peut-être s'agissait-il de la femme de ménage ? Mais après avoir frappé à la porte à trois reprises, elle aurait certainement déjà ouvert. Si Shadow était dans un tel état, il était plus que probable qu'il s'agissait de l'inconnu qui le pourchassait.

Heureusement, les voitures des occupants du bâtiment étaient stationnées à l'arrière, contrairement à celles des visiteurs. Il jeta un coup d'œil pour s'apercevoir que rien ne semblait anormal.

Arrivé près de sa jeep, il mit les clefs dans le contact et marcha en poussant la voiture sans la démarrer. Il jetait constamment des regards autour de lui. Quand il jugea qu'il fut assez loin et qu'il vint pour grimper sur le siège, Shadow se pointa. Il le fit monter, démarra et partit.

Si l'inconnu ne se contentait pas d'attendre dans le hall et décidait d'entrer dans la chambre, il verrait qu'Alexandre n'y était plus, qu'il était parti en toute hâte, abandonnant ses choses éparses. Il n'était pas improbable qu'il eût entendu les grognements de Shadow. Si, par contre, l'homme en question patientait quelques heures en attendant le retour d'Alexandre, cela lui donnerait plus de temps pour prendre de l'avance. Si, bien entendu, il s'agissait de l'inconnu. Peut-être était-ce Claire Millet, tout était possible.

Il suivit l'autoroute durant plusieurs heures avant d'emprunter une sortie qui donnait sur une petite ville. Après avoir fait le plein, il roula pendant un bon moment afin de s'assurer qu'il était à une assez bonne distance de l'autoroute. Il repéra quelques casse-croûte et après en avoir laissé passer plusieurs, il s'arrêta enfin.

L'endroit inspirait une certaine méfiance. L'intérieur était plutôt sombre et d'aspect miteux. Les clients à l'allure morne s'y trouvaient bien à leur place, semblant faire partie du décor froid et sans vie. Mais, tout de même, Alexandre entra dans le restaurant et commanda un sandwich et une boisson qu'il emporta à l'extérieur pour les consommer près de sa voiture. Certes, il n'avait pas vraiment faim.

Une vieille femme assise sur le porche du casse-croûte regardait Alexandre. Un chapeau de paille lui recouvrait la tête. Elle se moucha disgracieusement sur sa manche sans quitter Alexandre des yeux. Celui-ci renonça à engloutir le reste de son repas. Il le remit dans le sac de papier puis marcha en direction d'une grosse poubelle près de l'entrée du casse-croûte. Quand il revint sur ses pas, il regarda de nouveau la vieille femme puis se rendit compte qu'elle ne le fixait plus. Il suivit la trajectoire de son regard pour y apercevoir Shadow.

En le voyant, Alexandre se dit que Shadow ne se montrait qu'à des gens précis. Comme s'il savait qui devait y passer !

Alexandre appela Shadow mais il ne vint pas. Bien qu'il sache qu'il avait probablement échappé à l'inconnu, il désirait poursuivre sa route sur les petits chemins de campagne. Partir au plus tôt était préférable.

À bout de patience, il interpella Shadow une fois de plus, tout en observant la vieille femme du coin de l'œil. Mais à présent, Shadow n'était plus là. La vieille fixait le vide. Le casse-croûte était situé aux abords de la route. Et derrière celui-ci se trouvait un grand terrain vague. Alexandre pensa que Shadow devait s'y trouver. Il monta dans sa jeep et s'y dirigea. Au moment où il longea la façade et vint pour tourner, une voiture lui coupa la route brusquement et par le fait même percuta le devant de la jeep. Alexandre, complètement enragé, sortit de voiture en brandissant les bras.

— Eh merde ! Mais qu'est-ce que vous foutez ? cria-t-il.

Le visage d'Alexandre, crispé de rage, se changea immédiatement quand l'autre conducteur sortit de son véhicule. Il pointait une arme en direction d'Alexandre qui était dépourvu de réaction tant il était stupéfait.

L'homme enleva le cran de sécurité, visant toujours Alexandre, et lui demanda de s'agenouiller. Par réflexe, Alexandre prit la fuite, courant à toute allure vers l'entrée du casse-croûte. L'homme lui emboîta le pas et à quelques mètres seulement d'Alexandre, il tira un coup de sommation, ce qui fit ralentir Alexandre. Celui-ci s'arrêta et leva les mains. Il était vaincu : sans sa jeep et dans ce bled perdu, où aurait-il bien pu aller se réfugier ? Il sentit la froideur de l'arme appuyée contre son dos. L'homme l'obligea à se retourner; Alexandre obéit. Mais soudain, dans un dernier espoir, celui-ci tendit sa main et tenta de faire lâcher prise sur l'arme à son adversaire. Mais celui-ci, habile, empoigna le bras d'Alexandre de son autre main. L'arme toujours en sa possession, il visa Alexandre directement mais ne tira pas. La lutte dura plusieurs secondes pour enfin se terminer par un coup de feu. Aucun des deux hommes n'était touché. Alexandre cessa de combattre. L'homme ne voulait apparemment pas le tuer, mais même en luttant comme un forcené, Alexandre n'en serait probablement pas venu à bout. Il se laissa ligoter et emmener sur le côté du casse-croûte. Bien que personne ne semblât avoir été témoin de la scène, il valait mieux ne rien risquer.

À plusieurs reprises, Alexandre tenta de parler à cet homme, mais celui-ci resta coi. Plusieurs minutes passèrent avant qu'une deuxième voiture ne s'approche. Alexandre aperçut trois silhouettes en sortir. Il avait cependant beaucoup de mal à distinguer les visages, car le soleil l'aveuglait. Mais quand une des voix lui parvint, il n'eut aucun mal à mettre un visage dessus : celui de Claire Millet.

— Bonjour, Alexandre ! lui dit-elle, comme si de rien n'était !

Alexandre avait du mal à se contenir. Mais il tint bon. Il la regarda froidement. Puis, il se releva, conscient qu'il ne pouvait rien faire pour le moment.

Marchant vers la voiture suivi des deux acolytes, Alexandre entendit un bruit sourd venant du porche. Il se retourna et les deux hommes en firent autant. Personne à l'intérieur du casse-croûte ne s'était encore aventuré à voir ce qui se passait et surtout pas après les coups de feu. De prime abord, Alexandre avait cru que le bruit en question était Shadow. Il espérait que celui-ci se présente devant eux. Mais le bruit qu'ils venaient d'entendre était celui de la vieille femme qui s'était effondrée sur le sol du porche. Alexandre, beaucoup trop éloigné à présent, n'arrivait pas à distinguer clairement la vieille dame. Mais il entendit, une fois de plus, la voix de Claire l'avocate-psychologue :

— Bon sang, tu lui as tiré dessus, imbécile !

— Mais ce n'était pas intentionnel. Je tenais à ce que le patient ne m'échappe pas.

— Bon, ça va. Je m'en charge. Au pire des cas, nous le ferons passer sur le dos de M. Montreuil. Les policiers n'auront aucune difficulté à croire qu'il a tué cette femme. À présent, je dois aller parler avec le propriétaire de ce trou. Je vous rejoins plus tard. Vous mettrez M. Montreuil dans l'aile B.

Sans attendre de réponse, elle entra dans le casse-croûte. Alexandre pensa à la vieille femme qui avait vu Shadow. Cette fois, la mort était survenue rapidement. Avec tout cela, on pourrait lui ajouter un autre meurtre sur le dos.

Dans la voiture, le silence régnait. Les deux hommes en complets et cravates n'échangeaient aucun mot. Le chemin fut plutôt long. Alexandre repensa au journal de Tania et à ce qu'il serait arrivé s'il l'avait donné à la police. Mais il était conscient que cela ne le sauverait pas. Il n'avait aucun recours. En fait, c'est à lui que Claire Millet et ses hommes en voulaient. Cela ne faisait plus de doute à présent. Ils étaient peut-être même déjà au courant pour Shadow. Si Claire Millet était la responsable, le seul espoir qui restait était que Shadow se présente devant elle au casse-croûte où elle était encore. Ainsi, dans les prochains jours, elle décéderait. Mais encore, Alexandre devrait prouver qu'il n'était pas déficient mentalement.

LE CENTRE DE RECHERCHE

Alexandre fut placé dans l'aile B comme demandé par la docteure Millet. L'institut psychiatrique ou le centre de recherche était divisé en trois sections : les ailes A, B et C. L'aile A n'était nullement pourvue de barreaux comme les deux autres. Elle n'accueillait que des patients ne souffrant que temporairement ou dont il était possible de traiter le malaise en leur administrant des médicaments appropriés.

L'aile d'Alexandre, la B, quant à elle, était maintenue sous une certaine surveillance. Mais pas autant que l'aile C. Il y avait la moitié moins de gardes. Et même si les chambres étaient maintenues fermées à clef, les patients bénéficiaient de nettement plus de confort.

Sa chambre d'un blanc immaculé était propice à la déprime. Alexandre y resta pendant une assez longue période de temps. Mais il n'aurait su dire avec certitude si à présent on était le jour ou bien la nuit. Car évidemment, sa chambre était dépourvue de fenêtre et tous ses objets personnels lui avaient été confisqués. Il avait somnolé, puis avait tourné en rond dans sa chambre, ressassant ce qui lui était arrivé au cours des derniers temps. À présent, il en voulait à Shadow, car depuis qu'il était présent dans sa vie, toute son existence avait basculé. Maintenant, il frôlait la démence. Que lui restait-il ? Qui croirait quoi que ce soit à son histoire absurde ?

Après cette longue attente, on vint enfin le chercher. Un infirmier de petite taille et assez maigrichon se présenta à lui. Il ne semblait pas très sûr de lui. Il posa une main sur son crâne presque chauve et esquissa un sourire.

— Bonjour, M. Montreuil, je m'appelle Michael. Je suis le responsable de l'aile B. Nous allons faire une petite sortie. La Dre Millet désire vous voir.

Deux gardes costaux vêtus de blanc entrèrent dans la chambre. L'un d'eux avait en main une camisole de force. Il s'approcha d'Alexandre tout en s'informant auprès de Michael des calmants administrés au patient. Michael répondit qu'on ne lui en avait donné aucun puisqu'il devait subir un interrogatoire. De plus, il avait fait preuve d'un calme exemplaire. En cet instant, Alexandre présentait le portrait parfait de l'aliéné avec ses yeux agrandis par la haine, ses vêtements trempés de sueur et sa bouche à demi ouverte.

Alexandre recula de quelques pas à l'idée de devoir porter la camisole de force et être encore plus à leur merci. Mais le fait d'apercevoir Michael sortant une seringue de sa poche le fit changer d'avis. Il devait rester en possession de ses moyens.

— Ça va, ne vous emballez pas. Je vais vous laisser m'enfiler cette foutue camisole.

Pendant que les deux gardes s'exécutaient, Alexandre tenta poliment sa chance.

— Puis-je savoir pour quelle raison je me trouve en cet endroit ?

— La Dre Millet sera en mesure de répondre à vos questions, répondit Michael sur un ton acerbe.

Ils arrivèrent dans une petite salle pourvue de fenêtres. Alexandre put voir qu'il faisait nuit. Michael le quitta en ajoutant que la D[re] Millet serait là dans quelques instants. Les deux gardes se postèrent près de l'entrée et fixèrent Alexandre d'une manière méprisante.

Quand Claire Millet entra dans la pièce, la même odeur de parfum frais qu'Alexandre avait humé au poste de police lui parvint. Elle demanda qu'on lui enlève la camisole de force.

— M. Montreuil, dit-elle en hochant la tête.

— Mon avocate ! répondit sarcastiquement Alexandre.

Elle feuilleta les documents qu'elle avait apportés sans faire de commentaire. Après quelques minutes, elle rompit le silence :

— Je vois qu'à votre arrivée vous n'avez opposé aucune résistance. Voilà qui est très sage de votre part. Nous avons dû vous interner pour votre propre sécurité, dit-elle en jetant un regard vers les deux gardes.

— Ah ! Bien sûr, je comprends. Vous m'avez suivi comme si j'étais un criminel ! Pour ensuite m'accuser d'un crime que je n'ai pas commis.

— Vous êtes la deuxième personne qui présente des troubles de dédoublement de personnalité aussi extrême. Vos meurtres sont presque parfaits, continua-t-elle comme s'il n'avait rien dit. Puis-je savoir à qui je parle en ce moment ?
— Vous savez pertinemment que je ne suis pas impliqué. Je ne souffre pas de dédoublement de personnalité.
— Ce qui nous intéresse dans votre cas, c'est le fait que votre situation soit exactement identique à celle d'un certain M. Robert. C'est totalement inusité.
— Et en quoi consiste précisément mon cas ?
— Eh bien ! N'est-ce pas à vous de me le dire ? Nous vous avons étudié pendant un bon moment de l'extérieur. Au début, nous avons contacté Mme Tania Robert pour lui offrir nos condoléances. Elle venait à peine de faire votre connaissance. En fait, je dois vous avouer que c'est elle qui nous a mis sur votre piste. Son oncle avait été le premier patient, comme je vous l'ai dit plus tôt. Son cas était plutôt vague : hallucinations d'ombres, chien errant et j'en passe. On l'a remis en liberté après un certain temps. Seulement, nous ignorions les meurtres. Sa nièce, miss Robert, est allée vivre à ses côtés après avoir reçu notre approbation concernant les bienfaits que cela pourrait procurer à son oncle.
— Mais contrairement à vous, elle le croyait sain d'esprit !
— Effectivement. Parfois, quand un être cher est atteint d'une maladie à laquelle on ne comprend pas grand-chose, les gens ont tendance à le croire d'une certaine façon. Elle le croyait tellement que quand son oncle est décédé, elle a pris la responsabilité de la quincaillerie, et ce, dans l'espoir

d'y voir le chien husky qui avait sauvé la vie de son oncle à plusieurs reprises.

— Le patient qui vous avait consultée était mort. Je ne vois pas en quoi suivre les allées et venues de sa nièce vous était utile !

— Nous voulions savoir à propos du chien, sans compter qu'autour de la nièce plusieurs meurtres avaient été commis. Évidemment, les soupçons pesaient sur son oncle défunt. Mais parfois, la vie nous réserve quelques surprises. Et ainsi, vous avez fait votre apparition dans sa vie et avec vous, le fameux chien qui cause tous ces émois. Nous avons mis un de nos hommes sur le terrain pour qu'il accélère les choses. D'ailleurs, vous l'avez rencontré peu avant votre premier contact avec Tania.

Alexandre se rappelait parfaitement quand l'homme en question l'avait abordé alors qu'il achetait des cigarettes au dépanneur du village. Il l'avait dirigé vers Tania qui se trouvait à la quincaillerie. Mais Alexandre ne tenait pas à se souvenir davantage de ces détails. Il changea donc de sujet.

— Alors, vous croyez que je suis cet homme ? Ce tueur ?

— Oui, peut-être sans que vous en soyez conscient. Mais ce qui est le plus important en ce moment, c'est le chien. Tout concorde comme quoi il existe. Alors, nous devons le trouver afin de comprendre ce qui vous a mené à la folie.

— Mais enfin ! Vous savez que je ne suis pas cinglé ! Qu'est-ce que vous cherchez réellement ? s'exclama-t-il.

Il s'était laissé emporter par la colère, crachant ses mots au visage de la D^re^ Millet. Il s'était levé brusquement, faisant ainsi tomber la chaise qu'il occupait. Le fracas avait attiré l'attention des gardes, mais la Dre Millet avait d'un signe de main repoussé leur aide. Elle tenta de le calmer. Elle devait en tirer tout ce qu'elle pouvait. Mais elle n'ignorait pas qu'elle avait perdu la confiance d'Alexandre si chèrement acquise alors qu'il sortait de prison. Elle l'avait sous-estimé. Il ne faisait aucun doute qu'il était intelligent.

— Je vous prie de vous rasseoir, M. Montreuil. Rien ne sert de s'énerver. Agir de la sorte ne vous amènera que des ennuis, dit-elle en faisant signe aux deux gardes de rester à distance.

Alexandre, fulminant, ramassa la chaise et se rassit.

— Voilà qui est mieux. À présent, je vous explique les règles. Vous me dites tout ce que vous savez ou croyez, et évidemment, où se trouve le chien. Ensuite, je veux savoir comment, selon vous, vous échappez à son pouvoir. Car j'ai cru comprendre que vous avez passé le stade de rester en vie très longtemps par rapport aux autres.

— Ainsi, vous y croyez ? Et malgré tout cela, vous désirez voir le chien. Vous savez très bien qu'après l'avoir vu, en moins d'une semaine vous ne serez plus de ce monde ! lui répondit Alexandre.

— Comment pourrais-je mourir si vous êtes interné ? Vous êtes le tueur. Donc, vous mettez un terme à la vie de toute personne qui entre en contact avec le chien. Mais nous allons vous aider à vous en sortir d'une quelconque façon.

— Dites-moi, docteure, pourquoi n'ai-je pas droit à un jugement devant la cour ? Si je suis accusé de meurtre, ne devrais-je pas malgré tout subir un jugement, et ce, avant même que l'on décide de me considérer comme un déficient ?

Tout en se levant, elle ramassa ses feuilles éparses devant elle. Puis, frustrée de n'avoir rien appris, elle rendit la pareille à Alexandre en le laissant perplexe et sans réponse.

— Vous me décevez, Alexandre, mentit-elle. Je vous croyais beaucoup plus futé que cela. Je veux le chien. On me l'emmènera ici, et nous l'enfermerons. Vous n'aurez plus qu'à l'oublier. L'entente que je vous propose est fort simple. Vous me racontez tout afin que je puisse vous éviter l'emprisonnement.

Alexandre voulut répliquer, mais la D[re] Millet était déjà rendue au couloir. Le choix qu'elle lui donnait était plutôt biaisé, si choix il y avait. S'il lui disait où se trouvait Shadow, ils l'enfermeraient et Alexandre serait libre. Mais tout n'était qu'illusion. Jamais ils ne le laisseraient sortir. De toute manière, l'ombre viendrait inévitablement s'emparer de lui. Tout ce qu'il avait comme possibilité était ou bien de rester en cet endroit près de Shadow ou de s'échapper pour le rejoindre. Il était abasourdi. La D[re] Millet le prenait-elle vraiment pour un taré ? Non, vraiment, son but était sans nul doute qu'Alexandre travaille pour elle puisqu'il était le seul à pouvoir approcher Shadow. Car il se doutait bien que la docteure Millet croyait en l'existence des pouvoirs de Shadow, mais qu'elle ne voulait pas qu'Alexandre en prenne conscience ! Ou peut-être était-ce à cause des deux gardes qui étaient restés à proximité.

Quand enfin les gardes le ramenèrent à sa chambre, il continua de méditer sur le sujet. Sa tête bouillonnait. Mais il devait tout faire pour ne pas s'endormir. Si jamais il voyait l'ombre, il pourrait crier pour de l'aide. Quoique si on lui administrait des calmants, ce ne serait pas une bonne chose ! Pris dans ses pensées, il manqua tomber de sa couchette quand il aperçut Michael, le responsable de l'aile B, près de l'entrée de sa chambre.

— Bonsoir, M. Montreuil. Désolé, je ne voulais pas vous effrayer. Je suis passé pour savoir si vous aimeriez vous mettre quelque chose sous la dent.

— Bonsoir, Michael. Merci, mais je n'ai pas réellement faim.

— Je comprends. Mais vous devriez faire un effort.

N'obtenant aucune réponse, Michael continua sa surveillance. Quelques heures plus tard, deux gardes vinrent chercher Alexandre. Cette fois, ils ne prirent pas la peine de lui mettre de camisole de force. On l'emmena à la cuisine où un déjeuner plus ou moins appétissant l'attendait. Après avoir pris quelques bouchées, il s'arrêta et regarda autour de lui. Les autres patients ne semblaient pas tout à fait conscients d'être là. Certains se parlaient à eux-mêmes, d'autres, moins discrets, engageaient la conversation avec leur voisin qui ne les écoutait pas. Seulement deux ou trois étaient à l'écart et semblaient normaux.

Un garde passa tout près et Alexandre le toucha au bras afin qu'il s'arrête. Celui-ci, d'un geste brusque, se retira. Il jeta un regard perplexe à Alexandre. Mais voyant que celui-ci ne semblait représenter aucun danger, il s'apprêta à continuer son chemin.
— Désolé, je suis nouveau dans ce palace. J'imagine qu'il est préférable de ne pas toucher aux employés ? demanda Alexandre, tentant d'engager la conversation subtilement.
— Tout à fait, mon vieux. Bienvenue à bord ! répondit le garde avec entrain.
— Dites, est-ce que tous ces patients sont considérés au même titre que moi ?
— Disons, dans la même catégorie. Vous êtes de la branche B. Dans une heure ce sera la branche C qui passera à la cafétéria. Du fait, si l'un d'eux m'avait accosté comme vous l'avez fait, je lui aurais assené un petit coup de matraque en moins de deux. On ne rigole pas avec ces types.

Après l'avoir remercié, Alexandre traversa la pièce et arriva dans la salle voisine. Les patients avaient à leur disposition un téléviseur, des livres, et finalement, la pièce était entourée d'immenses fenêtres à barreaux. Le téléviseur juché haut et inaccessible présentait des dessins animés en permanence. Quelle poisse ! pensa Alexandre s'imaginant passer le reste de ses jours en cet endroit. C'était tout de même mieux que d'être en prison. Il s'empara du premier livre qui lui tomba sous la main.

Un petit groupe de patients s'étaient rassemblés afin d'écouter un des gardes faisant la lecture à voix haute. Dans ce groupe, une jeune femme plutôt jolie regarda Alexandre. Elle avait une magnifique chevelure rousse ondulée. Et l'on n'apercevait que tristesse dans ses beaux yeux verts. Son corps semblait si fragile. Il ne faisait aucun doute qu'elle était sous-alimentée. Elle sourit délicatement à Alexandre et il en fit de même plus par politesse qu'autre chose. Il ne désirait absolument pas fraterniser avec ces gens. Il replongea dans son livre qui aurait très bien pu être à l'envers qu'il ne s'en serait nullement rendu compte ! Il devait trouver un moyen de s'échapper de cet établissement.

Mine de rien, comme si la lecture du livre le captivait, il tourna la page et releva la tête. Son regard s'arrêta une fois de plus sur la jeune femme. Alexandre eut un minime froncement de sourcils quand il s'aperçut qu'elle avait encore les yeux braqués sur lui et qu'elle affichait toujours son sourire béa. Il se demanda si elle ne l'avait tout simplement pas quitté des yeux depuis tout à l'heure. Il eut vite fait d'avoir réponse à sa question. À présent, elle souriait à pleines dents et Alexandre aperçut un filet de bave qui partait du coin de sa bouche et longeait son menton. Voyant qu'elle avait obtenu l'attention d'Alexandre, elle émit un petit son guttural.

Alexandre, mal à l'aise, se leva et alla s'installer près d'une fenêtre. Il ouvrit de nouveau son livre et le déposa sur le rebord de la fenêtre. Soudain, un cri strident le tira de ses réflexions. Il se retourna et aperçut un des patients se martelant la tête à coups de poing. Des gardes vinrent le chercher et l'emmenèrent à l'écart.

Il replongea sa tête dans le livre quand il sentit une main sur son épaule.

— Alors, comment allez-vous aujourd'hui ?

Se retournant, il aperçut Michael.

— Ah ! Bonjour. Je vais bien, mais disons que dans un autre endroit qu'ici, j'irai beaucoup mieux. Vous n'êtes pas de service de nuit ? demanda Alexandre, heureux de parler à quelqu'un de normal.

— J'ai commencé plus tôt. Alors, comment trouvez-vous ce livre ? C'est bien que vous compreniez l'italien ! demanda Michael, cherchant visiblement à changer de sujet.

— Je vous demande pardon ? s'enquit Alexandre.

— Le livre, dit Michael en le montant du doigt.

Alexandre regarda les pages pour se rendre compte qu'effectivement, il s'agissait d'un roman en italien.

— Ah, non ! Je ne lisais pas vraiment. Disons que ce n'était que pour éviter le regard des autres, dit Alexandre, mal à l'aise.

— Je vois et je vous avoue qu'en grande partie, ces livres sont là pour cela. Il y a peu de gens ici qui ont encore toute leur raison. La lecture est faite par les gardes en partie, mais ce n'est pas comme si les patients comprenaient. Quant à vous, on m'a informé de votre situation. La Dre Millet m'a spécifié que vous étiez parfaitement sain d'esprit. J'ai énormément de sympathie pour vous.

— C'est gentil à vous. Mais pourquoi, si tout le monde s'accorde sur mon état mental équilibré, ne puis-je pas sortir d'ici ?

— Cela arrive parfois. Le centre de recherche doit compromettre la liberté de certaines personnes.

— D'accord, supposons que j'en comprenne la nécessité. Mais que faites-vous de la coopération de plein gré ?

Mais Alexandre n'obtint aucune réponse, car Michael dut le quitter précipitamment. Un des gardes l'interpellait. Alexandre referma son livre et alla le déposer sur la table où il accumulerait la poussière avec les autres, attendant que quelqu'un daigne faire semblant de le lire.

Peu de temps après, les patients furent reconduits à leur chambre, la plupart ne sachant à peine qu'on les changeait de place. Alexandre, lui, évaluait les possibilités de s'en sortir. Il évitait de penser à ce qui lui arriverait si l'ombre faisait irruption dans sa chambre. Shadow se trouvait très loin à présent et même si ce n'était pas le cas, comment aurait-il pu pénétrer à l'intérieur ?

Un peu plus tard, alors qu'Alexandre tombait lentement dans un sommeil profond, un bruit de pas résonnant dans le couloir lui parvint. À demi réveillé, il se releva sur ses coudes. La vue un peu embrouillée, il aperçut la silhouette de Michael qui se trouvait devant lui.

— Alexandre ? Vous ne dormez pas ? chuchota-t-il.

— Non, enfin, plus maintenant. Qu'y a-t-il ?

— Je voulais discuter avec vous à propos de votre cas. J'ai eu plusieurs fois l'occasion de parler avec M. Robert, l'oncle de Tania. J'étais subjugué quand il m'a raconté son histoire. Cependant, je dois vous avouer que j'y croyais plus ou moins, jusqu'à maintenant.

— Et pourquoi vous me parlez de cela ? Vous n'espériez tout de même pas que je mordrais à l'hameçon ? s'enquit Alexandre mi-amusé mi-sérieux.

— Si vous pensez que c'est la Dre Millet qui m'envoie, vous faites erreur. Ce n'est pas son genre de recours. Avec ce qui vous attend, d'ici quelques jours, vous ne serez plus en mesure de parler, agir et même penser comme vous le faites présentement. Elle vous fera subir un traitement spécial pour obtenir les réponses à ses questions. Vous finirez comme les autres.

— Alors pourquoi vous venez perdre votre temps et m'emmerder si vous savez tout cela ? Je n'ai aucun espoir de m'en sortir sain d'esprit et encore moins vivant. Alors, dans quel but je vous raconterais tout ce que je sais si ce n'est pour étancher votre soif de savoir ?

— Effectivement, au début, je comptais vous traiter comme tous les autres patients s'étant trouvés un jour ou l'autre dans cet établissement. Il y a ceux qui ne sont que de passage et avec qui nous devons être beaucoup plus prudents, tandis que les autres comme vous sont condamnés à rester à des fins d'observation.

— Ouais ! Je vais pourrir ici sans jamais pouvoir parler de ce que vous faites subir aux gens. Mais si vous dites vrai, que Claire Millet n'est pas au courant de votre visite nocturne, et que je décide de lui en parler ? Vous risquerez de vous retrouver de mon côté des barreaux, lança Alexandre, fier de lui.

— Pas tout à fait. Voyez-vous, contrairement à vous, j'ai une famille qui sait où je me trouve. De plus, je pourrai dire à la Dre Millet que je l'ai fait pour lui être utile et que, bien entendu, je comptais lui raconter le tout le lendemain de notre petit entretien !

Ils ne trouvèrent rien à dire de plus. Pendant quelques minutes, ils se regardèrent, puis Michael voyant qu'il ne tirerait probablement rien d'Alexandre, se dirigea vers le centre du couloir afin de poursuivre son tour de garde.

— Attendez ! Dites-moi pourquoi vous y croyez à présent ? demanda Alexandre prestement, sans grand espoir d'obtenir de réponse étant donné le comportement de Michael peu enclin au dévoilement.

Lentement, Michael se retourna vers la cellule d'Alexandre. De l'endroit où il se trouvait, il avait peine à percevoir Alexandre.

— Parce que j'ai aperçu votre chien. Enfin, j'irai même plus loin que cela, je l'ai adopté.

— Quoi ? Pauvre fou ! Vous ne savez donc pas ce qui vous attend ?

— Du calme, je le savais bien avant de l'apercevoir. La Dre Millet m'a fait part de l'histoire. Je savais exactement à quoi il ressemblait. Son oreille coupée et tout le reste. Mais je dois vous avouer que je n'ai pas réussi à devenir son maître comme vous l'étiez. Il m'a échappé vite fait.

Alexandre avait peine à regarder Michael en face. S'il disait vrai, il ne lui restait que peu de temps à vivre. Alexandre aurait tôt fait de savoir s'il disait la vérité.

— Et voilà ! C'est pourquoi je voulais vous en parler. Je sais parfaitement que je ne serai plus de ce monde d'ici peu. D'ailleurs, le simple fait de venir travailler aujourd'hui m'inquiétait au plus haut point. Il y a des façons plus humbles de mourir qu'en se faisant happer par une voiture. Mais je devais venir vous voir.

Alexandre ne savait quoi lui dire. Que pensait-il enfin ? Que le simple fait d'en parler pourrait lui sauver la vie ? Devant l'air ahuri d'Alexandre, Michael poursuivit son récit :

— Tout ce que je tiens vraiment à savoir, c'est si le chien reste auprès de moi, est-ce que j'ai des chances de vivre ? Il sait que vous êtes ici. Il reste dans le stationnement à vous attendre durant la nuit. La raison pour laquelle il s'est montré à moi est inéluctable. Mais je ne peux m'y résoudre. Alors, j'ai fait en sorte qu'il me suive jusque chez moi. Oui, j'avoue que j'espérais prendre votre place. Il s'est montré coopératif au début. Il s'est gavé comme un lion et a dormi une bonne partie de la journée. Puis quand je suis parti, il en a fait autant.

Alexandre avait peine à le croire. Mais il devait saisir sa chance. Il était persuadé qu'il n'y avait aucun espoir pour Michael. Il tenta de réfléchir à une stratégie pour inciter Michael à l'aider. Quitte à lui mentir sur ses chances de survie.

— Je ne sais pas si vous avez une chance de vous en sortir indemne. Mais peut-être que si vous êtes encore vivant, c'est que vous avez une mission à accomplir, lui dit Alexandre, tâchant d'être persuasif.

— Je sais où vous voulez en venir, Alexandre, mais je ne crois pas que je puisse faire cela. Je préfère tenter de garder le chien en ma possession. Même si je dois l'emprisonner, lui répondit Michael en baissant la tête.

— Et laisser un pauvre homme entre les mains de fous qui ne tarderont pas à lui faire perdre la raison ! lâcha Alexandre.

Michael s'abstint de répondre et quitta la chambre précipitamment. Alexandre comprenait le point de vue de Michael. Comment aurait-il pu libérer un homme au prix de sa vie ? Le seul espoir de Michael résidait dans le simple fait qu'Alexandre était enfermé. Il s'allongea sur sa couchette, contraint à ne rien pouvoir faire de plus pour survivre. Sa seule interrogation à présent était de savoir comment serait sa fin. Allait-il être enveloppé par l'ombre ou devenir taré et mourir ensuite ? Si l'ombre ne venait pas rapidement, il serait d'ici quelques jours aussi déficient que tous les autres et ainsi, il n'aurait cure de sa mort. Mais si l'ombre n'était pas encore venue, peut-être était-ce à cause de Shadow qui se trouvait si près ?

Deux jours passèrent après son entretien avec Michael sans qu'il l'aperçût de nouveau. Un homme d'âge mûr, peu bavard, le remplaçait. Ce n'est qu'après cette dernière journée qu'Alexandre fut convoqué. Quand il entra dans la salle, une odeur de fruits parfumés vint lui chatouiller les narines. Il se rappela le jour où il avait humé pour la première fois au poste de police cette odeur si agréable qui représentait une personne aimable. C'était tout le contraire d'aujourd'hui où il haïssait cette senteur, car elle était celle de Claire Millet. Il l'aperçut assise au centre de la pièce avec son large sourire illuminé. Cette fois, les gardes restèrent à l'extérieur. Elle allait donc lui parler franchement.

— Alors, Alexandre, votre nouveau domicile vous convient-il ?

— Allez vous faire foutre ! répondit-il.

— Ne soyez pas si ingrat, mon cher. Dites-moi, vous avez reçu la visite de Michael, il y a deux jours; j'espère que l'entretien vous a plu ? demanda-t-elle sarcastiquement.

— Je me doutais que vous étiez là-dessous. Mais comme il a dû vous le dire, il n'a rien appris de plus que ce que vous savez déjà. C'était un coup monté de toutes pièces ou a-t-il vraiment été en contact avec le chien ?

— Si je vous demandais ce que vous croyez ?

— Puisqu'il avait l'air persuasif, je dirais que oui. Il a été en contact avec le chien. De plus, j'ajouterais que puisqu'il ne s'est pas présenté depuis deux jours, il doit être mort maintenant.

— Un point sur deux, Alexandre. Effectivement, il a vu le chien, comme il me l'a raconté le lendemain de sa visite dans ta cellule ! Je peux comprendre que la peur l'ait gagné et qu'il vous a parlé d'abord. Mais notre pauvre Michael est toujours en vie. Enfin, jusqu'à maintenant. Il a pour mission de capturer la sale bête et de nous l'emmener. Je l'ai persuadé que lorsque nous ferions nos recherches, nous pourrions le sortir de là indemne. Si toutefois il est encore en vie d'ici là. Donc, quand il aura le chien en sa possession, il devra communiquer avec nous pour nous faire part de son arrivée. Les personnes responsables éviteront tout contact visuel envers l'animal. Vous voyez, mon cher, on s'en est très bien sortis sans votre aide.

— À ce que je sache, il est toujours en liberté ?

Le sourire disparut aussitôt de la bouche de la Dre Millet. Mais elle se reprit.

— Pas pour longtemps. Il est clair que le chien veut entrer à l'intérieur de l'établissement.

— Et pourquoi donc persistez-vous à m'interroger ?

— Pour les éclaircissements que vous pourriez nous apporter concernant l'homme qui vous pourchasse.

Alexandre resta interloqué. Il s'était souvenu du doux parfum de Claire Millet, de son séjour au poste de police, mais l'inconnu avait été à cent mille lieues de ses pensées.

— Vous savez pourtant que je n'en sais pas plus que vous, dit-il en toute sincérité.

— Mais comment en être certain ? lui demanda-t-elle en haussant les épaules.

La Dre Millet s'était relevée et s'apprêtait à partir. Mais elle l'informa du fait que bientôt il n'aurait d'autre choix que de dire tout ce qu'il savait.

De retour dans sa chambre, Alexandre n'eut d'autre choix que de se rendre à l'évidence : il devait s'enfuir. Si l'équipe de la Dre Millet arrivait à capturer Shadow, ce qui était fort probable, il devrait coopérer, du moins jusqu'à ce qu'il parvienne à trouver une solution. Après tout, l'aile B n'était-elle pas moins sécurisée que la C ?

La nuit se passa sans encombre. Le lendemain, la Dre Millet ne le convoqua point. Puis après le dîner, Alexandre remarqua que la jeune femme rousse de la veille manquait à l'appel. Il se sentait à la fois soulagé et désolé. D'un côté, il n'aurait pas à supporter son regard froid et son sourire dément. D'un autre côté, elle devait subir des traitements la faisant souffrir le martyre. Mais Alexandre savait que pareil sort l'attendait. Si l'on n'avait nullement requis sa présence après son dernier entretien, cela devait signifier que la Dre Millet n'avait toujours pas Shadow en sa possession.

La journée tirait à sa fin et Alexandre s'en trouvait encore plus déprimé. Aucune issue possible n'apparaissait à l'horizon. On avait permis à Alexandre d'apporter un livre dans sa chambre. Il s'allongea et en entama la lecture sans grand intérêt. Quelques minutes plus tard, un petit sifflement se fit entendre. Ses yeux quittèrent le livre. Il crut que le sifflement en question provenait d'un des gardes faisant sa tournée de surveillance. Mais quand le bruit de son livre fracassant le sol lui parvint, il sursauta et se leva d'un bond de son lit. Il se dirigea près de la porte et aperçut Michael qui semblait amusé de sa petite acrobatie.

— Bonsoir ! chuchota Michael.

— Merde, Michael. Mais qu'est-ce que vous foutez là, à siffler devant ma chambre ?

— Figurez-vous que je tentais de vous réveiller en douceur. Apparemment, ma tentative a échoué.

— Alors, toujours en vie ? dit Alexandre regrettant aussitôt ses paroles.

— Tout autant que vous. Je suis venu vous dire que le chien est à l'intérieur de l'établissement à présent

Alexandre sentit sa gorge se serrer.

— Vous l'avez capturé ! Mais l'ombre…

Michael ne le laissa pas terminer sa phrase.

— Allons, Alexandre, il n'y a pas d'ombre. Tout est dans votre tête. Vous voyez bien que je suis toujours en vie. Nous en avons parlé, moi et la Dre Millet. Il est certain que vous êtes atteint d'une déficience grave. Mais vous êtes entre bonnes mains, n'ayez crainte.

— Bon sang, Michael ! Mais qu'est-ce qu'elle vous a fait croire ?

— Je vous ai expliqué que l'on a discuté de votre cas. Pour une raison que vous seul connaissez, vous vous êtes servi du chien. Il faut dire que les meurtres que vous avez commis sont abominables et que même si nous vous aidons au maximum à vous en sortir, vous devrez être jugé pour vos actes.

— Pourquoi vous venez m'informer de tout cela si je ne suis qu'un pauvre demeuré ? Et une dernière chose ! Si je suis le seul à y croire… dites-moi seulement si la Dre Millet est allée voir le chien.

— Le chien n'est arrivé qu'en fin d'après-midi. La Dre Millet avait déjà quitté le centre comme la plupart des employés de jour. Elle le verra demain au courant de la journée.

Si Michael avait donné sa réponse spontanément, Alexandre avait tout de même réussi à semer le doute dans son esprit. Pourquoi serait-elle partie tout en sachant que le chien serait là quelque temps après ?

— Je suis désolé pour vous, ajouta Michael, l'air confus.

Sur ce, il regagna son bureau. Alexandre, quant à lui, fut incapable de dormir, ne serait-ce que d'un sommeil léger, lui qui depuis plusieurs semaines tombait de sommeil plus fréquemment que nulle autre fois auparavant. Il se mit même à penser que le fait de dormir inlassablement à tout moment pouvait avoir un lien avec Shadow.

LE NOUVEAU PATIENT

Durant la matinée, peu après le déjeuner, alors que les patients de l'aile B étaient en salle de lecture, deux gardes arrivèrent en compagnie d'un nouveau patient. Celui-ci était beaucoup plus petit qu'Alexandre. D'une stature frêle, il semblait pourtant assez maître de lui-même. De petites lunettes étaient posées sur son nez et quelques rares cheveux se trouvaient sur sa tête. Il regardait ceux qui l'escortaient avec une certaine arrogance dans les yeux. De toute évidence, il n'était pas impressionné le moins du monde par les deux costauds. On ne l'avait pas encore habillé des vêtements blancs réglementaires. Et ceux qu'il portait étaient en lambeaux. Sa barbe de plusieurs jours et son état lamentable portaient à croire qu'il était en cavale depuis un certain temps. Son visage était marqué de cicatrices en plusieurs endroits et son nez avait été indéniablement fracturé. Alexandre se rendit compte à quel point il avait été traité avec un certain respect lors de son arrivée. Le nouveau patient, qui paraissait déjà en furie, fit son entrée projeté au sol. Il glissa et atterrit près d'Alexandre. Celui-ci l'aida à se relever en posant un bras à sa taille et en appuyant le bras du pauvre homme sur son épaule.

— Ça va, mon vieux ? demanda Alexandre, ne sachant trop à quelle réaction s'attendre.

L'homme, qui semblait intensément ébranlé, lui répondit d'une façon plutôt cohérente :

— Disons que, pour une seconde visite, je ne m'attendais pas à un meilleur accueil.

Les gardes, voyant qu'il semblait s'être calmé, retournèrent à leur poste. Le nouveau patient secoua ses pantalons du revers de la main puis se toucha le front. Il regarda Alexandre qui se balançait sur ses deux pieds. Il tendit sa main et se présenta comme l'aurait fait n'importe quel homme de bonne éducation.

— Bonjour, je me nomme Simon Andrews. Simon pour les amis.

Alexandre resta quelques instants sans réagir. Puis serra la main qui lui était présentée.

— Alexandre Montreuil. Puis-je vous demander pour quelle raison ils vous remettent dans l'aile B si vous avez déjà réussi à vous en échapper ?

Un petit sourire ironique apparut à la commissure de ses lèvres.

— Ils ont encore besoin de moi ici, dans l'aile B. Dre Millet n'est responsable que des ailes A et B. La C est pour ceux qui sont libres. Enfin, libres dans le sens qu'ils évitent tout questionnement et libres aussi de mourir.

Alexandre trouva étrange qu'on se donne la peine de les garder. Mais il s'abstint de prononcer cette remarque à voix haute.

— Mais ils peuvent servir à des fins d'expérimentation, poursuivit le nouveau patient avec un air de dessolement, ce qui fit supposer à Alexandre que Simon avait anticipé sa remarque.

— Vous ne le savez pas encore, mais nous sommes tous semblables.

Alexandre émit un petit rire nerveux. Finalement, cet homme était comme tous les autres en cet endroit. Non, Alexandre n'avait assurément rien en commun avec ces gens. Maintenant qu'il avait engagé la conversation, il devait trouver un moyen de s'éloigner en douceur. Il regarda autour, cherchant désespérément une raison de prendre la fuite. Le nouveau ne sembla pas s'en faire pour autant même s'il était évident qu'Alexandre tentait de s'éloigner.

— Vous n'auriez pas remarqué une jeune femme rousse ? demanda Simon.

— Oui, en effet, elle..., répondit Alexandre sans pouvoir poursuivre.

— Merci, j'ai compris.

Simon semblait perturbé par le début de réponse qu'Alexandre lui avait donné. Il donna un violent coup de poing sur la table.

— Au moins, je sais comment ils m'ont retrouvé. Pour sûr, j'aurais dû m'en douter. Elle était la seule à savoir ou j'étais, dit-il, fulminant.

— Alors, vous n'en êtes pas à votre premier séjour et vous dites qu'elle vous a dénoncé.

— Elle m'a dénoncé contre son gré. Dieu sait ce qu'ils lui ont fait subir.

— Mais vous savez comment on peut sortir de cet endroit ? continua Alexandre.

S'il était trop tard pour la jeune femme, il restait ce brin d'espoir que cet homme venait de lui apporter. Simon le regarda sans avoir vraiment d'expression. Alexandre ne perçut pas si Simon était offusqué par son manque de considération pour la jeune femme. Simon ne quittait toujours pas Alexandre des yeux et il recula de quelques pas. De son index, il repoussa ses lunettes affaissées et arqua un sourcil.

— Vous avez un dessein plutôt noir, Alexandre, dit-il en le fixant intensément.

— Ma femme est décédée il y a plus d'un an. Et à présent...

— Oui, je sais tout cela. Mais ce dont je parle, c'est de ce que vous avez à accomplir. Ce qui vous a mené ici. Votre question est de savoir si vous allez sortir d'ici. Eh bien ! Je vous réponds par l'affirmative. Mais vous n'êtes pas seul. Cela pourrait compliquer les choses.

— Qu'est-ce que cette mise en scène ? C'est Millet qui vous envoie ?

— Non, pas du tout. Je sais que vous êtes en quelque sorte un messager. Bien que personne ne souhaite recevoir le message que vous apportez. Quant à moi, j'ai le don de savoir ce que sont les gens et ce qu'ils pensent en général.

Mais dites-moi, Alexandre, je n'arrive pas à voir qui est avec vous en cet endroit.

— Peu importe.

Alexandre n'arrivait pas à cerner si cet homme avait réellement un pouvoir ou s'il était envoyé par la Dre Millet. Mais de toute façon, il devait s'en tenir à ne pas côtoyer ces personnes. Il se leva lentement en jetant un coup d'œil vers l'horloge au milieu de la pièce. Plus que quinze minutes avant le retour aux chambres.

— Attendez ! s'écria Simon en accourant à lui. Je sais que vous avez vos doutes sur moi et je le comprends. Mais je ne vous demande qu'un service.

Sans répondre Alexandre se retourna vers Simon et écouta sa requête.

— Voilà, j'ai la capacité de capter la pensée des gens. Mais seulement, je ne vois que ce qu'ils pensent. Un peu comme tout à l'heure alors que vous me répondiez, j'ai perçu votre pensée. Ainsi, je n'avais nullement besoin que vous me la disiez à voix haute.

— Bien, admettons que ce soit vrai. Et qu'est-ce que vous attendez de moi ?

— Je veux savoir si ma petite amie est toujours en vie. Les gens en général pensent à toutes sortes de choses. Il ne me suffit que de leur poser une question et même s'ils ne répondent pas, le simple fait qu'ils y pensent me fournit la réponse. Les gardes ont été prévenus de ne pas m'approcher, enfin, je crois, seulement ceux qui savent quelque chose au sujet de Virginie, ma copine. Quant aux deux qui m'ont

accompagné lors de mon arrivée, c'est évident qu'ils ne savaient absolument rien. Alors, si vous pouviez demander, par exemple, au gros lourdaud là-bas, je me tiendrais suffisamment près pour capter la réponse.
— D'accord, je veux bien, dit Alexandre, plutôt amusé.

Il tendit un livre à Simon et avança de quelques pas en direction du garde que lui avait mentionné Simon. Après quelques pas, il se retourna vers Simon afin de lui demander s'il allait lui dire comment sortir de cet endroit. Mais il n'eut pas le temps de prononcer un seul mot que Simon lui donnait déjà la réponse :
— Oui, je vous le dirai. Dépêchez-vous, il ne reste que quelques minutes avant qu'ils nous ramènent à nos chambres.

Alexandre comprit que Simon disait vrai. Il interpella le garde, qui semblait enfin avoir réussi à attraper ce qu'il cherchait au fond de son oreille. Frottant son pouce et son index afin de se débarrasser de sa trouvaille, il avança vers Alexandre.
— Pardon, monsieur, je me demandais si Virginie se portait bien ?

La réponse que le garde donna à Alexandre lui permit d'arriver à la même conclusion que Simon.
— Pour être vivante, ça, elle l'est ! La petite garce ! Même droguée, elle est féroce. Mais à deux, on y est arrivés. Quand on en a eu terminé, elle gémissait comme une truie.

Alexandre n'eut pas le temps de réagir que Simon avait déjà bondi sur le garde, qui s'était retrouvé au sol ! La scène était à peine croyable : Simon, avec son petit corps d'adolescent assis sur le ventre opulent du garde, tentait de le frapper.

Les gardes accoururent et vinrent s'agglutiner autour afin de mettre fin à la bagarre. Une fois remis sur pied, le garde qui avait été agressé regarda Simon avec un sourire ensanglanté.

Simon tenta vainement de répliquer par la violence, mais cela lui était impossible.

Les patients furent ramenés à leurs chambres. Alexandre comprenait fort bien le comportement de Simon. Il en aurait fait autant si une proche connaissance s'était fait violer. À présent, avec tout ce qui était survenu, il se demandait si Simon aurait tout de même le privilège de rester parmi les autres patients lors des pauses. Peut-être serait-il transféré dans l'aile C.

Au milieu de la nuit, les mêmes petits sifflements que la nuit précédente se firent entendre. Mais cette fois ce fut Michael qui sursauta. Alexandre, qui s'attendait à sa visite nocturne, fit claquer son livre dès qu'il sentit que Michael était devant la chambre. Il se leva, fier de son coup, et s'empressa de rejoindre Michael. Il s'aperçut qu'il avait tout de même réussi à décrocher un sourire à Michael.

— Étonnant et tout à fait ravi de vous voir encore en vie, dit Alexandre.

— N'est-ce pas? répondit Michael en haussant les épaules.

— Alors, que m'apportez-vous comme nouvelle ? Mon chien s'est échappé ? Dites-moi ce que cette folle de Millet compte faire de ma peau ? Vous savez, je pourrais aussi bien être à l'extérieur et cela ne ferait aucune différence !

— Du calme, Alexandre. Que nous vaut ce flot de questions ? La nervosité bat son plein ? Je vous comprends. Mais comptez-vous chanceux : aucun médicament ne vous a été injecté jusqu'à maintenant.

— Oui, oui, très chanceux, en effet. Alors, Claire, elle l'a vu, ce chien ? questionna Alexandre, tout en connaissant déjà la réponse.

— Euh ! Non. Vous savez, la Dre Millet est vraiment occupée. À propos, demain elle désire avoir un petit entretien avec vous en ce qui concerne l'incident de cet après-midi.

— Que veut-elle savoir au juste ?

— Je ne sais pas trop. Elle ne m'a demandé que de vous prévenir. Vous savez, le chien se porte à merveille. Comme prévu, je suis celui qui s'occupe totalement de lui.

— Mais bien entendu, pauvre idiot ! Elle sait que vous êtes le seul à part moi qui a le pouvoir de l'approcher étant donné que vous êtes déjà condamné.

Comme s'il n'avait rien entendu, Michael haussa les épaules, se fourra une gomme à mâcher dans la bouche et ajouta :

— Si j'étais vous, je me méfierais de Simon Andrews. C'est un sale type.

— Si vous parlez de ce qui s'est passé cet après-midi, il a eu la réaction parfaitement normale que n'importe quel individu aurait pu avoir dans une situation semblable.

Mais Michael avait déjà repris sa marche en direction de son poste.

— Va te faire foutre ! grommela Alexandre.

Il se remit au lit. Il sentait graduellement le sommeil l'envahir, lui qui auparavant passait des nuits entières à ne point trouver le sommeil. Depuis le début de sa mésaventure, il s'endormait fréquemment, et ce, malgré l'adrénaline qui bouillait en lui. Alors que le sommeil l'entraînait, il revit le visage de sa douce Catherine peu avant l'accident fatal.

Puis, alors qu'il la regardait, un éclair de lumière surgit. Il entendit un rire qui semblait venir de nulle part. Il sentit les frissons parcourir son échine. Une voix rauque et sans vie prononça :

— La fin est proche.

Le ricanement diabolique augmenta. Le froid envahit Alexandre.

Quand il revint enfin à la réalité, il vit que son corps tout entier tremblait. Dans la pièce régnait un froid sibérien. Mais, graduellement, la chaleur l'enveloppa. Alexandre pensa que si l'ombre l'avait laissé en paix, à présent c'étaient les cauchemars qui survenaient sans cesse. Il passa le reste de la nuit éveillé.

Comme annoncé par Michael, Alexandre fut convoqué par la Dre Millet en début de matinée. Assis l'un en face de l'autre avec deux cafés fumants posés devant eux, ils se regardèrent un bon moment sans rien dire. Ce fut Alexandre qui brisa le silence.

— Alors, vous pensez en finir avec moi prochainement ?

— Qu'est-ce qui vous fait croire cela, Alex ? Nos recherches avancent à grands pas. Même que j'ajouterais qu'après notre entrevue, vous serez obligé de coopérer.

— Si vous pensez que me droguer vous servira à quelque chose !

— Non, je sais bien que non. Je crois simplement que vous n'êtes pas conscient du pouvoir que vous avez en votre possession. Vous avez la possibilité d'exterminer qui bon vous semble avec l'aide du chien. En temps de guerre, vous feriez un ravage !

— Même avant ce petit discours, je savais pertinemment que vous étiez cinglée. Vous pensez réellement que je vais gambader avec mon chien dans les rues dans le but de tuer ?

— Voyons, Alex ! Chaque chose en son temps. Laissez-moi vous expliquer les débuts de la phase 1. Vous n'êtes pas sans savoir que nous avons un nouveau venu. Cet homme est très particulier. Mais vous savez déjà tout cela, n'est-ce pas ? Il est très précieux pour nos recherches. C'est pourquoi il doit rester très loin du chien. Tandis que d'autres…

— Donc, vous allez foutre un pauvre innocent devant Shadow et ensuite faire voir à Simon ce qu'il ressent ?

— Tout à fait. Bien entendu, les clochards ne manquent pas dans cette ville. Mais trouver des candidats assez sains d'esprit pour répondre à nos questions est un peu plus ardu. Au moins, après la séance de questionnement, nous n'aurons pas à nous inquiéter. Ils partiront mourir en paix dans leur milieu. Qu'est-ce qu'on ne ferait pas pour un bon repas ?

— Vous êtes vraiment la personne la plus ignoble qui m'ait été donné de rencontrer. Et je crois savoir que Simon ne perçoit que les réponses des sujets et non ce qu'ils ressentent. Alors, votre plan...

— Nous en savons beaucoup plus sur lui que lui-même. Il peut très bien lire profondément dans la tête des gens. Bien entendu, cela lui est très pénible, mais ça n'a pas beaucoup d'importance. Au fait, sans avoir le pouvoir de Simon Andrews, je suis certaine que vous vous demandez le pourquoi de toutes ces informations qui vous sont transmises. Je me trompe ?

— Il y a longtemps que j'ai abandonné cette question. Mais vous mourez sûrement d'envie de me le faire savoir.

— Vous avez de la visite, répondit-elle sur un ton monotone.

— Quoi ? demanda-t-il, surpris.

— Un certain Carl Dufresne, que j'avais rencontré peu de temps avant votre visite chez lui ! Il m'a contacté il y a peu de temps. Apparemment, il s'inquiète beaucoup pour vous. Je lui ai dit que vous étiez interné dans notre établissement et il souhaite vous voir. Tout ce que je peux vous dire, c'est que j'aurais préféré lui dire que vous n'étiez pas ici. Mais s'il avait poussé ses recherches et fait ouvrir une enquête, cela aurait été beaucoup plus difficile pour nous.

— Alors, vous permettez qu'il me visite ?
— Tout à fait. Mais vous comprendrez sans doute qu'il ne faut rien révéler.
— Il est plutôt difficile de parler avec cohérence quand on est drogué. Car c'est bien ce que vous allez faire, n'est-ce pas ?
— Mon cher Alex, vous me sous-estimez. Lorsque votre ami Carl m'a téléphoné, je lui ai même expliqué que vous vous portiez mieux et qu'il pourrait vous parler sans que nous ayons recours à aucune drogue.
— Et pourquoi allez-vous prendre le risque que je sois à jeun et que je sois ainsi dans la possibilité de tout lui dévoiler ?
— Mais parce que vous ne le ferez pas, Alex. En conversant normalement avec lui, tous ses soupçons s'envoleront. Mais si vous commettez une erreur, vous avez déjà un petit résumé de ce qui attend votre ami.
— Non ! Vous ne le mettrez pas avec Shadow ? s'exclama-t-il, les yeux exorbités.
— Tout dépend de vous, Alex. Souvenez-vous que les candidats idéaux ne sont pas nombreux.

Claire Millet s'apprêtait à quitter Alexandre. Il lui donna son consentement et elle parut satisfaite. Il savait à présent qu'elle pourrait tirer de lui tout ce qu'elle désirait. Malgré la nouvelle de la venue de Carl, son seul espoir de s'en sortir restait Simon. Il se souvint alors de Virginie et ne put s'empêcher de poser la question à Claire Millet... ce qu'il regretta aussitôt.

— Virginie est-elle toujours en vie ?

— Bien sûr. On ne tue pas les gens à tour de bras ici. Notre mission, c'est d'en sortir les informations. Morts, ils ne servent pas à grand-chose.

— Vous saviez que ces salauds l'ont violée ?

— Je dois vous dire qu'au départ j'étais contre cette pratique. Mais à présent, j'en reconnais l'utilité. Nous obtenons une entière collaboration de Simon maintenant.

— Je pourrais vous dire que vous avez besoin d'un psychologue, mais ce serait une erreur. Tout ce dont vous avez besoin, c'est d'une balle dans la tête, lui dit Alexandre en crachant ses mots avec une haine presque palpable.

Elle le regarda, lui fit un sourire puis le quitta.

Cette nuit-là, Alexandre, attendant la visite quotidienne de Michael, chercha désespérément un plan pour avertir Carl de sa situation sans éveiller les soupçons. Une tâche assez ardue si l'on prenait en considération le fait que Carl croyait qu'Alexandre était déficient mental.

Michael se présenta enfin. Contrairement aux fois précédentes, il n'était pas accompagné de son petit sifflement habituel. Bien qu'Alexandre ait entendu le bruit de ses pas venant vers la chambre, il fut surpris quand Michael l'interpella.

— Alexandre ? appela Michael bruyamment.

Alexandre vint le rejoindre. Il pouvait noter un léger tremblement dans la voix de Michael. Quand il fut près de lui, il remarqua à la lueur des lumières de l'allée centrale que Michael transpirait abondamment !

— Qu'y a-t-il, Michael ?

— Oh ! Alexandre, que vais-je faire ? Pourquoi me suis-je embarqué dans cette histoire ?

— C'est un peu trop tard pour vous poser la question, Michael. Dites-moi plutôt ce qui s'est passé.

Michael regardait tout autour nerveusement. Alexandre pouvait l'entendre déglutir à chaque seconde.

— Simon Andrews m'a parlé. Il a dit que mes jours étaient comptés et que la mort était tout autour de moi. Prophète de malheur ! Vous avez raison pour la Dre Millet : elle n'est jamais venue voir le chien.

— Michael, parlez-moi de Simon. Qu'a-t-il dit d'autre ? demanda Alexandre, avide de savoir.

— Rien d'autre ! Vous croyez que je suis resté là en écoutant cet abruti ? Je suis sorti de la pièce en trombe.

Un autre garde, alerté par le haussement de voix de Michael, apparut au bout de l'allée.

— Eh ! Mike, ça va ? lui cria-t-il.

— Ouais, tout baigne, mon vieux, répondit Michael, tâchant d'avoir un ton neutre.

— Je descends deux minutes me chercher à manger, dit le second garde.

La grille de sécurité se referma en émettant un petit bruit sourd. Puis, Michael poursuivit :

— Ensuite, je me suis rendu à la salle de bains pour me rafraîchir et je l'ai vue ! L'ombre était là, Alexandre ! Elle se détachait du mur afin de me rejoindre. Elle m'aurait sans doute capturé si un autre employé n'était pas entré à ce moment-là.

— L'autre garde l'a-t-il aperçue ?

— Je n'en sais rien. Quand il a ouvert la porte, j'ai littéralement bondi sur lui. Ensuite, j'ai couru à toutes jambes pour me rendre dans la chambre où l'on garde Shadow. J'ai tellement peur. Je dois rester constamment près du chien.

— Je ne sais pas quoi vous dire, Michael. Mis à part que je sais exactement ce que vous ressentez. Je suis désolé.

— Oh ! N'ayez pas trop de pitié à mon égard, Alex. Si elle est venue pour moi, elle en fera autant pour vous. Tout n'est qu'une question de temps.

— Peut-être. Mais cela n'a plus d'importance à présent.

Que Michael ait raison était fort probable. Mais Alexandre repoussa cette éventualité du revers de la main.

— Je comprends qu'à présent vous vous foutez de vivre ou mourir. Mais moi, j'ai ma famille. Mon fils n'a que six ans, déclara Michael.

— Peut-être devriez-vous réfléchir à ce que le fait de me libérer pourrait vous apporter. Vous avez été épargné jusqu'à ce jour pour une raison qui nous est inconnue. Mais vous savez fort bien que Shadow est en ces lieux pour ma seule personne.

— Mais qu'est-ce que vous racontez ? En vous libérant, vous et Shadow, je ne pourrais évidemment plus contrôler la présence de l'ombre ! Je serais mort en moins de deux. Je vous l'ai déjà dit, Alexandre, je ne vous libérerai pas au prix de ma propre vie.

À ce moment, Alexandre n'écoutait plus Michael. Il s'était même reculé de quelques pas. Juste en face de l'autre allée, il venait d'apercevoir un début d'ombre qui semblait se mouvoir.

— Michael ! Derrière vous ! cria-t-il.

Quand Michael se retourna, l'ombre en question s'était déjà étendue de plusieurs centimètres ! Si l'ombre se trouvait beaucoup plus près de Michael, celui-ci pouvait décamper rapidement, contrairement à Alexandre qui se trouvait pris au piège dans cet espace restreint qu'était sa chambre. En ce moment précis, il ne croyait plus ce qu'il avait dit un peu plus tôt, que cela n'avait plus d'importance. Il s'était reculé jusqu'au fond de sa chambre. L'ombre venait d'atteindre le haut de la grille près de la porte de la chambre. Michael, quant à lui, prit ses jambes à son cou et se dirigea vers l'entrée du couloir. Bien qu'Alexandre sache que Michael ne serait pas parvenu à ouvrir la porte sans être en contact avec l'ombre, il tenta tout de même de le rappeler :

— Michael ! Ouvrez cette foutue porte, je vous en prie !

— Je reviens. Je vais chercher le chien, lui répondit Michael.

Mais sa voix était déjà à peine audible. Il avait atteint l'extrémité du couloir et sa phrase ne fut bientôt qu'un simple murmure.

Malgré tout le remue-ménage, les patients de l'aile B semblaient être dans un profond sommeil. Le seul son était celui d'un des patients émettant un petit bruit strident à chacune de ses respirations.

Si Michael était parti chercher Shadow, il serait sûrement trop tard pour Alexandre lorsqu'il serait de retour. Du fond de sa chambre, il fixait l'ombre qui semblait avoir à peine bougé depuis le départ précipité de Michael.

Il se passa plusieurs minutes jusqu'à ce que parviennent à Alexandre des bruits de pas de course. Il s'agissait de Michael accompagné de Shadow. Alexandre était à présent certain que l'ombre ne voulait plus de lui. Tout ce temps elle était restée dans l'immobilité totale. Un peu comme si elle avait attendu le retour de Michael. À cette pensée, Alexandre cria à Michael de ne pas s'approcher, lequel obéit prestement en reculant de quelques pas ! Contrairement à ce qu'il aurait fait habituellement, Shadow ne grogna pas après l'ombre. Il se posta devant la porte. Bien qu'il soit sur ses gardes, il semblait tout de même content de voir Alexandre.

L'ombre se recroquevillait lentement vers le mur. Michael sortit les clefs de sa poche et ouvrit la porte. Alexandre sortit et caressa Shadow tout en s'éloignant de la chambre. L'ombre s'était totalement dissipée.

— Vous resterez avec le chien pour cette nuit, lui dit Michael.

Alexandre hocha la tête. Avant que Michael referme la porte, Alexandre le retint par le bras.

— Avez-vous prévenu la Dre Millet ? demanda-t-il.

— Non, j'en prends l'initiative. Je n'en ai parlé à personne. Les autres gardes savent dans quoi je suis mêlé jusqu'au cou. Par conséquent, ils ne posent pas trop de questions. Ils savent qu'ils ne doivent sous aucun prétexte être en contact avec le chien.

Sur ce, il quitta Alexandre avec Shadow près de lui qui respirait bruyamment.

À l'aube, Alexandre entendit qu'on déverrouillait sa porte. Il se doutait bien qu'il devait s'agir de Michael. Qui d'autre oserait s'aventurer devant Shadow tout en sachant ce qu'il adviendrait ? Le personnel œuvrant en ces lieux n'était en aucune façon sceptique. Ils en avaient vu de toutes sortes et croyaient les hypothèses, aussi insolites soient-elles, sans même vouloir les vérifier.

La porte s'ouvrit et Michael apparut sur le seuil. Son visage était blême, son menton tremblait et ses yeux exorbités annonçaient qu'il venait d'apercevoir l'ombre une fois de plus. Il fit un pas vers l'intérieur de la chambre. Sans dire un mot, il tendit la main à Alexandre. Celui-ci, en s'approchant, aperçut à la lueur de la lumière du couloir des larmes longeant les joues de Michael.

— Michael, je sais que cela est difficile et inusité. Mais, il faut…

Alexandre ne put terminer sa phrase. Il lâcha subitement la main de Michael, car, étant donné qu'il s'était avancé, il voyait que la partie du corps de Michael restée à l'extérieur de la chambre était aussi sombre que celle dans la chambre. Pourtant, la lumière du couloir était censée l'éclairer. Dans une tentative de se sauver de l'ombre, Michael était accouru vers la chambre où se trouvait Shadow dans l'espoir d'y être en sécurité. Mais l'ombre avait été beaucoup plus rapide cette fois.

Alexandre regardait, sans pouvoir intervenir, l'ascension de l'ombre sur le corps de Michael. Celle-ci progressait avec une lenteur notable dont elle semblait se délecter. Sur la partie du corps de Michael où elle se trouvait, Alexandre pouvait apercevoir la peau se flétrir. À aucun moment, Michael n'émit de son. Peu à peu, le corps du pauvre homme faisait place à la mort. La pièce se refroidissait graduellement. Malgré son état de stupéfaction, Alexandre comprit que c'était le moment ou jamais. Comme nous n'étions qu'au petit matin, les employés de jour n'étaient pas encore entrés. Mais ils ne tarderaient pas. Par contre, l'idée de devoir passer près de Michael dont le corps inerte ne semblait à présent qu'un simple amas obscur ne l'enchantait guère.

Il prit une grande inspiration et se propulsa vers la porte. Il frôla l'ombre de quelques centimètres. Il en ressentit comme une décharge électrique. Un mélange de frissons et de chaleur lui parcourut le dos. Il atterrit au milieu du couloir, se releva et, sans jeter un regard derrière lui, commença à courir. Shadow le devança de quelques pas. Le poste de garde était occupé par un seul homme. Alexandre n'eut qu'à se pencher pour éviter d'être vu; il n'y avait qu'une petite fenêtre sur le côté, le reste n'étant qu'un demi-mur. Il continua jusqu'au bout du couloir. Il arriva enfin devant une porte qui s'avérait fermée à clef. Sachant qu'il ne pourrait s'emparer des clefs de Michael, il décida de retourner au poste de garde. Sans qu'il le lui ordonne, Shadow resta près de la porte de sortie. Une fois parvenu au poste de garde, Alexandre s'accroupit et gratta le bas de la porte. Le garde, peu méfiant, ouvrit la porte en regardant vers le bas. Il reçut un premier coup à l'abdomen. Puis, un second sur la nuque.

Ayant pris les clefs, il courut en trombe vers la sortie. Cependant, lorsqu'il aperçut une porte avec l'écriteau « Entretien », il s'y arrêta. Tout en espérant qu'elle ne serait pas verrouillée, il tourna la poignée. Dans un petit grincement la porte s'ouvrit.

À l'intérieur, il ne trouva que des produits nettoyants, des balais et des vadrouilles. Parmi ceux-ci, il aperçut deux petites bouteilles de vitre. Il empoigna une des bouteilles et la fracassa au sol. Il s'empara du goulot et l'examina d'un œil incertain. Il en conclut que bien qu'il ne s'agît pas d'un couteau dernier cri, cela pouvait toutefois servir d'arme, le côté cassé en biseau pouvant pénétrer la chair facilement. Alexandre espérait qu'il ne devrait pas en venir jusque-là. Shadow était resté devant la porte, attestant ainsi que personne n'était entré.

À l'instant où il vint pour insérer la clef, Alexandre entendit que l'on faisait de même de l'autre côté. Puis, un bruit de pas précipités se fit entendre. Des gardes avaient manifestement découvert soit le corps de Michael, soit l'autre garde inconscient.

— N'ouvrez pas la porte ! cria le premier.

Mais il était déjà trop tard. La porte s'ouvrit et dans un éclair de rapidité, Alexandre se trouva en possession d'un otage avec son arme de fortune posée sur son cou.

— Si vous avancez d'un pas, je n'hésiterai pas à tuer, lança sèchement Alexandre.

L'otage en question respirait par saccades.

— Vous ne devriez pas, Alexandre.

Il se détacha lentement afin de voir la personne qu'il tenait. Claire Millet se trouvait devant lui. Il aurait dû se douter qu'elle serait une des premières à entrer. Bien qu'elle paraisse calme, Alexandre la sentait extrêmement nerveuse non seulement à cause de sa respiration, mais parce qu'il savait tout comme elle qu'à présent ses jours étaient comptés. Alexandre entrevit Shadow qui s'avançait derrière les gardes.

— Le chien est juste derrière vous. Je crois que vous n'êtes pas sans savoir ce que cela implique. Vous avez la chance de vous en tirer. À vous de voir, dit Alexandre à l'attention des deux hommes.

Comme pour appuyer ces dires, Shadow lâcha un aboiement. Sans plus attendre, les deux hommes se glissèrent tout doucement dans la pièce d'entretien.

Après s'être assuré que Shadow avait aussi franchi la porte, il la referma. L'arme était toujours accotée sur la gorge de Claire Millet.

— Vous ne savez pas ce que vous faites. Laissez-nous vous aider, lui dit-elle.

Alexandre pouvait imaginer combien elle devait regretter de ne pas l'avoir soumis au même traitement que les autres. Drogué, il n'aurait jamais été capable d'agir ainsi.

— La ferme ou je vous transperce la gorge ! Vous n'êtes pas en position d'offrir de proposition. Donnez-moi les clefs de votre voiture.

— Peuh ! Détrompez-vous, Alexandre. Je sais que je n'ai plus rien à perdre, contrairement à vous.

Elle lui tendit tout de même les clefs. À cet instant, il remarqua qu'elle avait des larmes plein les yeux.

Ils arrivèrent sans encombre dans le stationnement. La voiture de Claire Millet était une petite coupée sport. Alexandre prit place à l'arrière avec Shadow et quand la D[re] Millet fut installée derrière le volant, Alexandre appuya un peu plus fortement sur sa nuque dénudée.

— Pourquoi dois-je vous accompagner ? demanda-t-elle abruptement.

— J'ai besoin de vous pour passer la guérite. Cela ne fait pas assez longtemps que je me trouve dans ce trou pour avoir oublié qu'il y avait une guérite à l'entrée.

Elle lâcha un soupir d'exaspération. Apparemment son dernier espoir venait de s'envoler.

— Que dois-je leur dire ?

— Inventez quelque chose. Un rendez-vous quelconque.

Le gardien jeta un bref regard à l'arrière de la voiture.

— Bonjour, docteure Millet. Vous venez à peine de commencer votre journée et vous nous quittez déjà ? dit le gardien tout en s'accotant sur la portière.

— Oui, en effet, j'avais oublié un rendez-vous avec un de mes anciens collègues.
— Dites, docteure Millet, vous accepteriez de venir prendre un café en ma compagnie un soir ?
— Pourquoi pas, Charles. Cela semble une très bonne idée.

Alexandre s'impatientait. Nul doute que le gardien cherchait à les retenir. Ils avaient dû l'avertir de l'intérieur. Cependant, aucun des gardes n'avait encore mis le pied hors de l'établissement. Après tout, nul ne voulait voir Shadow. À peine audibles, les sirènes de police se firent entendre.
— Foncez ! cria Alexandre.

Sentant le goulot s'enfoncer un peu plus dans sa chair, Claire Millet obéit sans broncher. La guérite de bois vola en éclats et le gardien eut juste le temps de se lancer par terre. Shadow, qui s'était calé au fond de la voiture pour ne pas être aperçu, se releva. Ils roulèrent dans le sens contraire des voitures de police qui arrivaient.

Lorsqu'ils furent assez loin, Alexandre dit à Claire de stationner la voiture dans une ruelle. Ils en sortirent tous les trois.
— Alors, c'est Michael qui vous a donné un coup de main pour vous faire sortir ?
— Oui, d'une certaine manière. Michael est mort à présent.

Alexandre avait du mal à le croire. Comment arrivait-elle à garder son sang-froid ? Elle était tout à fait consciente de ce qui surviendrait d'ici quelques jours.

— Bon alors, qu'allez-vous faire de moi à présent ? Me garder jusqu'à ce que la mort vienne me chercher pour être certaine que je ne vous emmerderai plus ?

Alexandre la regarda longuement avant de répondre. Bien qu'il sache que Shadow sélectionnait d'une certaine façon les personnes qui devaient le voir, il se sentait tout de même coupable du sort de ses victimes. Il se demandait vraiment s'il n'était pas lui aussi responsable de toutes ces morts.

— Vous pouvez partir, dit-il.

— J'imagine que vous gardez la voiture ?

— Pour l'instant, oui.

Il comptait faire un bout de chemin avant de s'en débarrasser. Il devait s'éloigner de l'endroit d'où il se trouvait avec Claire, car il se doutait bien que, même si elle n'était qu'à deux pas de la mort, elle le pourchasserait inlassablement. Elle s'avança vers lui, parfaitement en contrôle d'elle-même, et posa une main sur l'épaule d'Alexandre.

— Je suis sincèrement navrée pour toute cette histoire. Mais vous comprendrez peut-être un jour qu'il le fallait. Même si je ne suis plus apte à poursuivre le projet, un autre prendra la relève. Et il en sera toujours ainsi. Mais je crois que le seul qui détiendra un jour la réponse, c'est vous.

— Oui, bien sûr.

— Le tout sera envoyé chez Mme Dufresne.

D'un regard de glace, elle le considéra avec mépris. Ensuite, elle lui tourna le dos et marcha d'un pas sûr vers l'avenue centrale. Il la regarda s'éloigner avant de prendre place dans le véhicule. Arrivée au bout de la ruelle, elle défit le chignon qui retenait ses cheveux. Désormais, elle n'avait plus à être cette femme impeccable qu'elle avait été. Ce fut la dernière fois qu'Alexandre vit Claire Millet.

DIANE

Alexandre roula en direction de la maison de Carl. Il n'avait pas saisi l'importance de ce qu'avait dit Claire sur le fait qu'elle enverrait les documents chez Mme Dufresne. À présent, il se doutait bien que Carl se trouvait peut-être déjà à l'institut.

Presque arrivé chez Carl, il se souvint d'un petit lac situé non loin de là. Autant se débarrasser de la voiture. Après s'être assuré qu'il n'y avait personne aux alentours, il donna un élan à la voiture qui se dirigea sans peine vers le fond du lac. Elle fut engloutie rapidement. Alexandre reprit la route à pied avec Shadow qui clopinait à ses côtés.

Il faisait déjà presque nuit quand il se présenta devant la demeure de Carl. Après quelques secondes d'hésitation, il vérifia que Shadow se trouvait à une bonne distance puis frappa à la porte. La lumière extérieure s'ouvrit et Diane vint l'accueillir.

— Alex ? Mais qu'est-ce que tu fais ici ? dit-elle, visiblement surprise.

— Très content de te voir aussi, Diane. Carl est à la maison ?

— Non, il n'est pas ici. Il est parti à un rendez-vous tôt ce matin et il n'est toujours pas rentré.
— Où allait-il exactement ?
— Je sais que cela avait un rapport avec toi. Il a eu une conversation téléphonique et a mentionné ton nom. Que se passe-t-il, Alexandre ?
— Rien dont tu puisses te charger. Écoute, je suis sincèrement navré que vous soyez impliqués dans cette histoire. Mais je dois te demander un service. Je sais que tu ne me fais plus confiance, mais fais-le pour Carl.

Diane accepta de l'écouter non sans un certain recul. Alexandre faisait peur à voir. De plus, elle regrettait amèrement que Carl ne lui en ait pas dit davantage sur ce qui se passait avec Alexandre. Sûrement avait-il voulu l'épargner étant donné sa grossesse.

Elle écouta la requête d'Alexandre, mais resta néanmoins sur ses gardes. Ce qu'il désirait était de prime abord fort simple. Elle devait se rendre au centre de recherche afin d'y rencontrer une certaine Claire Millet. Alexandre lui raconta qu'il croyait fortement que Carl se trouvait en cet endroit contre son gré. Alexandre avait touché un point, car Diane n'avait aucune idée de l'endroit où se trouvait son mari.

Diane ressentit un picotement dans les jambes. Elle s'aperçut que, depuis l'arrivée d'Alexandre, elle n'avait pas bougé. Elle tenait la porte entrebâillée et ne l'avait pas encore invité à entrer. Elle s'apprêtait à le faire, mais se ravisa aussitôt. Alexandre avait l'œil hagard et les cheveux hirsutes.

Son teint était extrêmement pâle. Elle n'avait aucun doute sur la véracité de ce qu'il venait de lui raconter. Par contre, elle en était à se demander s'il n'était pas dangereux malgré tout et préférait donc qu'il reste à l'extérieur.

— D'accord, j'accepte, dit-elle sans enthousiasme.

Alexandre lui expliqua l'endroit où était situé le centre de recherche ainsi que les détails qui pourraient lui être utiles. Serait-elle en danger ? Pourquoi Carl ne lui avait-il pas parlé de tout cela plus amplement ? Alexandre avait même peu d'espoir qu'elle parvienne à passer la guérite. Mais d'un autre point de vue, le seul fait qu'elle se présente suffirait probablement à ce qu'ils libèrent Carl.

Diane se présenta à dix heures devant le poste de garde du centre. Le gardien était âgé d'une trentaine d'années tout au plus. Prenant un air hautain, il regarda Diane du haut de son poste.

— Non, madame, lui répéta-t-il. Impossible de vous laisser passer. Peu importe qui vous voulez voir. Je n'ai reçu aucune notice spécifiant votre venue. Vous devez téléphoner pour obtenir un rendez-vous.

La quittant des yeux, il continua la rédaction des papiers qui se trouvaient devant lui. Diane n'aurait su dire s'il s'agissait de documents ayant une importance quelconque ou bien de simples griffonnages.

— Écoute-moi bien, petit effronté ! Je veux voir cette Dre Millet coûte que coûte. Tu veux m'en empêcher ? Libre à toi. Une fois que j'aurai fait quelques appels, tu seras démis de tes fonctions.

Ayant prononcé ces paroles avec une assurance inouïe dont elle-même avait peine à croire, elle fit mine de s'en aller. Visiblement ébranlé, le jeune homme la rappela aussitôt. De l'intérieur de sa cabine, il téléphona. Mais Diane ne pouvait capter aucune de ses paroles. Contrairement au ton élevé et autoritaire qu'il avait adopté quelques instants plus tôt, sa voix était à présent à peine audible. Quand enfin il ressortit la tête de sa cabine, son visage était complètement rouge.

— Euh ! Comme je vous l'ai dit plus tôt, la Dre Millet est absente pour la journée. Mais son remplaçant se fera un plaisir de vous recevoir.

Diane hocha la tête en signe de remerciement pendant que s'élevait la guérite.

Alexandre, quant à lui, tournait en rond. Diane lui avait permis de rester chez elle pour l'attendre. À plusieurs reprises durant la journée, il sortit tenir compagnie à Shadow. Il ne voulait pas courir le risque que Diane l'aperçoive chez elle. Chaque fois qu'Alexandre était sorti pour le voir, Shadow se trouvait assis bien sagement à l'arrière de la maison. Il n'avait tenté à aucun moment de pénétrer à l'intérieur, ce qui évidemment avait soulagé Alexandre.

Vers quatre heures, Alexandre commença à se sentir sérieusement angoissé. Peut-être avait-il fait une erreur en envoyant Diane là-bas ? S'ils avaient simplement fait le lien entre sa fuite et l'arrivée soudaine de Diane ?... Ou encore, si celle-ci leur racontait tout afin qu'on vienne le cueillir ? De toute évidence, elle n'était nullement persuadée que l'état d'esprit d'Alexandre était aussi sain qu'il le laissait croire.

Après des dizaines de fois qu'il eut fait l'aller-retour entre le divan du salon et la porte d'entrée, il décida de partir. À la suite d'une réflexion, il en était arrivé à la conclusion que Diane avait des ennuis. La possibilité qu'elle ait dénoncé Alexandre était quasi nulle étant donné l'heure tardive. S'ils avaient su l'endroit où il se trouvait, ils n'auraient pas tardé aussi longtemps pour venir lui mettre la main au collet.

Il ouvrit la porte de derrière et siffla Shadow. Il l'aperçut couché un peu plus loin dans l'herbe. Bien que Shadow l'ait entendu, il ne vint pas. Il se releva et s'éloigna de la maison de plusieurs mètres. Alexandre fronça les sourcils. Pourquoi Shadow tentait-il de prendre ses distances ? La réponse émergea dans sa tête au même instant où un bruit derrière lui se fit entendre. En une fraction de seconde, il se retourna pour se retrouver nez à nez avec Diane.

Le choc fut aussi grand d'un côté que de l'autre. Cependant, Alexandre fut plus rapide que Diane et referma la porte avant qu'elle n'aperçoive Shadow.

Avec ce petit incident, Diane ne changea point d'opinion sur Alexandre. Lui qui avait été si proche d'elle et de Carl n'était à présent qu'un homme au comportement étrange. Elle ne ressentait pour lui qu'une profonde aversion.

— Alors ? Que s'est-il passé ? s'empressa de demander Alexandre, comme si le regard de méfiance qu'elle venait de poser sur lui était habituel.

— Eh bien ! J'ai dû faire preuve d'imagination pour parvenir à m'infiltrer à l'intérieur. Ensuite on m'a présenté au directeur du centre de recherche. Un certain M. Harold.

— Oui, je sais de qui il s'agit. Claire Millet me l'a présenté alors que je n'avais aucune idée de qui ils étaient réellement.

— Tu sais, Alexandre, continua-t-elle comme s'il n'avait rien dit, je ne suis pas trop au courant de ce qui t'arrive en ce moment. Je n'ai jamais fait confiance à ce genre de personne. Je dois t'avouer que M. Harold m'a informé que tu souffrais d'une déficience. D'un autre côté, je dois dire qu'effectivement tu as changé. Mais Carl avait décidé de t'aider malgré tout. Et c'est pourquoi je n'ai pas parlé de ta présence chez moi.

— Je comprends que tu ressentes une certaine crainte. Et oui, je te l'accorde, mon comportement n'est plus le même. Mais tu ne dois pas croire pour autant tout ce que ce Harold t'a raconté.

Il était évident qu'elle ne lui en dirait pas davantage. Elle semblait le craindre plus qu'avant. Alexandre s'éloigna de la porte arrière dans l'espoir qu'elle le conduise à l'avant pour sortir.

Il entreprit donc de se diriger vers la porte d'entrée. Il se sentait extrêmement nerveux. Il se retourna pour lui adresser la parole quand il entendit au même instant la porte de derrière qui s'ouvrait. Diane tenait la porte grande ouverte et observait au-dehors. « Bon sang, pensa-t-il, si elle le voit, je m'en voudrai jusqu'à la fin de mes jours. » Il n'eut pas le temps de la rejoindre qu'elle refermait déjà la porte.

— Il fait plutôt froid à l'extérieur. As-tu une place pour passer la nuit ? demanda-t-elle.

À cette question, Alexandre conclut qu'elle n'avait pas aperçu Shadow. Il s'en sentit soulagé. Malgré sa peur évidente, Diane n'avait pas perdu son sens de l'hospitalité. Si Alexandre était étrange, il n'en restait pas moins le meilleur ami de Carl. Et elle ne croyait nullement qu'il pourrait lui faire du mal.

— Non, ça ira. Je trouverai une place où rester. Je vais voir par la suite ce que je peux faire pour sortir Carl de là. Je te téléphonerai dès que possible.

— Tu crois vraiment qu'il se trouve dans cet endroit, n'est-ce pas ? Tu ne vas tout de même pas y remettre les pieds ?

— Peut-être, si je n'ai pas le choix. J'ai un copain qui est toujours là-bas. Je ne crois pas qu'il y soit à sa place.

Diane lui intima de faire attention. Elle le regarda partir puis des larmes emplirent ses yeux. Reverrait-elle Carl un jour ?

Lorsqu'il fut à l'extérieur, Alexandre s'assura que Diane avait refermé la porte et qu'elle ne se trouva pas à la fenêtre. Il commença à chercher Shadow des yeux. Peu de temps après, il sentit quelque chose lui frôler les jambes. Shadow était prêt à partir.

Chemin faisant, Alexandre se demandait si Claire Millet ne s'était tout simplement pas présentée au travail ou si elle n'était déjà plus de ce monde. Alexandre avait dans ses poches une centaine de dollars que Diane lui avait donnés. Shadow et lui avaient mangé amplement chez elle. Le seul problème qui subsistait pour l'instant était l'endroit où ils passeraient la nuit.

Sans nul doute, la maison de Diane et Carl devait être sous surveillance. Mais d'un autre côté, il était clair que la vie des employés du centre de recherche était menacée. Même en circulant dans une voiture qui passerait inaperçue étant donné le trafic, ils apercevraient Shadow et la mort s'ensuivrait. Cependant, il devait en être tout autrement à son chalet. En campagne, mis à part les arbres qui entouraient le chalet, rien n'offrait de cachette convenable pour de la surveillance.

Alexandre choisit de se rendre au chalet malgré tout. Une vague pensée lui rappela ce qu'il avait vécu en voyant l'ombre au chalet. Mais, au point où il en était, après tout, peut-être la folie s'était-elle déjà emparée de lui. Il marcha encore une dizaine de mètres puis aperçut un taxi. Il hésita avant de l'interpeller. Avoir un chien tel que Shadow compliquait grandement les choses. Il devait faire en sorte que le conducteur ne l'aperçoive pas. Le taxi était presque à sa hauteur quand Alexandre observa que Shadow n'était pas à ses côtés. Du coin de l'œil, il l'aperçut près de la ruelle avoisinante. Il héla donc le taxi.

En ouvrant la portière, il sentit de nouveau le frôlement sur ses jambes. Il entra et regarda le chauffeur qui, lui, avait les yeux fixes devant lui. Shadow entra rapidement à la suite d'Alexandre. Apparemment, le chauffeur devait sa vie à un flocon de neige qui venait d'atterrir sur son pare-brise.

— Et revoilà la neige ! s'exclama-t-il ironiquement.

Alexandre émit un petit son d'acquiescement tout en espérant qu'une situation semblable se reproduise quand le temps serait venu de sortir du véhicule.

Durant le trajet, le conducteur ne s'aperçut nullement de la présence de Shadow, mis à part qu'il éternua à plusieurs reprises.

— Vous devez avoir un animal domestique chez vous ! avait-il dit à Alexandre.

Celui-ci avait répondu par l'affirmative. Ne voulant pas entamer une conversation, sa réponse fut brève mais précise. Le trajet en question prenait environ quarante-cinq minutes. Après les vingt premières minutes, Alexandre s'aperçut combien Shadow paraissait inconfortable ainsi recroquevillé sur le plancher du taxi. Par contre, il ne broncha point et resta dans cette même position jusqu'à ce qu'ils arrivent à destination.

Lorsqu'enfin arrivé, le taxi gravissant la dernière petite côte qui menait au chalet, Alexandre dut réprimer la forte envie qui le tenaillait de demander au chauffeur de rebrousser chemin. La vue du chalet lui avait subitement rappelé Tania, mais pire encore, sa rencontre avec l'ombre.

Il réussit tant bien que mal à contenir sa peur. Il ouvrit la portière au même moment qu'il paya le chauffeur. Il fit mine d'attendre la monnaie que celui-ci devait lui rendre, ce qui donna amplement le temps à Shadow de s'éclipser.

L'homme parut surpris quand il tendit la main pour rendre la monnaie à Alexandre qui sortit du taxi au même instant.

— Merci, gardez la monnaie ! dit Alexandre.

Le chauffeur marmonna quelque chose à propos de compter l'argent qui finalement lui revenait. Mais Alexandre n'entendit pas la suite. Il referma la portière d'un geste brusque. L'air glacial vint emplir ses poumons. Shadow était hors de vue. Quand Alexandre se retourna vers le taxi, il ne vit plus que deux petites lumières qui s'éloignaient dans la noirceur de la nuit.

À présent, il était seul avec ses peurs, livré à lui-même. Il se retourna et marcha vers le chalet. La vue qu'offrait le chalet au clair de lune semblait venir tout droit d'un film de série B. Mais Alexandre se contrôla, car ce n'était pas le moment de s'imaginer des histoires.

Il enfonça la clef dans la serrure et tourna. Une fois la porte ouverte, il hésita à en franchir le seuil. Il resta ainsi quelques instants, prêtant l'oreille aux sons qui pourraient se produire. Mais mis à part les bruits habituels que font toutes les maisons, il n'entendit rien d'autre. Même une fois qu'il eut atteint l'interrupteur et que la lumière inonda la pièce principale, aucune vision ne vint l'envahir. Peut-être avait-il eu raison après tout : l'ombre ne viendrait plus pour lui.

À la seconde où fut sur le point de refermer la porte derrière lui, Shadow arriva. Apparemment, un besoin urgent l'avait retenu à l'extérieur. Un sourire en coin, Alexandre referma enfin la porte.

Totalement amorphe, il s'allongea sur le divan. Son petit sourire béat toujours aux lèvres, il croisa les deux bras derrière la tête. Après tous ces événements, il pouvait enfin relaxer. Juste avant de sombrer dans le sommeil, il eut vaguement conscience de s'être demandé pourquoi les hommes avaient tendance à se mettre eux-mêmes dans le danger, un peu comme le téléspectateur qui lance des injures à l'acteur d'un film d'horreur qui se pointe exactement là où il ne le faut pas. Mais parfois, les gens du monde réel agissent de façon identique sans vraiment s'en rendre compte. Alexandre savait pertinemment dans quoi il s'embarquait en revenant au chalet. Mais après tout, peut-être en avait-il plus qu'assez. Affronter ses peurs n'était pas ce qu'il y avait de pire.

Il dormit d'un sommeil paisible pendant près de onze heures d'affilée. C'est Shadow qui le réveilla. À demi grimpé sur le divan, il colla son museau bien froid sur les joues d'Alexandre. En ouvrant les yeux, celui-ci dut prendre quelques secondes pour comprendre où il était. Il émit un long soupir de soulagement quand il comprit qu'il ne se trouvait pas au centre de recherche. Débordant d'énergie, il roula sur le côté pour terminer sa chute par terre aux pieds de Shadow. Il l'empoigna et le vira au sol. Le chien, voyant que son maître avait enfin retrouvé un semblant de vigueur, s'en trouva fou de joie.

Une vingtaine de minutes passèrent quand Alexandre décida de se faire du café. Pendant que l'eau chauffait, il en profita pour faire sortir Shadow. Il s'était à peine rendu compte qu'il portait toujours les vêtements qu'il avait empruntés à Carl. Il monta à l'étage et enfila une paire de jeans. Au moment où il fut sur le point d'ouvrir la commode afin d'y prendre un chandail, ses mains se crispèrent sur les poignées. Comme en sourdine, la sonnerie du téléphone venait de retentir. Rapide comme l'éclair, la seule pensée qui frappa Alexandre fut qu'il s'agissait de Claire Millet. Il s'approcha de la table de chevet tout en regardant le téléphone. Devait-il répondre ? Le seul but de cet appel était de savoir s'il se trouvait bien au chalet. Il posa une main sur le combiné, mais sans plus. Puis, la sonnerie cessa enfin. Le peu de répit dont il avait profité pleinement n'était à présent plus de mise. Allaient-ils prendre la peine d'envoyer quelqu'un pour vérifier s'il n'était vraiment pas au chalet ? Il rappela Shadow à l'intérieur l'instant d'après. Au moins, il se sentait en sécurité.

Assis sur le tapis, au centre du salon, Alexandre se mit à réfléchir sur sa situation actuelle et aux options qu'il avait devant lui. La seule qui se présentait ayant le moindrement de sens était la cavale. S'il changeait de pays, ils ne le poursuivraient plus, sans compter qu'il ne manquait pas d'argent pour subvenir à ses besoins. Avec cette nouvelle conviction, il commença à planifier son départ. Évidemment, cela n'était pas une mince affaire. En plein milieu de ses réflexions, il renversa la moitié de sa tasse de café quand il entendit le téléphone retentir de nouveau. Il fixa l'appareil jusqu'à ce qu'il ne sonne plus.

S'il devait partir, il n'avait pas le temps de vendre sa maison en ville et son chalet. Sa seule alternative était de les léguer à Carl. Mais sur ce point encore, le temps lui faisait défaut. Autant ne rien faire et partir pour ne peut-être jamais revenir.

En soirée, le téléphone se fit de nouveau entendre. À la première sonnerie, Alexandre sursauta mais sans plus. Il était toujours résolu à ne pas répondre.

Il n'était pas sans savoir que son temps était compté. Le fait que Shadow soit à ses côtés était tout ce qui les tenait à l'écart des membres du centre de recherche. Si ceux-ci étaient conscients du danger qu'ils encouraient à venir les chercher, ils pourraient toutefois recourir aux autorités, sacrifier la vie de quelques hommes pour connaître la vérité sur la mort et son dessein. Cependant, encore fallait-il qu'ils trouvent une bonne raison pour que les agents viennent le cueillir sans toutefois éveiller les soupçons sur son cas.

Alexandre n'avait à présent plus aucun doute à propos de son départ. Il hésitait à partir sur-le-champ ou à passer une dernière nuit au chalet. Il ne savait pas quels moyens les responsables du centre avaient à leur disposition. Pouvaient-ils bloquer ses comptes bancaires ? Vérifier s'il essayait de prendre l'avion et le mettre en arrestation ? De toute façon, avec Shadow, il était hors de question de prendre l'avion. C'est comme s'il transportait une arme nucléaire avec lui. Si avec une arme à feu on pouvait atteindre plusieurs personnes dans un lieu public, avec Shadow, le nombre serait encore plus désastreux, sans compter que si l'on peut manquer sa cible avec un fusil, ou seulement blesser, avec Shadow la mort n'était pas instantanée mais infaillible.

Alexandre se rendit dans la pièce qui lui servait de bureau et après avoir fouillé dans quelques tiroirs, il trouva enfin le paquet qu'il cherchait. Il défit la ficelle qui l'entourait avec une intense délicatesse. Le paquet contenait environ une douzaine de cartes géographiques. Parmi celles-ci, sur de grandes parties des chemins étaient tracés au stylo. De petites notes figuraient ici et là. Alexandre déposa son index sur l'une des cartes et parcourut le tracé. Un sourire empreint de tristesse apparut sur ses lèvres. Longtemps auparavant, lui et sa femme Catherine avaient établi plusieurs itinéraires de différentes destinations à travers le monde. Chaque année, pour les vacances, ils choisissaient une carte au hasard et se rendaient au lieu illustré.

Le regard nostalgique d'Alexandre planait sur les cartes. Aujourd'hui, elles allaient lui servir pour un voyage non désiré. Et cette fois, il n'allait pas en choisir une au hasard. Sans enthousiasme, il prit la première de la pile. L'Australie y figurait. Sans vraiment y réfléchir, il déposa la carte à côté de lui en émettant un *hmmf!* renfrogné. Puis, celle du Mexique émergea. Une destination assez seyante étant donné les circonstances, pensa-t-il. Il avait déjà une bonne connaissance de la langue espagnole et un pays sans hiver était plutôt attrayant. Il pourrait même acheter une petite maison dans un coin reculé, une région déserte, où lui et Shadow seraient en sécurité. Mettant la carte du Mexique avec les autres, il les fourra dans son sac à dos. Ses plans fort simples étaient établis dans sa tête. Demain, il se rendrait à la banque retirer un maximum d'argent. Ensuite, il irait chez Carl et Diane pour leur emprunter leur voiture. Il ferait environ la moitié du chemin puis contacterait la police pour raconter une bonne partie de l'histoire. Il comptait ajouter que Carl avait été enlevé sous ses yeux et qu'il était certain que celui-ci se trouvait à cet endroit où lui-même avait été interné sans motif valable.

Alexandre se leva du divan où il était assis, tâchant de chasser ses pensées. Il regarda Shadow, par qui tout avait commencé. À présent, il était grandement attaché à lui. Mais qu'en serait-il de sa vie s'il décidait de se débarrasser de lui ? Non, il ne le pourrait pas. Sans vraiment comprendre comment, il savait que d'une certaine façon il était lié à lui.

Au petit matin, la sonnerie du téléphone retentit une fois de plus. Machinalement, il tendit la main vers l'appareil et répondit. La voix qui lui parvint était familière. Il s'agissait de Diane et elle semblait en panique.

— Diane ? Calme-toi. Qu'y a-t-il ?

— Alex ! J'ai tellement peur. C'est Carl, il est revenu. Mais il n'est plus le même. C'est quoi, cette histoire de chien ?

— Écoute, je ne peux pas t'en parler pour l'instant.

— Carl dit que le chien prend les âmes. Je ne comprends rien à ce qu'il raconte. Dis-moi ce qu'ils lui ont fait, Alex !

— D'accord, je t'expliquerai. Mais je ne peux me rendre chez toi. Disons que pour l'instant, c'est beaucoup trop compliqué.
— À cause du chien ? Mon Dieu ! C'est donc vrai.
— Je ne crois pas que tu sois dans un état de conduire, alors prends un taxi et emmène Carl. Assure-toi que tu n'es pas suivie.
— Merci, Alex. Le chien… ?
— Ne t'inquiète pas de lui. Je le mettrai en lieu sûr.

Une heure plus tard, Diane arriva au chalet. Alexandre avait enfermé Shadow dans sa chambre à coucher tout en ayant pris soin de lui pourvoir une quantité suffisante d'eau et de nourriture.

Il ouvrit la porte et fut surpris de la trouver seule. Elle semblait avoir totalement perdu le contrôle d'elle-même. Elle avait pris sa voiture.
— Où est Carl ? demanda Alexandre sans même la saluer.
— Je l'ai laissé à la maison. Il est entre bonnes mains. Alexandre, ils m'ont dit que tu crois inopinément que le chien qui est en ta possession a des pouvoirs.
— Quoi ? Tu m'as dit que Carl t'en avait parlé. Mais eux ? Que t'ont-ils raconté exactement ? Pourquoi ne m'en as-tu rien dit plus tôt ?
— Alex, je suis désolée.

Bien qu'Alexandre ait du mal à suivre Diane, quand il la vit reculer lentement en marmonnant des excuses à peine audibles, il comprit.

— Tu peux comprendre, Alexandre. J'en suis certaine. Ils m'ont dit qu'ils guériraient Carl si je m'assurais qu'ils pouvaient t'approcher sans que le chien y soit.

— Quelle sotte ! Tu ne crois pas que le chien a des pouvoirs, mais tu ne t'es pas posé la question sur le fait qu'ils en ont réellement peur ?

Comme si elle prenait conscience des faits, elle n'émettait plus à présent qu'un balbutiement. Mais déjà, il était trop tard : Alexandre pouvait entendre les voix qui lui parvenaient de l'extérieur. Dans un dernier espoir, Alexandre se dirigea vers les escaliers qui menaient au deuxième étage. Peut-être n'était-il pas trop tard pour aller chercher Shadow. En gravissant les marches, il cria désespérément son nom, car derrière lui, la porte venait d'être enfoncée.

Il était à mi-chemin dans les escaliers quand il sentit une main lui agripper le mollet le faisant ainsi trébucher. Puis quelque chose le frappa à la tête. Il n'était pas tout à fait inconscient. Les bruits lui parvenaient comme en écho. Il entrevit Diane qui criait de le laisser tranquille. Des larmes inondaient son visage. Elle avait fini par comprendre, mais beaucoup trop tard.

Pendant qu'on emmenait Alexandre à demi conscient, un énorme craquement se fit entendre au deuxième. Malgré le fait que la plupart des employés présents semblaient connaître les risques, presque tous regardèrent vers le haut de l'escalier.

Shadow s'y trouvait, le dos hirsute et les crocs bien en évidence. Même si c'était peine perdue, certains prirent la fuite. Leurs destins étaient déjà scellés depuis la seconde où ils avaient posé les yeux sur Shadow. Quant aux autres, peut-être ignoraient-ils ce qui les attendait ou s'ils le savaient, ils n'en continuèrent pas moins leur mission, à savoir, emmener Alexandre Montreuil au centre de recherche.

La gorge d'Alexandre se serra quand il regarda Diane qui, la bouche grande ouverte, fixait Shadow. Sachant qu'il ne pouvait plus rien pour elle, il baissa la tête alors qu'il passait près d'elle toujours soutenu par deux gardes.

Si Diane n'était pas encore tout à fait certaine de qui disait la vérité au sujet de Shadow, elle avait malgré tout un visage qui ne cachait aucunement son désarroi. La vue du chien n'avait rien de bien particulier mis à part qu'il n'allait pas tarder à bondir. Non, elle regardait en direction de Shadow, mais pas lui précisément. Les gardes tout autour étaient munis d'armes à feu, mais aucun ne tira.

— Putain de merde ! dit l'un d'entre eux.

À son tour, Alexandre regarda. À environ deux pieds de l'endroit où se trouvait Shadow, une énorme masse noire s'élevait lentement du sol.

Alexandre et ses deux accompagnateurs étaient presque arrivés à la sortie quand la porte se referma brusquement sur eux dans un bruit sourd. Par la suite, tout devint confus. Des projectiles fusaient de toutes parts. Certains même atteignirent les hommes qui étaient près de l'escalier. Alexandre, à présent libre de l'emprise des deux gardes, se mit à courir vers la fenêtre du salon. Il attrapa Diane au passage. Ils se dirigèrent à toute allure vers ce qui constituait leur unique chance de sortir indemnes du chalet.

— Je vais conduire, dit-il à Diane en tendant la main.

Elle lui remit les clefs de sa voiture et s'assit du côté passager. Avant de monter à son tour, Alexandre tourna la tête vers le chalet. Il était à présent en flammes. Les coups de feu avaient cessé. Personne n'avait tenté de s'échapper mis à part ceux qui avaient pris la fuite au début.

Shadow, qui avait manifestement réussi à se faufiler dans la cohue, grimpa dans la voiture. Par habitude, en mettant le contact, Alexandre regarda dans le rétroviseur. Son visage passa au blanc immaculé. À peine quelques mètres plus loin, l'homme au chapeau melon était là, debout à l'observer. Alexandre enfonça le pied dans l'accélérateur.

Alors qu'ils traversaient le village, Diane revenait tranquillement à la réalité.

— Mon Dieu ! Je vais mourir. Je vais mourir, n'est-ce pas ? Mon enfant...

Alexandre ne trouva aucun mot pour l'apaiser. Il avait du mal à la comprendre, elle qui la journée même lui avait avoué qu'elle ne leur faisait aucunement confiance. D'un autre côté, la condition mentale de Carl avait joué en leur faveur. Qu'avait-il subi au juste ? Avait-il des chances de redevenir normal ?

Quand ils arrivèrent chez Diane, Alexandre prit son air le plus froid et lui dit au revoir. Mais sa voix tremblante le trahit. Il lui en voulait de ne pas lui avoir raconté la vérité.

Mais pour elle, il s'était agi d'un échange : Carl contre lui. Qu'aurait-elle pu faire d'autre ?

— Où iras-tu ? La police ne tardera pas à savoir que ton corps n'était pas dans le chalet, s'enquit-elle.

Alexandre resta un moment sans rien dire. Diane reprit :

— Évidemment ! Comment pourrais-tu me le dire ? Parce que tu as peur que je te dénonce ou encore parce que, de toute façon, je vais bientôt crever !

Mais Diane savait qu'elle avait tort de lui en vouloir, car c'est elle qui l'avait trahi. Et à présent, elle devait en payer le prix.

— Tu crois qu'ils vont débarquer chez moi, Alex ?

— Non, tu n'y es pour rien. De toute façon, comme tu l'as dit, ils vont d'abord tenir pour acquis que tu étais aussi à l'intérieur. Quant à Carl…

— Tu peux venir le voir si tu le désires. Je veillerai à ce qu'il reste dans la chambre afin qu'il ne voie pas Shadow. Si tu veux y passer la nuit, tu es le bienvenu.

Tout en pénétrant dans la maison, Diane lui posa la question qui lui brûlait les lèvres :

— Tu crois que le petit a une chance ? Enfin, je veux dire, si j'arrive à le mettre au monde avant de mourir ?

— À quand l'accouchement est-il prévu ?

— Mercredi de cette semaine, ce qui me donne environ quatre jours. Mais je crois qu'il serait préférable de faire en sorte qu'il arrive avant.

— Je n'en sais rien, Diane. Les morts causées par Shadow sont imprévisibles. Certains sont morts après plusieurs semaines, d'autres en quelques jours et parfois, comme tu as pu le voir ce soir...

— Je vois. Mais disons que je me rends à l'hôpital à l'instant et qu'ils me gardent jusqu'à l'accouchement. Ils auront toutes les chances de sauver l'enfant. Mais ce que je veux réellement savoir, c'est s'il a une chance, malgré tout ?

Alexandre réfléchit à la question pendant plusieurs secondes. Il se souvint du petit Nicolas qui, bien qu'il ait vu Shadow, se portait toujours bien.

— Théoriquement, il ne l'a pas vu. De plus, j'ai de fortes raisons de croire que les enfants en sont en quelque sorte immunisés.

— Je suis vraiment désolée, Alexandre. Toute cette histoire est à un tel point sordide... Si je n'ai plus de doute sur ma mort imminente, par contre, je n'ai aucune idée si Carl s'en sortira et s'il sera en mesure d'élever notre enfant. Le cas échéant, j'aimerais que tu remettes une lettre à mon fils quand il sera assez grand.

— Je ne sais pas si je vais revenir un jour, Diane.

— Mais je n'ai aucun doute que tu feras tout ce que tu peux pour que cette lettre lui parvienne.

Alexandre accepta et donc, il passa une grande partie de la nuit auprès de Carl, bien que celui-ci ne semblât que partiellement conscient de sa présence. Parfois, il marmonnait des paroles inintelligibles. Mais la plupart du temps, il n'émettait qu'un petit bruit rauque et regardait fixement devant lui. Sur son corps, aucune marque de violence n'apparaissait mis à part sur les jointures de sa main gauche. Dans un excès de colère, il avait frappé sur quelque chose ou sur quelqu'un. Sur son bras droit, on pouvait voir qu'il avait reçu des injections à plusieurs reprises durant son séjour, ce qu'Alexandre n'avait pas eu à subir et qui lui avait permis de s'en sortir au grand désespoir des responsables du centre de recherche.

Alexandre et Diane avaient conclu d'appeler un taxi à la première heure et d'y mettre Carl en direction de chez ses parents. Alexandre partirait ensuite pour la banque avec la voiture de Diane.

Durant le reste de la nuit, ils parlèrent de tout et de rien. Alexandre fit part à Diane de ce qu'il avait lu dans le journal de Tania. Il avait de sérieux doutes que Catherine et Erika soient les femmes que Tania mentionnait dans son journal. Mais il ne serait probablement jamais en mesure d'en avoir la certitude. Diane semblait étrangement calme, comme si elle s'était faite à l'idée malgré elle ! Carl, quant à lui, dormait profondément et son ronflement se faisait entendre jusqu'au premier. Diane alla une fois de plus remplir les tasses de café. Pendant ce temps Alexandre en profita pour aller voir Shadow qui s'était tapi près de la porte d'entrée. Il fut touché quand il remarqua que Diane y avait déposé un bol d'eau fraîche et de la nourriture de table. Le bol en question, qui au départ devait être rempli à ras bord, ne l'était plus à présent qu'au tiers.

Le lendemain, tel un zombie, Carl fut mis dans un taxi. Totalement inconscient de ce qui lui arrivait, il regardait Diane et Alexandre avec un demi-sourire sur les lèvres. Les yeux de Diane étaient rouges d'avoir pleuré. Une dernière larme vint toutefois perler sur sa joue.

— Carl, dit-elle pour elle-même.

Sans rien ajouter, ils rentrèrent. Diane monta à l'étage et en redescendit peu de temps après. Elle tendit un sac à dos à Alexandre. Quand elle voulut lui en dire le contenu, elle ne put prononcer un seul mot. Son visage se crispa et elle se plia en deux tout en tenant son ventre à deux mains. Une grande flaque s'accumula à ses pieds. Elle venait de perdre ses eaux. Sans réfléchir, Alexandre jeta le sac sur son dos et conduisit Diane à sa voiture. Il s'assura que Shadow était avec eux et se mit en route pour l'hôpital.

À peine cinq minutes plus tard, ils y étaient. Alexandre s'arrêta devant l'entrée des urgences pour aider Diane à descendre. Malgré la douleur qu'elle semblait ressentir, elle le prit fortement dans ses bras.

— Pars maintenant, Alex. N'attends pas de savoir. Tu cours de grands risques en restant.

Sans rien dire, il hocha la tête, déposa un baiser sur son front et s'en alla.

Il se rendit à la banque. Il se sentait à bout de nerfs. Néanmoins, il trouvait la force de continuer. Il se mit dans la file d'attente. Il n'y avait que quatre personnes devant lui. Il prépara ses cartes d'identité quand une petite main velue lui tapota l'épaule. Il se retourna pour apercevoir Richard, le propriétaire du dépanneur.

— Ça alors, vous êtes toujours en vie ! lui dit Richard d'un ton joyeux.

— Euh, oui ! répondit Alexandre distraitement en se retournant de nouveau.

« Il ne manquait plus que cet énergumène », pensa Alexandre. La voix forte de Richard résonnait dans toute la banque. Plus que quelques secondes encore et la caissière terminerait avec son client et ce serait le tour d'Alexandre. Cependant, Richard ne vit pas cela comme un obstacle à la conversation.

— Dire qu'il n'y a pas plus d'une demi-heure, on vous présentait aux nouvelles comme présumé mort. Les policiers ont dû être surpris quand vous leur avez appris que vous étiez vivant !

— Évidemment, dit Alexandre, peu persuasif.

Alexandre était à la limite de sa patience quand enfin, la caissière lui fit signe que son tour était venu. Il avança au guichet d'un pas rapide et pouvait encore entendre Richard qui tentait vainement de poursuivre la discussion.

Alexandre retira quelques milliers de dollars. Certes, il prenait un gros risque à se balader avec un tel montant d'argent. Mais il n'avait guère le choix. De cette façon, il ne laisserait aucune trace et cela lui permettrait de s'installer confortablement pendant un bon moment avant de devoir travailler.

— Vous désirez peut-être un sac, M. Montreuil ? lui demanda la caissière.
— Non, ça ira. Il me reste suffisamment de place dans mon sac à dos, je crois.

Il ouvrit le sac à dos que Diane lui avait remis et commença à y empiler les billets de banque. Si quelqu'un l'avait observé de l'extérieur, cette personne n'aurait probablement pas pu s'imaginer autre chose qu'un vol de banque. La caissière le regardait d'un œil admiratif. Ses grandes lunettes à monture posées sur le bout de son nez lui donnaient un air plutôt sévère.
— J'espère au moins que vous étiez assuré ? demanda-t-elle inopinément.
— Je vous demande pardon ? dit Alexandre en fronçant les sourcils.
— Je n'ai pu m'empêcher d'écouter quand vous étiez dans la file d'attente, répondit-elle, un peu gênée.

Richard se trouvait à présent au guichet voisin. Il regardait Alexandre sans réserve, lui souriant bêtement. Alexandre posa de nouveau les yeux sur la caissière, qui attendait manifestement une réponse à sa question indiscrète.
— Oui, j'étais assuré, lui répondit simplement Alexandre, ne voulant pas s'attarder sur le sujet.

Après avoir remercié la caissière, il se dirigea lentement vers la sortie. Richard en avait presque terminé avec sa transaction et c'est pour cette raison qu'Alexandre ne se pressait pas. Shadow se trouvait dans la voiture et il était fort probable que Richard vienne jusque-là pour parler à

Alexandre. Mais celui-ci désirait savoir si Richard avait revu l'homme au chapeau melon.

Richard mit peu de temps à venir rejoindre Alexandre. Il était avide de nouvelles qu'il pourrait communiquer à sa femme et à qui voudrait bien s'attarder au dépanneur.

— Mon vieux, dit Richard pour reprendre là où il avait été interrompu, vous avez perdu énormément de poids. Avez-vous recommencé à travailler ?

— Non, pas encore. Je...

— Vous, alors, le coupa Richard, on peut dire que les malheurs vous courent après !

Aussitôt qu'il eut prononcé ces paroles, son visage prit une teinte rosée. Alexandre lui sourit légèrement. Richard n'avait aucune idée de ce qu'il venait d'endurer depuis plusieurs semaines. Et le pire était que la fin n'était même pas à l'horizon.

Apparemment, Richard était venu à pied à la banque. Ils marchèrent donc en direction du dépanneur. De ce fait, Alexandre éloignait Richard de Shadow. Alexandre pensa à son sac à dos rempli d'argent. Il se dit qu'il écourterait sa marche bien avant d'arriver au dépanneur. Il n'avait aucune intention de s'y rendre et de devoir affronter la femme de Richard en plus. Il reprit donc la conversation que Richard avait laissée en suspens.

— En effet, j'ai eu beaucoup de malchance. Et c'est pour cette raison que je vous demanderais de bien vouloir rester muet en ce qui me concerne. Certaines personnes ne doivent pas savoir que je suis toujours en vie. Du moins, pour quelques jours. Je vous en serais extrêmement reconnaissant, Richard.

Il ne savait pas si Richard allait retenir sa langue de commère jusqu'à ce que la police découvre qu'Alexandre ne se trouvait pas parmi les cadavres au chalet. Mais il devait tout de même essayer de lui faire tenir parole.

— Mais bien sûr. Aucun problème, lui dit Richard à demi offusqué, comme s'il n'avait eu aucunement l'intention de divulguer ce qu'il savait.

Si habituellement Richard posait les questions, cette fois il paraissait beaucoup trop bouleversé pour en placer ne serait-ce qu'une.

— Vous vous souvenez, Richard, de cet homme qui était venu voir pour un chien qu'il avait perdu ?

— L'homme mystérieux avec le chapeau melon ? Mais oui, je m'en souviens. Comment aurais-je pu l'oublier ? Vous lui avez rendu son chien finalement ?

— Non, pas vraiment. Dites, vous l'avez revu ?

— Non. Et j'ose espérer qu'il en reste ainsi, dit Richard, se souvenant manifestement de l'inconnu avec mépris.

Alexandre s'arrêta et tendit la main à Richard qui la lui prit non sans cacher sa surprise.

— Euh ! À bientôt, j'espère, dit Richard, décontenancé.

— Oui, peut-être, répondit Alexandre sans vraiment le croire.

Il parcourut le chemin jusqu'à sa voiture d'un pas alerte. Il y pénétra et machinalement ouvrit le sac à dos pour s'assurer que l'argent y était toujours. Sous les billets, il remarqua que Diane y avait mis, outre la lettre adressée à son fils, une photo d'elle et de Carl. Un pantalon ainsi que deux chemises s'y trouvaient aussi.

LE MEXIQUE

En début d'après-midi, Alexandre entreprit le long chemin en direction du sud. Ceci lui permit de faire, malgré lui, le point sur ce qui l'attendait. Il n'avait plus de doute sur la justesse de sa décision de quitter le pays. Avec le temps, les choses s'atténueraient et il reviendrait sans créer de confusion.

Après quelques heures de route, il se rendit compte que la jauge à essence descendait dangereusement. Les stations-service commençaient à se faire rares, donc il s'arrêta à la première qu'il aperçut. La station était comme ce qui l'entourait : déserte. C'était à se demander s'il y avait quelqu'un à l'intérieur. Alexandre sortit du véhicule et Shadow en fit autant. Il s'empara de la pompe à essence et grimaça. Elle était couverte d'une substance poisseuse mais inodore.

Pendant qu'il attendait que le réservoir se remplisse, il pensa que bientôt il lui faudrait se débarrasser de la voiture. Mais pas avant d'être arrivé à destination. Un petit lac dans les environs devrait suffire.

Juste avant d'entrer dans la station pour payer son dû, il jeta un coup d'œil vers Shadow. Celui-ci gambadait tranquillement parmi les décombres qui ornaient la place environnante. Quand Alexandre poussa la porte, seul un petit grincement se fit entendre. Comme il s'y attendait, personne ne se trouvait derrière le comptoir. Plus au fond, un rideau donnant sur une autre pièce s'ouvrit, laissant entrevoir un jeune homme dans la vingtaine avancée qui aurait pu être, dans d'autres circonstances, un mannequin en vogue. Il avait un corps svelte, des yeux bleu profond et un visage carré. Il plongea une main dans son épaisse tignasse blonde et se fourra une poignée de chips dans la bouche tout en essuyant son chandail sur lequel les miettes venaient achever leur course.

— Bonjour ! dit Alexandre sans se rendre compte qu'il s'adressait au jeune homme en français.

Avant qu'Alexandre ait le temps de se corriger, l'autre lui répondit dans la même langue :

— Bonjour, monsieur ! Que puis-je pour vous servir ? dit-il d'un air joyeux.

— L'essence. Et ceci ! dit Alexandre en mettant une carte géographique du Mexique et un soda sur le comptoir.

— Pas mal, votre voiture ! dit le jeune homme tout en prenant l'argent que lui tendait Alexandre.

Des bruits de pas se firent entendre de l'autre côté du rideau. Puis, l'instant d'après, un homme d'une impressionnante corpulence fit son apparition, une cigarette plantée sur le côté de sa bouche.

— Qu'est-ce que tu fais, Tony ? demanda-t-il au jeune homme. Apparemment, il n'avait pas aperçu Alexandre.

— Je sers un client. Il n'y en a qu'un par jour et encore ! lui répondit Tony en se remplissant de nouveau la bouche de chips.

L'homme, qui devait être le propriétaire, fit un simple signe de tête en direction d'Alexandre et s'en retourna vers l'arrière. Alexandre ouvrit son soda et se dirigea vers la sortie suivi de près par le jeune homme.

— Alors, vous venez vivre au Mexique ? demanda Tony en repoussant une mèche de cheveux qui lui collait désespérément au visage.

— Je viens rendre visite à des amis, mentit Alexandre.

Ne voulant pas s'éterniser en cet endroit, Alexandre s'informa auprès du jeune homme si une toilette était mise à la disposition des voyageurs. Tony s'empressa de répondre par l'affirmative et le pria de le suivre. Les toilettes étaient en piteux état. Mais ce n'est pas comme si Alexandre ne s'y était pas attendu. Il désirait changer de vêtements et il ne s'était pas fait à l'idée de le faire dans la voiture.

Pendant qu'il se changeait, il entendit une voix féminine qui s'adressait à Tony.

— Tu veux bien m'accompagner ce soir ? J'aimerais vraiment que tu sois là.

— Fous-moi la paix, Anne. Tout ce que tu veux, c'est la voiture, répondit Tony.

— Mais non, mon lapin. Tu sais bien que je ne peux me passer de toi, continua la jeune femme d'une voix suave.

— Et Fabio ? Qu'est-ce que tu en fais ?

« Mais combien sont-ils dans cette baraque ? » se demanda Alexandre tout en se maudissant d'y être resté si longtemps et surtout d'avoir laissé Shadow errer librement. À présent, il devrait faire des pieds et des mains afin d'éviter que Tony et sa petite amie ne le suivent et aperçoivent Shadow.

Il ouvrit la porte des toilettes qui alla heurter le mur en émettant un bruit infernal. La jeune femme, qui manifestement ne s'attendait pas à trouver quelqu'un à cet endroit, émit un cri de surprise.

— Désolé ! lança Alexandre en s'éloignant d'un pas rapide.

Cette fois, Tony ne le suivit pas. Il était littéralement mort de rire. Il arrivait à peine à parler. Il montrait la jeune femme du doigt et s'esclaffait sans retenue. Alexandre monta dans la voiture et fit grimper Shadow à l'arrière. Il attendrait d'être plus loin pour jeter un coup d'œil sur la carte.

Il se demanda si l'un des occupants de la station-service avait vu Shadow. Décidément, il ne se ferait jamais à l'idée. Shadow faisait en quelque sorte partie de ces choses inexplicables qui gouvernent notre monde. Il ne devait certainement pas être le seul dans cette position; il en était parfaitement conscient. Mais cela n'enlevait rien au fait qu'Alexandre se trouvait constamment en état de stress. Il ne s'était arrêté que pour une demi-heure et Shadow avait aussitôt fait sa tournée. Il savait pertinemment que, même s'il était parti à toute vitesse, il n'aurait pu empêcher quoi que ce soit.

Il s'arrêta de nouveau vers la fin de la journée. La nuit n'allait pas tarder à tomber et la faim commençait à se faire ressentir, sans compter qu'il devait en être de même pour Shadow. Un petit hôtel situé près de la route attira son attention. La façade était tout ce qu'il y avait de plus délabré. D'après ce qu'il pouvait voir de l'extérieur, il put s'imaginer qu'il était tout aussi délabré à l'intérieur, ce qui en fait lui convenait parfaitement. En prenant une chambre dont une des fenêtres donnait sur le stationnement, il pourrait y faire pénétrer Shadow sans problème.

Il pénétra à l'intérieur où un homme trapu originaire du pays vint joyeusement l'accueillir. Celui-ci s'adressa à Alexandre dans un anglais plutôt cassé mais compréhensible. Si l'état de l'hôtel laissait à désirer, les prix par contre étaient presque dérisoires. Il loua une chambre pour une semaine, ce qui lui laisserait assez de temps pour acquérir une propriété correspondant à ses besoins. Avant de le conduire à sa chambre, l'homme lui offrit quelques plats qui se consommaient froids. Il s'excusa de ne pouvoir en faire plus. Sa femme s'était absentée et ne reviendrait que le lendemain.

Cinq minutes plus tard, Alexandre atterrit dans la chambre numéro trois. Il se précipita à la fenêtre pour l'ouvrir. La chambre sentait le renfermé mais sans plus. À voix basse, il appela Shadow qui apparut aussitôt et n'eut aucune peine à entrer, et tous les deux se pressèrent vers la cuisinette.

Un peu plus tard, Alexandre se coucha dans ce qui lui servait de lit : un matelas qui avait eu une vie difficile et qui ne demandait qu'à être remplacé. Il avait pris soin de poser près de lui, à même le lit, le seul effet qu'il possédait, son sac à dos. Après avoir terminé son inspection des lieux, Shadow vint le rejoindre au pied du lit. Alexandre eut du mal à s'endormir. Après de longues heures de réflexion, il y était enfin parvenu.

En rêve, il revit sa femme, Catherine. Il était heureux comme autrefois, du temps qu'elle était toujours en vie. Puis, le rire diabolique se fit de nouveau entendre. Le même dont il avait déjà rêvé. La vision de sa femme s'évanouit sans toutefois cacher la tristesse sur son visage. Elle l'implorait, tout en disparaissant, de lui pardonner sa faute. Puis, une ombre gigantesque s'abattit sur lui. Il criait de colère. Et le rire rauque de la voix sans visage s'intensifia jusqu'à ensevelir ses cris de rage. Il s'éveilla en sursaut. Il prit quelques instants pour reprendre ses esprits. Puis, il attendit l'arrivée de l'aube.

Après s'être douché, il commanda un déjeuner qui lui fut livré en quelques minutes. Tout en dégustant son plat, il consulta sa carte du Mexique. Il tenta de voir les plans d'eau où il serait possible de se débarrasser de l'auto de Diane. Puis, il se ravisa. L'idée de modifier la voiture lui paraissait à présent plus profitable.

Il termina presque tout le contenu de son assiette qui pourtant était volumineuse. Shadow semblait assez bien apprécier sa nouvelle vie. Alexandre partagea avec lui la bouteille d'eau de source qu'on lui avait fournie avec le déjeuner. Il griffonna sur un bout de papier quelques articles dont il devait se munir tels que des conserves, de la nourriture pour Shadow et de l'eau de source. Ensuite, après s'être assuré que personne ne se trouvait dans le stationnement, il fit sortir Shadow par la fenêtre. Il aurait préféré laisser Shadow à l'intérieur. Mais il ne fut pas long à comprendre qu'il devait l'emmener. Si l'hôtel était quelque peu négligé, une femme de ménage n'en était pas moins employée. Il sortit donc à son tour, mais par la porte principale. Il salua le propriétaire au passage et en profita pour lui demander où se trouvaient les magasins les plus près. L'homme lui spécifia qu'à environ une demi-heure de route, il trouverait ce qu'il cherchait.

Une fois à l'extérieur, une bouffée de chaleur vint lui fouetter le visage. D'un pas pressé, il se rendit à son véhicule sans perdre de temps. Sans même regarder où Shadow se trouvait, il ouvrit la portière. Ensuite, il releva la tête et il l'aperçut. Une petite fille le cajolait. Un immense sourire illuminait son visage tandis qu'à ses côtés, la femme qui l'accompagnait avait le regard fixant le lointain.

— Il est vraiment beau, ce chien, dit la petite fille en s'adressant à la femme en espagnol.

— Je n'en doute pas, ma chérie.

Tout en s'approchant, Alexandre observait la femme, qui avait toujours le regard perdu au loin. Ce n'est que quand il fut à proximité qu'il comprit. La femme était aveugle.

— Il est massif et ses poils sont gris. Il est parfait sauf qu'il lui manque un petit bout d'oreille, continua la jeune demoiselle émerveillée.

— Bonjour, leur dit Alexandre en espagnol.

La femme tendit l'oreille en direction de la voix d'Alexandre et ses traits se durcirent. La petite fille se releva doucement sans toutefois cesser de toucher Shadow.

— C'est votre chien, *señor?* demanda la petite.

— Oui, répondit simplement Alexandre.

— Nous devons continuer notre chemin, Cassandra, dit la femme sans adresser la parole à Alexandre.

Malgré le mécontentement évident de la femme qui l'accompagnait, Cassandra dit au revoir à Shadow et à Alexandre sans retenue.

Alexandre fit grimper Shadow dans la voiture et prit immédiatement la route. Après quelques kilomètres, il s'arrêta enfin. Cela faisait moins d'une demi-heure qu'il roulait, mais la lignée de magasins qui étaient en cet endroit devait forcément être ce dont parlait le propriétaire de l'hôtel. Il passa devant quatre marchés d'alimentation pour enfin arriver au magasin de variétés. Il acheta de la peinture, du papier sablé et des vignettes autocollantes. Il empila le tout dans la voiture et s'en retourna vers le marché d'alimentation le plus près. À l'intérieur, il n'y avait que très peu de marchandises. Alexandre remarqua qu'il n'y avait que le strict nécessaire. Il acheta ce dont il avait besoin et repartit aussitôt.

Ensuite, il se dirigea vers un vaste champ qu'il avait repéré sur la carte. Il y fut en dix minutes. Shadow ne cacha pas sa joie quand il eut la permission de sortir. Il descendit de la voiture et entreprit une course folle à travers le champ. Alexandre sortit les effets qu'il venait d'acheter pour modifier la voiture. Il enleva la plaque et commença à sabler les portières. Tout en fredonnant, il se demanda comment serait sa nouvelle vie. Depuis quelque temps il n'avait aucunement eu de loisirs. Sa vie n'avait consisté qu'à fuir. Mais ne fuyait-il pas encore, au beau milieu d'un champ perdu au Mexique, œuvrant à camoufler une voiture que l'on pourrait reconnaître ? De toute façon, on le reconnaîtrait en moins de temps qu'il ne fallait pour le dire. Voiture ou pas. Il n'avait rien de mexicain en lui. « Mais au moins, s'ils me retrouvent, je ne fuirai pas à pied », se dit-il.

Toute la journée, Alexandre s'était affairé à modifier la voiture. Quand il eut terminé, il était fier du résultat. Il se coucha dans l'herbe et ferma les yeux pour profiter du silence qui régnait. Shadow, qui en était à sa deuxième ration de cette moulée dont il semblait apprécier le goût, était le seul à émettre des sons. Alexandre ouvrit un œil et le regarda en s'efforçant de paraître mécontent.

— Dis, mon vieux, on ne peut définitivement pas avoir la paix avec toi !

En guise de réponse, Shadow émit un « wouf ! » et fit mine de courir.

— Ah ! Je suis fatigué. J'ai besoin d'une bonne douche.

Cela dit, Alexandre se releva pour se rendre à la voiture. Mais Shadow ne le suivit pas. Il le regarda ranger dans la voiture les objets dont il s'était servi. Alexandre lui ouvrit la portière, mais il ne bougea toujours pas.

— Mais qu'est-ce que tu fous ? demanda Alexandre en se dirigeant vers lui.

Mais Shadow ne resta pas en place. Malgré lui, Alexandre le poursuivit au pas de course. Shadow se trouvait déjà beaucoup plus loin devant. Sans qu'Alexandre puisse encore l'apercevoir, il entendit néanmoins un son d'éclaboussement. Inquiet, il accéléra sa course. Mais dès que Shadow fut de nouveau en vue, Alexandre respira plus aisément. Shadow se trouvait au milieu d'un petit lac et semblait se réjouir. Sans attendre, Alexandre enleva ses vêtements et se jeta à l'eau.

Ils rentrèrent quand le soleil n'était plus qu'une mince ligne à l'horizon. Alexandre était affamé. Il regrettait de n'avoir rien apporté à manger. Shadow, quant à lui, était repu et somnolait à l'arrière de la voiture.

Alexandre fit patienter Shadow dans le stationnement, mais s'aperçut qu'il aurait tout aussi bien pu l'emmener, car l'entrée principale était déserte. Une fois dans sa chambre, Alexandre trouva un petit message à son attention. Bien qu'il eût quelque difficulté à le lire, il comprit qu'il était invité à un souper à pas plus de cinq minutes de là. La plupart des gens de la région s'y trouvaient et il y était le bienvenu. Il fit une petite boule avec le message et le jeta. Il ne tenait pas à se mêler aux gens. Il devait rester dans l'anonymat. En guise de protestation, son ventre émit un gargouillement.

— Bah ! Après tout, il vaut mieux des connaissances que des ennemis. De toute façon, personne ne viendra dans la chambre, se dit-il à voix haute.

Shadow, profondément endormi, bougea à peine une oreille.

Suivant les indications, il descendit une petite côte abrupte située à l'arrière de l'hôtel et trouva facilement le lieu de rencontre. Un feu de camp d'une bonne grosseur était allumé. Pas moins d'une trentaine de personnes s'y trouvaient. Alexandre pouvait humer la nourriture et ce simple fait lui fit se réjouir d'être venu. Le propriétaire de l'hôtel vint le rejoindre aussitôt. Apparemment, il avait déjà consommé une grande quantité d'alcool. Son anglais était difficilement compréhensible. Alexandre en profita donc pour lui faire savoir qu'il avait une bonne base de langue espagnole et que, s'il le désirait, il pouvait laisser tomber l'anglais. Le visage de l'homme s'illumina aussitôt. Comme si Alexandre venait de lui enlever un gros poids sur les épaules ! Il s'empressa de présenter Alexandre à tout le monde. Mais quand il arriva devant une petite femme ronde au visage marqué par le temps, Carlos s'arrêta net. Celle-ci avait dépassé la soixantaine, mais paraissait aussi agile qu'une jeune femme. Carlos mit un semblant de sérieux dans sa voix et fit une courbette devant la dame.

— Je vous présente ma tendre moitié, Margarita !

Elle salua cordialement Alexandre et lui accorda un sourire édenté. Ses petits yeux noisette semblaient inlassablement aux aguets. Que personne ne manque de nourriture était sa seule inquiétude ! La femme enleva littéralement Alexandre des mains de son mari.

— Je suis certaine qu'il meurt de faim. Il fera connaissance tout à l'heure. Tu l'étourdis à la fin, Carlos !

Carlos jeta un regard désolé vers Alexandre, mais ne se confondit pas en excuses. Il l'invita à s'asseoir près du feu. Parmi les gens qui s'y trouvaient, Alexandre aperçut Tony, le jeune homme de la station-service, avec Anne, sa petite amie. Carlos arriva en trombe avec une bière en main.

— Alors, vous prendrez bien une *cerveza*, mon cher ?

— Oui, merci.

La femme de Carlos suivit l'instant d'après avec un plateau contenant de multiples victuailles. L'odeur à elle seule faisait venir l'eau à la bouche. Elle déposa devant Alexandre un grand bol de soupe avec quelques tortillas. Alexandre s'apprêtait à dévorer le tout quand Carlos fit irruption de nouveau.

— Vous aimez le pozole, j'espère ? Cette soupe contient tout ce qu'il y a de meilleur : maïs, viande, choux, oignons, origan et salade. Ma femme Margarita est de loin la meilleure cuisinière de tout le Mexique !

— Je ne connais pas. Mais ça a l'air très bon, lui répondit Alexandre.

À peine termina-t-il sa soupe que de nouveaux plats arrivèrent devant lui. La femme de Carlos jeta un regard noir à son mari et s'empressa de sourire à Alexandre.

— Voilà ! dit-elle. Quesadilla, enchilada, taco et guacamole. Carlos, je te préviens, ne lui fais pas l'inventaire des ingrédients de chaque plat. S'il n'aime pas quelque chose, il n'a qu'à le laisser de côté. Ça va pour vous, *señor ?*

Alexandre n'émit qu'un son à peine audible en guise de réponse, car déjà, il s'empiffrait comme un goinfre.

Peu de temps après, à la demande générale, Tony sortit sa guitare et se mit à jouer merveilleusement bien. Bien que plusieurs mots lui échappassent dans les chansons, Alexandre n'en savourait pas moins leur beauté. Tout le monde semblait captivé par le son de la voix de Tony. Alexandre se sentait infiniment bien pour une fois. Les choses simples de la vie auxquelles on ne pense pas vraiment arrivent souvent à l'improviste et nous font le plus grand bien.

Parmi les gens, Alexandre remarqua la petite Cassandra. Quand elle l'aperçut à son tour, son visage s'illumina et sans tarder, elle vint le rejoindre.

— Bonsoir, señor, dit-elle un peu timidement.

— Bonsoir, Cassandra.

Elle regarda aux alentours, manifestement à la recherche de Shadow. Elle parut déçue de ne pas l'apercevoir. Elle prit une grande inspiration et posa enfin la question qui la tenaillait.

— Vous êtes venu seul ?

— Oui. Et toi ? Ta mère t'accompagne ce soir ? demanda Alexandre, ne voulant pas s'attarder sur Shadow.

— Mon père est avec moi. Ma maman ne vit plus avec nous depuis longtemps. Elle est partie vivre dans un autre pays.

— Oh ! Je suis navré de l'apprendre, dit Alexandre mal à l'aise.

— C'est Gabrielle qui prend soin de moi. Elle est aveugle alors papa dit que je dois aussi prendre soin d'elle.

— Je vois. Elle n'est pas venue ce soir ? s'enquit-il.

Il n'avait pas la certitude que son infirmité allait la sauver de l'ombre. Et il se sentait désolé pour la petite. Le père vint les rejoindre. Il s'assit près d'Alexandre et s'empressa de lui serrer la main.

— Non, elle ne se sentait pas très bien et elle a préféré rester chez elle, répondit le père de Cassandra. En passant, je me nomme Andros.

Si, pendant une fraction de seconde, Alexandre faillit se donner un faux nom, il y renonça. Personne ne savait qu'il se trouvait en cet endroit.

— Enchanté, je suis Alexandre.

Un des invités vint s'asseoir près d'Alexandre. Il sentait la boisson à plein nez. Toutefois, il semblait en pleine possession de ses moyens. Ses cheveux en broussailles concordaient parfaitement avec ses vêtements en lambeaux.

— Alors, allez-vous vivre parmi nous ? reprit Andros.

Alexandre se souvint que Tony lui avait posé la même question lors de son arrivée. Il lui avait répondu qu'il venait visiter des amis. Mais, à présent, étant donné qu'il avait l'intention de s'établir dans les environs, cette réponse n'était plus de mise.

— Je crois que je vais m'établir ici. En grande partie, c'est le soleil qui m'a attiré.

Ils passèrent le reste de la soirée à bavarder de tout et de rien. Alexandre en avait même été à lui raconter la mort tragique de sa femme. Il apprit que la mère de Cassandra les avait quittés pour un homme très riche. Les deux hommes au cœur esseulé s'attendaient assez bien. Cassandra, quant à elle, s'était profondément endormie près du feu.

Tony jouait de la musique depuis un bon moment, mais semblait à présent comme dans un état de stagnation; il ne chantait plus mais continuait toutefois de gratter sa guitare. Alexandre crut d'abord que cela était dû à la fatigue, mais en observant de plus près, il remarqua que la petite amie de Tony semblait s'amuser follement avec un autre garçon. De ce fait, Tony était beaucoup moins concentré. Il avait les yeux fixés droit sur elle. Mais de toute façon, elle ne semblait aucunement l'apercevoir. Elle paraissait être sur un nuage. Tony fit un signe de tête à un vieillard qui vint l'instant d'après prendre la relève à la guitare. Il ramassa son sac à dos tout en prenant le temps de remercier les gens qui le félicitaient et l'applaudissaient avec entrain.

En passant devant Alexandre, il le salua d'un signe de la main. La colère se lisait sur son visage. Quant à Anne, sa petite amie, elle ne le remarqua point. Elle s'était à peine aperçue du changement de musicien. Fabio l'enlaçait fébrilement. Alexandre considéra qu'il était temps de partir. Il alla remercier ses hôtes et partit discrètement.

En marchant jusqu'à l'hôtel, il ressentait un curieux mélange de bien-être et de colère. Si ce n'était Shadow, il n'en serait pas là aujourd'hui, sans compter que, vraisemblablement, sa femme Catherine serait toujours à ses côtés. Il serait en ce jour de retour au travail avec sa petite vie quotidienne et tout ce qu'elle apporte. Chemin faisant, il se rendit compte qu'il avait peut-être trop bu. Il avait tendance à déprimer au lieu d'être content d'avoir passé un si bon moment. Il tituba à plusieurs reprises puis s'arrêta, se demandant s'il parviendrait à se rendre. Il se pencha et posa les mains sur ses genoux. Sa tête tournait. Mais, il ne put apprécier ce moment de répit, car un bruit de pas se fit entendre derrière lui. Il se releva brusquement et tendit l'oreille. La première pensée qui lui vint fut que Tony l'avait suivi et qu'il désirait se confier à lui. Mais sans pouvoir se l'expliquer, il avait une impression qui le poussait à la peur.
— Tony ? s'enquit-il prudemment comme pour se rassurer.

Mis à part le souffle du vent, aucun son ne lui parvint. Cet incident eut pour effet de dissiper son ivresse. Il reprit le chemin en pressant le pas. L'hôtel était déjà dans son champ de vision. À présent, il était presque au pas de course. Ses oreilles bourdonnaient et il n'arrivait pas à se rassurer. Il gravit le petit monticule et, enfin arrivé à proximité, il se retourna. Il s'attendait à voir l'ombre derrière lui prête à surgir. Mais il n'en fut rien. Toujours sur le qui-vive, il n'aurait pu certifier que quelqu'un d'autre ou même un animal se trouvait derrière lui. Il s'engouffra dans l'hôtel précipitamment.

Bien qu'il ait pris la peine de laisser la petite lampe de chevet allumée, quand il ouvrit la porte de sa chambre, celle-ci était plongée dans une pénombre totale. De sa main tremblante, il chercha à tâtons l'interrupteur. Au moment même où il l'activa, quelque chose vint frôler ses jambes. La lumière jaillit dans la pièce et il s'aperçut qu'il ne s'agissait que de Shadow.

— Dégage, Shadow. Ce n'est pas le moment, dit-il d'une voix rauque.

Il s'allongea sur son lit, l'air penaud. Voyant qu'il était de mauvaise humeur, Shadow garda ses distances. Alexandre, quant à lui, malgré qu'il eût passé une excellente soirée mis à part l'incident du retour, se sentait en sécurité près de Shadow. D'un autre côté, il lui en voulait. Si cela n'avait pas été de lui, il n'en serait pas là. Combien de fois avait-il repoussé cette pensée depuis que Shadow faisait partie de sa vie ? Jamais plus il ne vivrait dans la quiétude absolue. Et qu'adviendrait-il s'il tentait de se débarrasser de lui ? Reviendrait-il sans cesse auprès de lui ? Mais pire encore, quel serait le destin d'Alexandre ? Serait-il à son tour condamné à mourir ? Tant de pensées le terrassaient. Il sombra lentement vers le sommeil, lui qui habituellement après une telle soirée ne se serait pas endormi aussi facilement.

Dans son sommeil, il entendit un bruissement de feuilles. Puis un léger son de vent qui souffle. Il ressentait une présence sans toutefois pouvoir la détecter. Soudain, le rire parvint à son oreille. Des frissons parcoururent son échine. Il tentait de se retourner. Mais son corps refusait obstinément de lui obéir. Et toujours ce rire sinistre qui s'intensifiait. Shadow s'approcha du lit où dormait Alexandre et, voyant qu'il semblait désemparé, lui lécha le visage. Alexandre ne se réveilla pas pour autant, mais son rêve se dissipa.

Le lendemain, il ouvrit ses yeux et la première chose qu'il aperçut fut Shadow qui se trouvait dans la même position que la veille. Sans dire un mot, Alexandre lui ouvrit la fenêtre et attendit que Shadow sorte par lui-même. Il avait le cœur lourd, mais il devait à tout prix savoir ce qu'il adviendrait de lui sans Shadow. Comme il aimait ce chien malgré tout ! Il referma la fenêtre doucement, se demandant si Shadow avait compris qu'il ne devait pas revenir. Maintenant, il devrait faire encore plus vite pour se trouver une maison. D'un autre côté, qu'est-ce qu'il lui prouvait qu'il arriverait jusque-là ? L'ombre allait sûrement se présenter de nouveau à lui.

Après s'être douché, il sortit de l'hôtel la tête basse. Il ne croisa personne mis à part la femme de ménage. Il chercha un moment la voiture de Diane. Puis il se rappela en avoir modifié l'apparence. La pensée qu'il était sur le point de commettre une grave erreur lui traversa l'esprit. Mais il la chassa rapidement.

— Le tout pour le tout, dit-il en grimpant dans la voiture.

NOUVELLE DEMEURE

Alexandre roula pendant plus d'une heure pour enfin s'arrêter devant une petite maison que l'on avait mise en vente. Sans être totalement dépourvue de charme, elle était discrète et semblait avoir été bien entretenue. Elle se trouvait assez isolée de tout, ce qui par le fait même expliquait que personne ne l'avait achetée. La terre aux alentours devait être fertile, mais encore fallait-il qu'il y ait des hommes pour la labourer. D'ici à ce que cela survienne, Alexandre serait déjà vieux. Il se gratta machinalement la tête. Se pouvait-il que, du premier coup, il eût trouvé ce qu'il cherchait ?

Il tenta d'ouvrir la porte, mais elle était verrouillée. Pas de clefs sous le paillasson en décomposition non plus. Curieux, il se dirigea vers une fenêtre pour voir l'intérieur. La maison paraissait beaucoup plus grande que de l'extérieur. Mais il faisait trop sombre pour distinguer la fin des pièces. Alexandre renonça à en voir plus, sortit un stylo de sa poche et inscrivit le numéro de téléphone dans sa main. Il remonta en voiture plus heureux que jamais. Il n'en revenait toujours pas ! Il n'avait aucun doute qu'il arriverait à payer ce que le propriétaire demanderait. Il se dirigea vers le petit lac que Shadow avait découvert la veille.

Une fois arrivé à destination, il ne put se résoudre à se baigner. Shadow lui manquait affreusement. Il s'assit près de l'eau, enleva ses chaussures puis y enfonça ses pieds. L'eau froide lui donna un petit regain. De toute manière, se dit-il, Shadow reviendra ce soir. Alexandre ne l'avait que très peu réprimandé. De plus, maintes fois il avait laissé Shadow seul durant la journée.

Au loin, il entendit le tonnerre gronder, mais l'orage était encore loin. D'où il se trouvait, il n'y avait pas l'ombre d'un nuage. Néanmoins, il décida de partir. Il se leva, s'essuya les pieds et enfila ses chaussures. Il fit quelques pas en direction de la voiture puis s'arrêta. Des voix lui parvenaient de l'autre côté du lac. Il se retourna et balaya l'autre rive du regard en plissant des yeux. Il aperçut d'abord une petite silhouette qui le saluait de la main. Il reconnut Cassandra et assise près d'elle se trouvait Gabrielle, la jeune femme aveugle.

— *Buenos días!* lança-t-il.

— Venez nous rejoindre! cria Cassandra d'une voix enjouée.

Gabrielle attrapa la petite par le bras et lui dit quelque chose. Alexandre ne put entendre, mais il remarqua que toutes les deux avaient éclaté de rire. Sans vraiment y réfléchir, il enleva ses vêtements à l'exception de son caleçon et se jeta à l'eau. Il pouvait voir Cassandra sauter de joie alors qu'il nageait habilement vers elles. Lorsqu'il fut presque arrivé, elles vinrent toutes deux le rejoindre.

Ils restèrent une vingtaine de minutes dans l'eau. Puis Gabrielle et Alexandre en sortirent pour aller bavarder. À la demande de Gabrielle, la petite s'était avancée près du bord. Gabrielle s'avéra être une femme vive d'esprit. Elle était prompte et contrairement à leur première rencontre, elle était plus encline à rire. Elle était plutôt en forme pour quelqu'un qui la veille ne s'était pas senti bien. Peut-être n'aimait-elle simplement pas la foule.

Dans un moment de silence, Alexandre regarda Cassandra s'amuser seule. Étonné du fait qu'elle ne s'était pas informée au sujet de Shadow, il pensa que peut-être Gabrielle l'avait avertie de ne pas l'importuner. Si la question lui brûlait les lèvres et qu'elle se retenait de lui demander où était le chien, il ne coûtait rien à Alexandre de l'en informer.

— Shadow ne te manque pas trop, Cassandra ?

Il eut l'étrange impression de se poser la question à lui-même autant qu'à la petite.

— Non, ça va, répondit-elle en jetant un regard à Gabrielle.

Celle-ci lui sourit et s'empressa de poursuivre.

— Nous l'avons rencontré tout à l'heure. Enfin, Cassandra affirme que c'était lui à cause de son oreille coupée. Vous l'avez laissé sortir seul ?

— Oui, répondit Alexandre, mal à l'aise.

Pour une raison quelconque, il crut que Gabrielle avait ressenti son inconfort, car comme par hasard, elle s'était empressée de changer de sujet.

Le vent s'était levé et l'orage était de plus en plus près. Ils décidèrent de partir. Cassandra était ravie qu'Alexandre emprunte le petit pont sur lequel elles traversaient pour se rendre au lac. Il leur offrit ensuite de les raccompagner en voiture, ce que Gabrielle accepta volontiers.

Alexandre eut le temps de les reconduire avant que ne s'amène la pluie. Il se rendit ensuite à l'hôtel. La femme du propriétaire l'accueillit en lui offrant de quoi manger, mais il refusa. Il fit le tour de l'immeuble à l'extérieur dans l'espoir d'y trouver Shadow, mais ce fut sans résultat. Il entra dans sa chambre et ouvrit tout de même la fenêtre. Il s'était bien amusé durant toute la journée, mais à présent, il avait le cœur lourd. Qu'avait-il pensé au juste ? Que Shadow ne comprendrait pas ?

Il s'allongea sur le lit et se frappa le front de la paume de sa main. Il venait de s'apercevoir que le numéro de téléphone qu'il y avait inscrit s'était complètement effacé durant sa baignade.

— Il ne manquait plus que cela, dit-il à voix haute.

Peu de temps après, il finit par s'endormir. Mais son sommeil si paisible fut perturbé au milieu de la nuit alors que le tonnerre gronda et que sa chambre fut momentanément éclairée. À peine éveillé, il crut d'abord qu'il s'agissait de Shadow. Puis la température froide lui fit réaliser que la fenêtre était toujours ouverte. Il sortit des couvertures en maugréant. Dès qu'il mit les pieds par terre, il sentit la chair de poule lui parcourir le corps. Comme par le passé, alors qu'il ne savait pas que Shadow pouvait le protéger de l'ombre, il avait peur. Cette nuit, son protecteur ne se trouvait pas avec lui. Et il le regrettait amèrement. Avec tout le courage qu'il avait, il fit le tour de la chambre. Il n'y trouva pas l'ombre d'une présence quelconque. Quand il s'approcha de la fenêtre, il fut tenté de s'y précipiter, mais résista à l'envie.

— Merde ! s'exclama-t-il à voix haute.

Il était hors de question de se rendormir à présent. Il s'assit sur le lit et laissa la lampe de chevet allumée. Il se rendit compte à quel point il avait tout perdu. Il n'avait même pas en sa possession un simple livre. Il ouvrit le tiroir qui se trouvait près du lit. À l'intérieur, il trouva un petit cahier de notes et des crayons.

Se surprenant lui-même, il se mit à écrire comme s'il s'adressait à sa défunte femme. Combien elle lui manquait et comme tout avait changé depuis son départ ! Comme durant les premiers mois après l'accident fatidique, il aurait voulu mourir, soit en partant avec elle, soit en prenant sa place. Certes, cela reflétait purement et simplement de la lâcheté, mais cela lui importait peu. Il n'avait pas eu à faire le choix et jamais, même si l'envie avait parfois surgi, il n'avait eu le courage de s'enlever la vie. Maintenant sa vie n'était plus que misère, même si quelquefois il tentait de le masquer.

Quand il s'endormit enfin, il avait écrit environ quatre pages. Ce n'est que le lendemain qu'il se rendit compte que le cahier était gribouillé jusqu'à la dernière page. Manifestement, il avait écrit les quatre pages puis s'était endormi à moitié et avait fait quelques abominables dessins. Il haussa les épaules et jeta le cahier sur la table de la cuisinette.

La journée, comme de celles où il est préférable de rester chez soi, s'annonçait plutôt maussade. Tout était d'un gris sombre. Alexandre ouvrit de nouveau la fenêtre, mais Shadow n'y était toujours pas. Il se changea et se dit qu'il devrait passer s'acheter un chandail plus chaud. Vraiment, la température avait chuté durant la nuit. Il prit le petit cahier, le mit dans sa poche et quitta l'hôtel sans avaler quoi que ce soit.

Il s'arrêta au centre commercial dans le but d'acheter des vêtements plus chauds. Le magasin n'ouvrait que dans un quart d'heure. Il se rendit donc au petit café de l'autre côté de la rue. Parmi les gens qui s'y trouvaient, il reconnut Cassandra qui dégustait des friandises. Il commanda un café et s'approcha d'elle. De ses grands yeux bruns, elle le regarda et ne parut aucunement surprise de le voir.

— *Buenos días, señor!*

— Bonjour, Cassandra. Alors, tu es seule aujourd'hui ?

— Gabrielle doit venir me rejoindre bientôt. Vous allez au lac ? s'enquit-elle, pleine d'espoir.

Il n'eut pas le temps de répondre, car Gabrielle venait d'arriver.

— Par un temps pareil, il vaut mieux rester à l'intérieur, dit-elle.

— Peut-être, mais *el gringo* n'a pas de maison à lui, ajouta la petite en toute innocence.

Gabrielle parut mal à l'aise. Mais Alexandre détendit l'atmosphère en riant de vive voix.

— Tu as raison, ma grande. Et c'est pour cela que je ne suis pas resté à l'hôtel. J'ai vu une jolie maison que j'aimerais visiter. Seulement, je n'ai pas noté le numéro.

Gabrielle lui donna l'impression d'avoir compris qu'il avait perdu le numéro en question. Elle souriait à présent.

— Peut-être pouvons-nous vous accompagner ? demanda Gabrielle.

Alexandre resta bouche bée. Il se serait attendu à ce que Cassandra pose une question pareille. Mais pas Gabrielle ! Évidemment, il lui aurait été difficile de refuser. La petite sautait déjà de joie. Fière de son coup, Gabrielle tourna les talons et se dirigea vers la sortie. Alexandre n'en revenait pas. Quelque chose avait changé chez la jeune femme. Elle qui les jours précédents avait fait preuve d'une grande timidité était à présent plutôt entreprenante.

Alexandre se leva et sans qu'il n'eût jamais donné son accord, les trois se dirigèrent vers sa voiture. Il leur ouvrit la portière puis fit le tour de la voiture sans toutefois y entrer.

— Vous voulez bien m'attendre quelques minutes ? Je dois aller m'acheter un chandail plus chaud juste en face, dit-il à l'attention de Gabrielle.

La petite Cassandra était déjà ressortie du véhicule et vint poser sa main dans celle d'Alexandre.

— Je peux venir avec vous ? demanda-t-elle d'une petite voix douce.

— Allez-y sans moi. De toute façon, ce n'est pas comme si je pouvais vous aider à en choisir la couleur ! lança-t-elle sans trace de sarcasme.

Tout en se dirigeant vers le magasin, Alexandre demanda à Cassandra pourquoi Gabrielle n'habitait pas avec elle et son père. Elle mit quelques secondes avant de répondre.

— Gabrielle habite avec son papa. Il est vieux et elle doit toujours lui apporter de l'argent parce qu'il a tout le temps soif ! Mon papa m'a interdit d'aller chez Gabrielle quand son papa s'y trouve. Il a même dit à Gabrielle de partir de là. Mais elle ne le veut pas. Je crois qu'elle doit quand même l'aimer même s'il lui crie après sans cesse. Moi, mon papa, je l'aime de tout mon cœur !

Alexandre ne savait pas quoi dire. Il était cependant soulagé qu'elle ne lui ait pas tout raconté devant Gabrielle. Il comprenait à présent que, pour la jeune femme, le simple fait de sortir loin de chez elle suffisait à la rendre joyeuse. Apparemment, elle lui faisait confiance. En fin de compte, elle ignorait tout de lui. À cette pensée, il se sentit touché de la confiance qu'elle lui témoignait. Puis une petite cloche tinta dans sa tête. Il n'était pas impossible que puisqu'il avait mentionné qu'il voulait acquérir une maison, elle en veuille à son argent. Mais, il chassa cette pensée de son esprit. De toute façon, ce n'était pas comme s'il allait s'engager avec qui que ce soit.

Ils entrèrent dans le magasin. Alexandre n'eut qu'à suivre Cassandra qui se dirigea droit vers la section des vêtements, si l'on pouvait nommer cela ainsi. La section ne faisait pas plus de dix pieds et les vêtements étaient extrêmement entassés. Pourtant, si l'on mettait les choix de couleurs et de modèles à part, on pouvait y trouver tout ce que l'on cherchait.

Cassandra empoigna un chandail de laine et, de ses petits doigts, en palpa la qualité. Elle sembla satisfaite. Ensuite elle le déplia, regarda Alexandre puis le chandail et vice versa.

— Celui-ci fera l'affaire, dit-elle au vendeur en lui tendant le chandail. Il regarda Alexandre qui approuva d'un signe de tête. Il régla la facture et ils sortirent aussi vite qu'ils étaient entrés. Une fine pluie avait commencé à tomber. Cassandra frissonna et se rapprocha d'Alexandre. Il lui fit enfiler le chandail qu'il venait d'acheter. Il tourna les manches plusieurs fois et fit un nœud sur le côté de sa hanche pour qu'elle ne trébuche pas en marchant. Elle le laissa faire sans rien dire et dit :

— Voilà ! C'est aussi simple que cela. Les hommes n'aiment pas le magasinage. Pourtant, ce n'est pas si compliqué.

Alexandre éclata de rire.

— Tu me fais penser à ma femme ! Tu es vraiment une petite fille hors de l'ordinaire.

— C'est ce que mon papa me dit toujours ! Elle est où, votre femme ?

— Elle n'est plus de ce monde, répondit Alexandre dont la voix s'était affaiblie.

— Alors, elle doit être avec le petit Jésus.

Alors qu'ils étaient presque arrivés à la voiture, Cassandra s'arrêta. Elle posa une main sur son menton et sembla réfléchir profondément.

— Ne parlez pas à Gabrielle de son papa, d'accord ? Cela la met de mauvaise humeur quand on en parle.

Alexandre acquiesça puis ils rejoignirent Gabrielle.

Chemin faisant, ils parlèrent, chantèrent et s'adonnèrent même à des jeux de toutes sortes.

Enfin devant la maison, Alexandre inscrivit le numéro de téléphone sur le cahier qu'il avait apporté. Cassandra, quant à elle, courait déjà vers la cour arrière. Gabrielle tendit l'oreille et la rappela aussitôt.

— Tu vas être trempée ! Reviens ! Nous allons attendre dans la voiture.

Elle n'obtint aucune réponse, ce qui n'était pas dans les habitudes de Cassandra. Alexandre se dirigea donc à son tour vers l'arrière, mais avant qu'il s'y rende, la porte d'entrée s'ouvrit. Cassandra se trouvait dans la maison avec un énorme sourire et tout à fait fière d'elle-même.

— On peut visiter ! C'est vraiment joli à l'intérieur, les invita-t-elle.

Alexandre tourna les yeux vers Gabrielle et comme si elle avait su qu'il l'interrogeait du regard, elle lui répondit :

— Vous n'avez rien à perdre. En plus, si vous n'aimez pas, vous n'aurez pas à vous déplacer encore une fois pour rien.

Ils entrèrent donc et Alexandre se sentit aussitôt à l'aise dans cette maison. Bien entendu, un rafraîchissement complet ne serait pas de trop. Mais en somme, c'était une petite perle. Comme il l'avait vu la première fois, les pièces étaient assez grandes et il y avait bon nombre de fenêtres tout autour ! Alexandre songea à Catherine. Elle aurait fait de cette maison un vrai palace ! Il poussa un long soupir et Cassandra interrompit ses réflexions.

— Vous pensez à votre femme qui est morte ?

— Cassandra ! dit Gabrielle d'un ton offusqué.

Alexandre enchaîna comme si Gabrielle n'avait rien dit.

— Oui, je pensais à elle en ce moment. Tu sais, elle avait un énorme talent de décoratrice. C'est ce qu'elle faisait pour gagner sa vie.

Voyant qu'Alexandre n'était pas trop bousculé par le comportement de la petite, Gabrielle se sentit soulagée. Du regard, Cassandra fit le tour de la pièce centrale et sembla avoir compris.

— Reviendra-t-elle un jour ? continua Cassandra.

Mais cette fois, Alexandre ne trouva pas la force de répondre. Gabrielle le perçut et s'empressa de rectifier la situation.

— Il se fait tard, nous devrions partir.

Manifestement consciente qu'elle avait été trop loin, Cassandra n'ajouta aucun mot durant une bonne partie du trajet de retour. Elle avait en main le cahier d'Alexandre et regardait les dessins qui s'y trouvaient. Alexandre et Gabrielle conversaient sur un ton neutre et quand il y eut un moment de silence, Cassandra glissa un mot à Alexandre sur le fait qu'il ne dessinait pas trop bien. Elle rougit l'instant d'après. Si elle tentait de lui ramener le sourire, cela n'était peut-être pas la meilleure façon.

— Ce n'est pas vraiment laid. C'est juste que…

— On voit que tu ne peux pas mentir, Cassandra, dit Alexandre en riant.

— C'est vrai que ce n'est pas beau du tout. Mais figure-toi que le pire dans tout cela, c'est que je les ai faits en dormant !

— Vraiment ? demanda cette fois Gabrielle qui était manifestement intéressée.

Alexandre, qui trouvait cela plutôt anodin, préféra que le sujet en reste là et n'ajouta rien d'autre.

Comme la dernière fois, il s'arrêta devant la demeure de Cassandra afin de déposer celle-ci et Gabrielle.

Cassandra fit le tour de la voiture et vint embrasser Alexandre sur la joue en le remerciant. Alexandre en fut touché. Sachant que Gabrielle n'habitait pas avec Cassandra, il lui offrit d'aller jusque chez elle. Au début, elle hésita puis voyant que la température ne s'était pas améliorée, elle accepta.

Ils ne s'adressèrent que très peu la parole durant le trajet, qui d'ailleurs fut un brin trop court aux yeux d'Alexandre ! Devant la petite maison qu'habitait Gabrielle, il n'y avait que désolation. Tout semblait défraîchi, la peinture ne couvrait que partiellement la façade et deux fenêtres sur trois étaient cassées. Des toiles de plastique avaient été mises pour protéger l'intérieur contre la pluie. Discrètement, Alexandre tentait de voir dans la maison pendant que Gabrielle sortait de la voiture. Après l'avoir remercié, elle marcha dans l'allée d'un pas sûr et arriva rapidement devant la porte, qui s'ouvrit au même instant qu'elle l'atteignit. En contre-jour, Alexandre aperçut un homme dans la soixantaine avancée qui gesticulait sans arrêt.

Le père de Gabrielle portait la barbe longue. Ses cheveux gris étaient dans un état lamentable, tout comme son apparence générale d'ailleurs. En plus de ne pas porter de vêtements propres, sa peau était recouverte de saleté. Des mèches de cheveux graisseux qui lui retombaient mollement sur le visage venaient couronner le tout.

Alexandre remit le moteur en marche et reprit la route. À ses yeux, Gabrielle était une femme attachante et il n'aimait pas l'idée de la voir avec l'homme qu'était son père. Ayant vu Gabrielle en maillot de bain, il savait qu'elle n'était pas une femme battue. Mais souvent, les personnes qui sont maltraitées verbalement souffrent autant que celles qui le sont physiquement. Il poussa un soupir. Il ne pouvait rien faire de plus pour elle. Après tout, c'était à elle de choisir ce qu'elle voulait faire de sa vie. De toute façon, il en avait plein les bras avec ses propres problèmes.

Il entra dans l'hôtel et se dirigea vers sa chambre. Une délicieuse odeur émanait de la cuisine, mais il ne s'y arrêta pas. Il voulait voir si Shadow serait au bas de la fenêtre. Mais comme il s'y attendait, le chien ne s'y trouvait pas. À contrecœur, il referma la fenêtre. Au même instant quelqu'un frappa à sa porte.

— Je vous apporte de quoi manger, *señor.*

Alexandre ouvrit la porte et aperçut une jeune fille d'environ quinze ans qui tenait une grande assiette fumante. Alexandre resta perplexe et fixa l'assiette, l'air amusé.

La jeune fille avait tous les traits de sa mère : un nez aplati, des yeux semi ouverts et une forme de visage plutôt rond.

— Ma mère m'a demandé de vous l'apporter. Ce sont des *chalupas*. Vous verrez, c'est délicieux. Dans les tortillas de maïs, il y a du poulet, de la crème, des olives ainsi...

— Ça va ! l'interrompit Alexandre en riant. Je ne suis pas quelqu'un de difficile. Et votre mère est une excellente cuisinière. Remerciez-la de ma part, dit-il en prenant l'assiette.

— D'accord, *señor.* Mais, je dois juste ajouter qu'il y a de la sauce piquante.

Il commença à manger et fut interrompu par un jappement. Il ne prit pas la peine de se demander s'il hallucinait et se rendit à la fenêtre aussitôt. Shadow s'y trouvait. Mais, il était dans un piteux état. Son poil était parsemé de boue et il semblait à bout de force. Quand Alexandre lui ouvrit la fenêtre, il eut peine à pénétrer à l'intérieur. Alexandre lui servit un bol d'eau et pendant que Shadow s'abreuvait, il en profita pour lui passer une serviette humide sur le dos.

— Mais où étais-tu passé ? Je suis désolé, mon vieux, de t'avoir foutu à la porte, dit Alexandre en lui préparant une assiette de ce qu'on lui avait apporté un peu plus tôt.

Shadow était manifestement content d'être de retour. Il dévora littéralement l'assiette. En le nettoyant, Alexandre se rendit compte que Shadow tremblait. Avait-il eu extrêmement froid la nuit dernière ? Ou bien était-il effrayé ?

Cette nuit-là, Alexandre la passa merveilleusement bien, Shadow à son côté. Celui-ci s'était enfin calmé et tout semblait être revenu à la normale. Il rêva de sa femme Catherine accompagnée de Shadow. Elle souriait et lui envoyait la main. Il voulut la suivre, mais après quelques pas, il lui fut impossible d'avancer plus loin. Il regarda au sol et aperçut un large cercle tracé tout autour de lui. C'est alors que Shadow quitta Catherine pour venir le rejoindre à l'intérieur du cercle. Il entrevit sa femme qui le saluait toujours et qui ensuite disparut.

Il fut tiré du sommeil le lendemain par quelqu'un qui frappait doucement à sa porte. Il tira les couvertures, enfila son pantalon et s'assura que Shadow se glissait sous le lit avant d'enfin ouvrir la porte.

— Bonjour, *señor !* C'est Margarita, je vous apporte le déjeuner. J'ai entendu du bruit dans votre chambre, alors j'en ai profité.

Alexandre ne prit pas la peine de lui expliquer qu'il dormait à poings fermés quelques minutes auparavant. Il n'aurait fait que la mettre mal à l'aise. Peut-être avait-elle confondu avec une chambre voisine. Quoi qu'il en soit, il ne tenait pas à le savoir; il la remercia et prit congé.

Après avoir mangé, il descendit et demanda à utiliser le téléphone. Dès la première sonnerie, une voix masculine rauque lui répondit. Alexandre obtint un rendez-vous à dix heures pour la maison, ce qui lui donnait moins d'une heure pour se préparer. Il se demandait s'il devait emmener Shadow.

Pendant qu'il se rasait, on vint de nouveau frapper à sa porte. Il regarda les plats restés dans la cuisinette. « Il s'agit sans doute de Margarita qui vient chercher sa vaisselle », pensa-t-il en regrettant de ne pas avoir descendu celle-ci plus tôt. Le visage couvert de crème à raser, il vint ouvrir, affichant un beau sourire. Mais quelle ne fut pas sa surprise d'apercevoir nul autre que Tony, le garçon de la station-service ! Il avait l'air plutôt amoché. Son visage avait été griffé en quelques endroits, et ses cheveux hirsutes et ses jointures en sang montraient qu'il venait de se bagarrer.

— Bon sang, Tony, que s'est-il passé ? demanda Alexandre, inquiet.

Tony ne fit que hausser les épaules. Il entra sans même l'invitation d'Alexandre à le faire. Alexandre s'empressa de regarder partout, mais il ne vit Shadow nulle part comme si soudainement, il avait disparu.

Tony se laissa tomber sur le divan et mit ses deux mains devant son visage. Il semblait avoir du mal à les déplier. Alexandre le regardait fixement, attendant toujours les réponses à ses questions. Mais il se doutait bien de ce que

Tony allait lui raconter. Il lui apporta un verre d'eau fraîche.

— J'y ai réglé son compte cette fois, mais c'est pas la dernière fois. Il recommencera, c'est certain.

Comme l'avait prévu Alexandre, Tony s'était bagarré avec Fabio. Ce dernier tournait sans cesse autour d'Anne, la petite amie de Tony. Le problème était qu'elle prendrait un plaisir évident à la compétition entre ses prétendants. Mais, elle n'ignorait pas que Tony était totalement amoureux d'elle.

— Écoute, mon vieux, tu devrais mettre un terme à votre histoire. Cela ne sert à rien de forcer les choses. Si tu veux mon avis, ce n'est pas une fille pour toi, lui dit Alexandre sur un ton autoritaire.

— Peut-être que vous avez raison, monsieur. Mais, si je ne l'ai pas, ce salaud ne l'aura pas non plus !

Alexandre apporta une chemise à Tony ainsi qu'une serviette trempée. Finalement, il avait obtenu la réponse à sa question, à savoir s'il emmènerait Shadow. Il devait partir pour son rendez-vous et il ne pouvait pas permettre à Tony de rester dans la chambre d'hôtel avec Shadow. À moins qu'il n'annonce son départ, la seule option d'Alexandre était de l'inviter à l'accompagner pour la visite de la maison. Manifestement, si Alexandre se donnait tout ce mal pour ces gens, cela signifiait qu'il leur portait une certaine affection. Ils étaient tous attachants; Alexandre se sentait très près d'eux. Et c'était aussi bien ainsi, car il comptait passer le reste de ses jours en ces lieux, même si cela changeait quelque peu le plan qu'il s'était fait avant son départ, c'est-à-dire de rester seul et ne rechercher aucune compagnie.

Tony accepta l'invitation avec joie. Il enfila la chemise d'Alexandre et paraissait déjà avoir oublié son altercation avec Fabio. Alexandre prit son sac à dos et ferma la porte en prenant soin de mettre le petit carton sur la poignée du côté « Ne pas déranger », mettant ainsi hors de danger quiconque voudrait venir le voir. Et surtout cela éviterait à Shadow d'avoir à se cacher sous le lit pendant que la femme de ménage procéderait au nettoyage. Alexandre était fier d'avoir pensé à la note, car il voyait mal la femme en question passer la vadrouille sous le lit et se retrouver face à un énorme chien husky.

En apercevant la voiture d'Alexandre dans son lamentable état, Tony émit un sifflement.

— Qu'est-il arrivé à votre voiture, monsieur ?

Alexandre se remémora la journée où il avait entrepris de massacrer la voiture de Diane afin de passer inaperçu. En le voyant agir ainsi, n'importe qui l'aurait pris pour un cinglé. Il avait oublié que Tony avait fait la remarque qu'il ne possédait pas une voiture de luxe, mais que c'était à ses yeux une bagnole qui dure.

— Disons qu'elle a subi à peu près le même sort que toi, dit Alexandre, mi-amusé.

Durant la moitié du trajet, Tony fit l'éloge de sa force. Il raconta combien Fabio en avait bavé. Le ton de sa voix baissa un peu quand il raconta qu'il n'avait pas voulu entrer chez lui de peur que son père sache ce qui s'était passé.

Mais tôt ou tard, il le saurait, surtout que, dès demain, il devait se rendre à la station-service pour y travailler.

— Vous savez, je suis en âge, mais mon père me couve comme une poule ! Je dirais même, plus que ma mère, lui avoua-t-il.

Alexandre, qui n'avait presque rien prononcé, se contenta de sourire.

— J'aurais bien voulu m'engager dans l'armée. Mais mon père est tout à fait contre ! Si j'en avais le pouvoir, je ferais en sorte que toute la vermine qui est ici-bas soit éliminée. Pas besoin de vous dire qui serait le premier sur la liste ! poursuivit-il.

Alexandre bénéficia de quelques minutes de silence pendant lesquelles il se demanda pour quelle raison il avait emmené Tony. Après tout, il n'aurait eu qu'à le mettre à la porte gentiment.

Toujours perdu dans ses pensées, Alexandre entendit en sourdine Tony lui poser une question. Voyant qu'Alexandre n'avait pas entendu, celui-ci répéta sa question :

— C'est vrai que vous êtes comme une sorte de chaman ?

De nouveau, Alexandre crut avoir mal entendu.

— Pardon ? s'enquit-il en haussant les sourcils.

— Cassandra m'a raconté que vous faisiez d'étranges symboles pour faire des invocations.

— Pas du tout ! J'ai gribouillé quelques pages sans plus, répondit Alexandre, offusqué.

— Mais, vous ne pouvez pas nier que votre loup apporte le malheur.

Alexandre était exaspéré. Il avait emmené Tony dans l'espoir de le distraire. Mais apparemment, le jeune homme n'en avait guère besoin. Maintenant, Alexandre n'avait qu'une envie : le jeter hors du véhicule.

Après quelques instants, Alexandre revint sur terre. Tony habitait dans un petit patelin, il ignorait les bonnes manières et de toute façon, les croyances au surnaturel étaient très répandues ici. De plus, Tony devait savoir quelque chose à propos de Shadow. Si Alexandre ne se montrait pas moins contrarié, Tony ne lui dirait rien de plus.

— Désolé de m'être emporté, Tony. J'ai eu quelques ennuis dernièrement.

— Bah ! Ce n'est rien. Mon vieux est toujours sur mon dos.

— Que voulais-tu dire à propos de mon chien ?

— Des gens que je connais dans la ville voisine m'ont raconté qu'ils avaient vu un loup. Un des hommes affirmait le contraire. Il leur a dit que c'était un chien et qu'il lui avait même donné à manger. Et après il est tombé malade. Juste avant de mourir, il a dit que c'était le chien, l'envoyé de la mort, qui était venu lui porter le message.

— Je vois. Et Cassandra t'a raconté que j'avais un chien du même genre et tu penses que c'est lui.

Tony semblait mal à l'aise. Il ne savait plus quoi dire. Quant à Alexandre, il savait bien que peu importe l'endroit où il irait, le cas de Shadow reviendrait toujours contre lui. Avant même qu'il arrive à la maison, il sut qu'il ne l'achèterait pas. Autant s'éloigner le plus possible de la civilisation.

— Vous savez, monsieur, Cassandra a vu votre chien avec un homme du village. Avant, il allait prendre son café tous les jours au même endroit. Mais depuis, on ne le voit plus.

Alexandre ne rajouta rien. Ils arrivèrent devant la maison. Le propriétaire s'y trouvait déjà. Alexandre demanda à Tony de l'attendre dans la voiture. Il entra à l'intérieur, suivi du propriétaire. Il fit le tour des lieux encore une fois.

— Cette maison est parfaite. C'est exactement ce que je cherchais. Mais malheureusement, je viens tout juste d'apprendre que je devrai peut-être retourner dans mon pays d'ici peu. Alors...

— Ah ! Je vois. Mais, j'ai peut-être une solution pour vous. Je peux aussi vous louer la maison. Cependant, vous comprendrez qu'il faudra payer un mois à l'avance.

Alexandre accepta sur-le-champ. Il n'aurait plus à être à l'hôtel. Et cela lui donnerait le temps de chercher autre part où vivre. Le propriétaire lui donna une clef et ajouta qu'il passerait d'ici deux jours pour signer le contrat de location et prendre le paiement. Alexandre revint dans la voiture sans cacher sa joie. Pour les semaines qui allaient suivre, il aurait l'esprit tranquille.

SORCELLERIE

Sur le chemin du retour, la conversation entre Alexandre et Tony fut basée sur les croyances du pays. Alexandre avait entamé ce sujet dont il avait une très vague idée. De plus, au peu qu'il connaissait en la matière il ne croyait aucunement. Il avait néanmoins la délicatesse de respecter ceux qui y croyaient. Contrairement à ce qu'Alexandre avait pensé, Tony faisait partie de la majorité des croyants. Tout en l'écoutant parler de ses convictions, Alexandre commençait sérieusement à se demander si ses plans de venir vivre en ces lieux n'étaient pas complètement insensés. Il savait bien, avant de partir, jusqu'à quel point les croyances étaient implantées chez les Mexicains. À présent, s'il restait, il aurait beaucoup plus de difficulté à passer inaperçu.
— Vous savez, la fête des Morts approche, continua Tony. C'est vraiment super, cette fête, vous verrez.
— Je ne vois pas ce qu'il y a à fêter là-dedans, dit Alexandre sur un ton acerbe.

Il revoyait sa femme, Catherine, lors de son accident. Et il s'imaginait mal fêtant sa mort avec joie. Par contre, elle avait été beaucoup plus ouverte que lui à ce genre de choses.

Elle avait lu des dizaines de livres sur les croyances à travers le monde. En tant que décoratrice, elle adorait tout ce qui donnait lieu à une forme d'art.

— On fête parce que c'est un nouveau départ pour eux...

Voyant qu'il ne pourrait pas changer l'opinion d'Alexandre, Tony haussa les épaules.

— Vous n'auriez pas quelque chose à manger dans votre voiture ?

— Non, mais nous serons bientôt arrivés. Je te dépose chez toi ?

— Oui, je vais me refaire une beauté avant d'affronter mon père !

Juste avant de le déposer, Alexandre se tourna vers Tony.

— Dis-moi, Tony, si les gens fêtent les morts et voient cela comme un commencement, pourquoi ont-ils peur de mourir alors ?

Tony le regarda fixement comme s'il formulait sa réponse avec précaution.

— Les ombres maléfiques ne conduisent pas à une autre vie.

Sur ces paroles, Tony tourna les talons et rentra chez lui. Alexandre comprit pourquoi le jeune homme avait pris le temps de penser avant de donner sa réponse. Il faisait allusion à Shadow. Par contre, cela n'expliquait pas pourquoi, malgré ses croyances, il s'était pointé chez Alexandre sans nulle crainte apparente. Peut-être que sa petite amie Anne en était responsable. Il n'avait pas peur de mourir.

Malgré tout, Alexandre arriva à l'hôtel de fort bonne humeur. Il salua Marguerite et lui vola un morceau de tortilla dans un des plats qui se trouvaient sur sa table de travail. Elle s'arrêta de chanter en le voyant et prit un air offusqué. Ensuite, elle éclata de rire à la prestance d'Alexandre et elle se remit à chanter. Devant la porte de sa chambre, Alexandre dut patienter avant d'ouvrir, car une voix venait de l'interpeller. Il referma la porte en y laissant la clef dans la serrure. Il reconnut à peine la voix tant l'homme était essoufflé.

— Bonjour, Carlos ! dit Alexandre en reconnaissant enfin le propriétaire de l'hôtel.

— Alexandre ! Je dois vous parler.

Carlos accourut en direction d'Alexandre et arrivé auprès de lui, il ouvrit la porte de la chambre sans même lui en demander la permission. Alexandre n'eut aucunement le temps de réagir. L'instant d'après, il s'engouffra dans la chambre à la suite de Carlos. Alexandre se dit que c'en était probablement fini de la vie de Carlos. Mais à sa grande surprise, Shadow était toujours caché, ce qui permit à Alexandre de se détendre un peu. Cependant, Carlos l'inquiétait au plus au point.

— Allez-vous enfin me dire ce qui se passe ? lui demanda Alexandre.

— J'ai eu de la visite aujourd'hui. Un homme est passé et a demandé à vous voir.

Alexandre ne souriait plus à présent. La sueur commençait à perler le long de ses tempes. Si l'institut psychiatrique avait retrouvé sa trace jusque-là, il n'y avait plus d'espoir pour lui. Il entendait à peine ce que lui disait Carlos. Pourtant, il savait qu'il devait l'écouter attentivement. Plutôt mourir que de retourner là-bas. Lentement, la voix de Carlos sembla moins forte. Alexandre se sentait de plus en plus mal en point.

Si, quelques instants auparavant, Alexandre n'entendait Carlos qu'à demi, à présent il le perdit totalement. Dans un court laps de temps où il reprit momentanément connaissance, il sentit qu'on le portait. Même s'il avait voulu protester, il en était tout simplement incapable. Il eut une dernière pensée pour Shadow puis retomba dans l'inconscience.

Il rêva une fois de plus à sa femme Catherine. Elle était accompagnée d'Erika, leur amie d'enfance. Elles se trouvaient devant leur chalet et paraissaient s'amuser de bon cœur. Puis soudainement le ciel s'assombrit et elles s'assirent par terre sur le porche. À ce moment-là, elles ne souriaient plus. Elles se parlaient à voix basse et Alexandre ne pouvait entendre le moindre mot. Il tenta de se rapprocher, mais ses pieds refusèrent de bouger. Les deux femmes avaient les yeux clos. Alexandre aperçut Shadow les rejoindre devant la maison. Catherine ouvrit les yeux la première et parut contente de voir le chien. Elle leva les bras au ciel et Erika en fit autant. Elles rentrèrent dans le chalet avec Shadow et une voix d'homme prononça comme venue de nulle part :

— Le maître est de retour !

Puis le rire diabolique qui accompagnait chacun des rêves d'Alexandre depuis un certain temps se fit entendre.

Le lendemain, Alexandre fut tiré du sommeil par une voix féminine qui chuchotait à ses oreilles. Le fait qu'on s'adresse à lui en espagnol le fit revenir à la réalité. Il était toujours au Mexique et la voix qu'il entendait était celle de Gabrielle. Personne n'était donc venu le chercher, ce qui voulait dire qu'il avait encore le temps de fuir. Il tenta de se lever, mais Gabrielle le retint fermement au lit.

— On va vous apporter un peu de nourriture. Vous verrez, tout ira mieux, lui dit-elle en lui caressant les cheveux.

Sans vraiment s'en rendre compte, il lui agrippa le poignet d'une main ferme.

— Écoutez, je dois partir de cet endroit maintenant ! Alors, foutez-moi la paix ! lança Alexandre à bout de nerfs.

Sur ce, il se le leva rapidement, laissant Gabrielle perplexe. Chancelant, il se rendit à sa chambre et mit le peu d'effets personnels qu'il possédait dans son sac à dos. Pendant ce temps, Gabrielle vint le rejoindre dans la chambre. Elle s'assit sur le lit et prêta attention aux sons qui l'entouraient.

— Vous croyez pouvoir aller loin dans cet état ? Vous ne tiendrez pas plus d'une heure avant de vous effondrer, lui dit-elle d'une voix ferme.

— Si je m'évanouis ailleurs qu'ici, ce sera parfait ! L'important est qu'ils ne me mettront pas la main au collet. Je suis désolé de vous avoir brusquée. Je dois vraiment partir : ma vie en dépend ! ajouta-t-il en fermant enfin son sac.

Il se retourna et s'apprêta à lui demander de partir afin de faire sortir Shadow par la fenêtre, mais, à sa grande surprise, il aperçut Shadow couché sur le lit près de Gabrielle. Elle flattait le chien d'une main affectueuse.

— Ce n'était pas très prudent de votre part de courtiser les forces du mal. Tôt ou tard, vous devrez les affronter, lui dit-elle en se levant.

— Si c'est votre façon de nommer les psychiatres, je dois dire que je suis bien d'accord avec vous. Maintenant, je dois vraiment partir.

Il se rendit à la fenêtre, s'assura que personne ne se trouvait à l'extérieur et fit sortir Shadow. Gabrielle l'attendait à la porte qu'il ferma à clef en poussant un soupir. Jamais plus il ne remettrait les pieds dans la chambre. Gabrielle posa une main sur son bras.

— Cassandra m'a décrit les signes que vous avez dessinés dans votre cahier. Ma grand-mère faisait aussi de la sorcellerie, vous savez. Même si vous venez de loin, je ne crois pas que ces pratiques diffèrent beaucoup d'un pays à l'autre.

Alexandre n'écoutait Gabrielle que distraitement. Il regardait tout autour, mais personne ne lui parut suspect. Dans le hall, il ne vit ni Margarita ni Carlos. Il devrait cependant revoir ce dernier afin de lui demander ce qu'il avait raconté exactement à son sujet.

Il fit monter Shadow en voiture et sans qu'elle lui eût demandé son accord, Gabrielle prit place à ses côtés. Alexandre haussa les épaules et projeta de la conduire chez elle. De toute façon, c'était sur sa route. Il comptait emprunter l'autoroute pour se rendre hors du Mexique, mais sans être certain de sa prochaine destination. Cependant, Gabrielle contra ses plans.

— Si vous comptez sortir du pays, je vous le déconseille fortement, car il pense que c'est ce que vous ferez. Mieux vaut rester.

Sans dire un mot, Alexandre réfléchit pour se rendre compte qu'elle n'avait pas tout à fait tort.

— Je vous aurais offert le gîte, mais il m'est impossible de le faire. Je me suis querellée avec mon père, c'est pourquoi j'ai passé la nuit à l'hôtel. Si nous allions dans la maison que vous avez achetée ? Vous pourriez vous reposer.

— Je l'ai louée ! De toute façon, c'est peine perdue. J'ai fait l'erreur d'emmener Tony. C'est certain qu'à l'heure actuelle la moitié de la ville est au courant. Vous en êtes d'ailleurs la preuve !

— Tony sait rester muet quand on le lui demande. Quand je suis arrivée à l'hôtel hier soir, il s'y trouvait. Il parlait avec Carlos de l'homme qui est venu vous visiter. Carlos avait l'air effrayé. Il nous a raconté comment vous vous étiez évanoui. Ensuite, Tony nous a proposé de vous conduire dans votre nouvelle maison. Mais nous avons pensé qu'il valait mieux attendre. Ce qui compte, c'est que j'ai demandé à Tony de ne parler à personne de votre maison. Je crois que l'on peut s'y rendre sans danger.

À bien y penser, Alexandre n'avait guère le choix. Bien qu'une certaine dose d'adrénaline l'incitât à prendre la fuite, il se sentait tout de même affaibli. Sa tête tournait.

Pourtant, ces derniers temps il ne s'était pas surmené. Il en était même arrivé à se sentir détendu, du moins jusqu'à ce que l'incident avec Shadow survienne.

Alexandre vérifia qu'il avait toujours la clef que le propriétaire lui avait remise. À bout de force, il se rendit à sa maison louée. Une fois à l'intérieur, il s'aperçut que le propriétaire y avait ajouté quelques meubles. Sans prendre le temps de s'occuper de Gabrielle ou même de s'assurer que Shadow était à l'intérieur, Alexandre s'effondra littéralement sur le divan.

Une fois de plus, il rêva de Catherine. Elle était entourée d'individus à l'allure étrange. Ils semblaient l'aduler. Elle était dans la maison d'Erika. Aux pieds de Catherine se trouvait Shadow. Puis, dans un murmure à peine audible, les gens prononçaient :

— Vive le prince des ténèbres qui est enfin parmi nous ! Et ils se mirent à tourner tout autour de Catherine d'un pas lent et saccadé.

À son réveil quelques heures plus tard, une fraîche odeur de café vint lui chatouiller les narines. Gabrielle avait pris l'initiative d'ouvrir les fenêtres, ce qui avait aéré la maison.

— Je n'ai rien trouvé à manger. Sauf un pot de café. Vous en voulez ? demanda-t-elle.

— Ce n'est pas surprenant. J'en prendrai une tasse rapidement et ensuite j'irai vous reconduire. Je passerai au marché par la même occasion. Mais, je crois que l'heure de fermeture est proche. Au fait, quelle heure peut-il bien être ?

— Il est huit heures… du matin ! Vous avez dormi profondément toute la nuit.

— Pourquoi ne m'avez-vous pas réveillé ? Vous avez passé la nuit ici ! Votre père…

— Je vous ai dit m'être querellé avec lui. Je crois que le fait de m'absenter quelque temps lui fera le plus grand bien.

Ils n'échangèrent que peu de mots le temps qu'Alexandre termina son café. Il remarqua que Gabrielle avait pris la peine de mettre un bol d'eau fraîche à la disposition de Shadow. Elle dut s'y reprendre par deux fois pour poser sa question avant qu'Alexandre ne l'entende enfin. Il était comme dans une phase lunatique et fixait le bol d'eau.

— Hmmm ! Je vous demandais si vous connaissiez l'homme qui vous cherche.

— Lui personnellement, non. Je sais qu'il vient de l'institut de recherche de mon pays. J'y ai fait un séjour avant de venir ici.

Alexandre se demandait s'il avait bien fait de lui parler de sa vie. Il se souvint de Diane, puis la docteure Claire Millet lui revint aussi en mémoire, elle qui s'était montrée si aimable à leur première rencontre. Mais dans le cas de Gabrielle, elle n'avait rien à craindre à côtoyer Shadow et elle n'avait absolument rien à gagner à se retourner contre Alexandre.

— Je crois que vous n'avez pas bien saisi, Alexandre. L'homme qui vous recherche n'est pas de connivence avec le centre dont vous me parlez. Carlos m'a dit qu'il avait eu très peur de lui. Ce n'était pas un homme ordinaire.

Alexandre resta perplexe. Comment n'y avait-il pas pensé ? L'inconnu avait beaucoup plus de chances de retrouver sa trace que le centre de recherche. Comme tout le monde le lui avait dit et continuait à le dire, il s'agissait d'un homme hors du commun.

— Comme je vous disais, vous ne saisissez rien à ce qui vous arrive ! Vous êtes entré dans un monde dont vous n'avez pas le contrôle. Quand on ne sait pas ce que l'on fait, mieux vaut ne pas s'aventurer dans le monde de la sorcellerie !

— Ce n'est pas de la sorcellerie ! C'est la mort. La mort pour tous ceux qui me côtoient, lui répondit Alexandre sans réfléchir.

Le ton élevé de la voix d'Alexandre permit à Gabrielle de voir qu'il était à bout de nerfs. Elle n'en continua pas moins la conversation, laissant néanmoins à Alexandre le temps de se calmer avant de reprendre :

— Vous souvenez-vous que je vous ai dit que Cassandra m'a décrit ce que vous avez dessiné dans votre cahier ? Je n'ai aucun doute qu'il s'agit de symboles ésotériques. J'en sais quelque chose pour en avoir vu de mes propres yeux ! dit-elle d'une voix enrouée.

— Je suis désolé d'apprendre que vous avez perdu la vue. J'imagine que ce doit être plus difficile pour quelqu'un qui n'est pas né ainsi.

— Peut-être, Alexandre. Dites-moi plutôt ce que vous essayiez de faire en créant ces symboles. Vous appeliez une personne en particulier ? continua-t-elle.

— Non ! Mais arrêtez avec ces histoires de sorcellerie ! Puisque je vous dis qu'il ne s'agit pas de cela. J'ai fait ces dessins en dormant. C'est un acte sans conséquence.

— Je ne crois pas. L'homme qui est à vos trousses est arrivé peu de temps après. Il est venu à vous, mais d'un autre côté, s'il avait vraiment voulu vous avoir, il n'aurait eu qu'à se louer une chambre au même hôtel et vous attendre bien sagement.

Alexandre ne portait plus attention à ce que Gabrielle racontait. Elle disait vrai au sujet de l'inconnu. Il arrivait chaque fois qu'il faisait ces foutus dessins contre son gré. Le dernier rêve qu'il avait eu en faisant les symboles lui revint graduellement. Sa femme Catherine et son amie Erika effectuaient une sorte de rituel, puis Shadow avait fait son arrivée. L'instant d'après tout chavira : il comprit enfin que Catherine avec l'aide d'Erika avait fait en sorte de tenter de capturer la mort. Shadow était la clef de tout cela. Comme dans son rêve, Catherine avait été la première à apercevoir Shadow. Et par conséquent, elle avait été la première à mourir. Il n'avait cependant aucune explication en ce qui le concernait, lui. Il se prit la tête entre les deux mains, tentant ainsi de calmer son crâne qui semblait vouloir exploser. Il se leva tranquillement. Tout autour de lui vacillait. Il voyait Gabrielle qui manifestement tentait de lui dire quelque chose, mais il n'entendait rien mis à part un bourdonnement. Il se sentait irrémédiablement attiré vers l'inconscience. Il avait du mal à garder le contrôle de lui-même. Il entendait des voix qui lui chuchotaient à l'oreille.

Il ne parvenait toutefois pas à discerner les paroles. Puis enfin, il s'effondra lourdement au sol.

Gabrielle tournait en rond. Elle ne savait que faire. Elle se trouvait beaucoup trop loin pour aller chercher seule de l'aide. Elle avait réussi à coucher Alexandre sur le divan et elle venait lui éponger le visage. Mais c'est tout ce qu'elle pouvait faire. En fin de journée, elle parvint enfin à s'endormir sur le fauteuil près d'Alexandre.

Vers sept heures, elle sursauta et sentit son sang se figer quand elle entendit que l'on frappait à la porte. Alexandre n'émit qu'un petit son sans sortir de son sommeil agité tandis que Shadow se dirigeait vers la chambre du fond. Elle se rendit à la porte munie d'une petite fenêtre laquelle ne lui était néanmoins d'aucune utilité. D'une voix qui se voulait ferme, elle demanda de qui il s'agissait. Quel ne fut pas son soulagement quand le visiteur lui expliqua qu'il était le propriétaire et qu'il venait faire signer le contrat de location à Alexandre ! Gabrielle le pria d'entrer. Elle lui offrit une tasse de café qu'il accepta. Elle lui expliqua qu'Alexandre était mal en point. Le propriétaire fit maintes offres pour emmener Alexandre à l'hôpital, mais Gabrielle les déclina toutes. Elle en profita cependant pour lui demander de bien vouloir faire un téléphone pour elle. Il accepta et avant de partir, il lui remit les contrats à signer et spécifia que si Alexandre devait partir durant le mois, il devait laisser la clef sous le paillasson devant la porte.

Moins d'une heure et demie après, Tony arriva. Apparemment, le propriétaire n'habitait pas très loin. Il avait eu le temps de se rendre chez lui et de téléphoner à Tony. Celui-ci n'avait pas perdu de temps. Gabrielle lui expliqua la situation et il repartit aussitôt. Il ferait un tour chez lui pour prendre médicaments et nourriture.

La semaine qui suivit fut tout de même calme malgré les circonstances. Alexandre en passa la grande partie à dormir. Gabrielle s'occupait de préparer les plats que Tony lui apportait. Celui-ci venait presque chaque soir. Il était passé à l'hôtel de Carlos pour savoir si Alexandre avait reçu d'autres visites, mais la réponse était négative. Puis souvent, il racontait des anecdotes concernant sa petite amie Anne. Mais chaque fois, le ton de sa voix diminuait. Si Gabrielle l'écoutait attentivement et prenait la peine de ne pas trop lui poser de questions, Alexandre, quant à lui, réagissait tout autrement. Les yeux fermés, il écoutait le jeune homme raconter sa vie amoureuse. Gabrielle et Tony croyaient qu'il dormait profondément. Mais combien Alexandre aurait voulu que Tony comprenne qu'il fallait laisser cette petite garce, qu'elle n'en valait pas la peine ! Mais après tout, cela ne le regardait aucunement. Tony était un brave garçon, mais Alexandre ne pouvait prendre les décisions à sa place. Ce dernier ne s'était jamais retrouvé avec une personne qu'il aimait alors que celle-ci ne ressentait rien pour lui en retour.

Un soir alors que Tony s'apprêtait à repartir, Gabrielle lui demanda comment allait sa relation avec Anne. Il lui raconta qu'une fois de plus, après avoir passé la journée avec lui, elle était repartie avec Fabio pour la nuit.

— Peut-être devrais-tu rester avec elle au lieu de venir passer tes soirées ici, lui dit Gabrielle.

— Non, ça n'a rien à voir ! Elle le faisait bien avant. La seule chose qui pourrait changer cela, c'est les trucs de votre grand-mère !

Gabrielle ne s'aventura pas plus à fond dans le sujet. Elle lui adressa un sourire et le mit gentiment à la porte. Voyant qu'ils étaient enfin seuls, Alexandre était venu s'asseoir sur le divan. Il fut surpris quand Gabrielle s'adressa à lui.

— Vous êtes réveillé depuis longtemps ? s'enquit-elle.

— Euh ! Plus ou moins.

— Je suis aveugle mais pas sourde, Alexandre.

Comme pour confirmer qu'il avait fait un bruit minime à son arrivée au salon, Gabrielle s'installa à ses côtés sur le divan. Celui-ci émit un petit grincement à peine audible qui fit sourire Alexandre. L'ouïe de Gabrielle captait absolument tout, d'autant plus que, se rappela Alexandre, lorsqu'il s'était assis sur le divan, elle parlait toujours à Tony.

— Vous avez faim peut-être ? demanda-t-elle en faisant mine de se lever.

— Non, pas vraiment. J'aimerais que vous me parliez de votre grand-mère.

Gabrielle se leva. Alexandre remarqua que ses traits s'étaient durcis subitement. Elle se rendit à la cuisine pour faire bouillir de l'eau.

— Que voulez-vous savoir exactement ? Je vous ai déjà dit qu'elle faisait de la sorcellerie. Personnellement, ce n'est pas un sujet qui me passionne.

— Je suis aussi de cet avis. Mais depuis quelque temps, je dois vous dire que je n'ai guère le choix de me questionner sur tout ce qui se rattache à la sorcellerie. Sans entrer dans les détails, je dirais que ma vie est parsemée d'étranges phénomènes qui échappent à la réalité des choses, sans compter que je m'endors à tout moment de la journée. Et cela m'arrive de plus en plus fréquemment. J'en suis même à perdre connnaissance de temps à autre.

Pendant quelques minutes, Gabrielle semblait avoir d'innombrables souvenirs qui remontaient à la surface. Alexandre se sentit mal à l'aise. Elle vint le rejoindre une fois les cafés prêts.

— Ma grand-mère était la sorcière du village. Les gens la respectaient mais ils la craignaient aussi. La peur amène souvent un certain respect, même s'il n'est pas réellement sincère. Enfin, tout allait bien jusqu'à ce que son fils, mon père, tombe amoureux d'une femme qui n'entrait pas dans les critères qu'elle avait établis. Ils se sont tout de même mariés et je suis venue au monde.

— Oh ! Je vois. Par conséquent, elle ne vous portait pas vraiment dans son cœur.

— Au contraire, je crois qu'elle me voulait comme apprentie. Disons qu'au tout début, elle n'aimait pas ma mère parce que celle-ci ne se laissait pas marcher dessus. Elle voulait néanmoins m'entraîner dans la même voie qu'elle, alors elle s'est tenue tranquille durant un certain temps. Elle me racontait un tas d'histoires, elle me montrait des choses hors du commun. Puis un jour ma mère y a mis un terme. Tout d'abord, je n'y comprenais rien et j'étais en colère. Mais j'ai vite fait de m'apercevoir que ma grand-mère était le mal incarné.

Alexandre remarqua que Gabrielle était nerveuse. Même s'il ne croyait pas en la sorcellerie, il pouvait facilement imaginer le mal qui pouvait découler de cette croyance.

— Elle a tout fait pour que mes parents se séparent. Puis, elle a tenté de me mettre de son côté. Mais à cette époque, j'étais déjà assez mature pour comprendre le bien et le mal.

— Heureusement pour vous.

— Oui. Mais, je dois vous avouer que, malgré tout, la curiosité ne m'avait pas quittée. Plusieurs fois par semaine, je m'empressais d'aller l'espionner à sa fenêtre. Elle me fascinait et me répugnait en même temps.

Gabrielle prit une pause, posant la tasse de café déjà refroidi à ses lèvres. Mais, Alexandre désirait en savoir plus. Il tenta de lui enjoindre de continuer.

— La curiosité est normale chez les enfants, dit-il.

— C'est vrai. Mais, j'ai payé amèrement le prix. Cela m'a coûté la vue. Je l'espionnais depuis la fenêtre comme les fois précédentes. Je ne la voyais que de dos. Elle mélangeait des ingrédients et murmurait des incantations. Puis, les battements de mon cœur se sont accélérés soudainement.

Alexandre remarqua que Gabrielle avait la chair de poule. Il posa une main réconfortante sur son bras.

— Elle a ensuite fait volte-face et m'a regardée dans les yeux. J'ai ressenti une intense douleur à la tête et me suis effondrée au sol. Elle est sortie de la maison à une vitesse fulgurante. J'étais toujours consciente à ce moment-là, et ma vue était un peu trouble. Elle s'est penchée et m'a dit qu'un jour, le fait d'être une non-voyante me sauverait la vie. Le lendemain, mon père m'a trouvée gisant sur le sol de ma chambre à coucher. J'étais complètement aveugle.

— Vit-elle encore ? demanda Alexandre.

— Certains disent que oui. Tout près du lac où l'on s'est rencontrés l'autre jour. Il y a un sentier abandonné. Les gens croient qu'il mène jusqu'à sa demeure.

La conversation ne se poursuivit pas plus loin. Prétextant la fatigue, Gabrielle monta se coucher. Alexandre resta debout une bonne partie de la nuit. Les questions se bousculaient dans sa tête. Tous ses principes se trouvaient déstabilisés. Il était à présent certain que sa femme Catherine et son amie Erika avaient fait de la sorcellerie. Mais le pire était que, si le rêve qu'il avait fait s'avérait exact, Shadow était le fruit de leurs travaux. Donc, il n'était pas un simple messager. Il en était à se demander si Shadow était conscient qu'il faisait le mal, qu'il apportait la mort. Non, en y réfléchissant bien, il ne pouvait admettre que Shadow soit vraiment le messager du mal. Shadow en était conscient, certes. Ce n'était que le cours normal des choses. Il faudrait cependant en savoir beaucoup plus sur le sujet, peu importe la façon dont il devrait s'y prendre avec Gabrielle.

Le lendemain, des petits doigts fins lui caressant les cheveux le tirèrent du sommeil. Quand il ouvrit les yeux, il aperçut Cassandra qui le regardait avec son petit visage empreint d'inquiétude.

— Bonjour, Cassandra. Alors, tu es venue me rendre visite ?

— Bonjour, *señor* Alexandre. Tony m'a permis de l'accompagner.

Tony avait trouvé Cassandra près de chez Gabrielle. Il avait pensé que sa présence ne les importunerait pas trop. Alexandre dut se rendre à l'évidence que Gabrielle avait cessé sa routine habituelle uniquement pour lui. Il n'en était pas moins content de voir Cassandra. La petite rayonnait. Elle lui avoua avoir pensé que les deux personnes qu'elle aimait le plus au monde mis à part son père avaient disparu à jamais. Alexandre savait qu'il devrait pourtant partir bientôt, mais il se dispensa de lui en parler. Il était extrêmement touché que la petite lui vouait une telle affection. Ils dînèrent tous les trois. Shadow faisait son apparition de temps à autre pour quémander une bouchée. Alexandre guettait la porte de peur que Tony ne revienne plus tôt que prévu et n'aperçoive Shadow. Puis, Cassandra le prit de court alors qu'il ne s'y attendait point :

— Vous viendrez à la fête des Morts quand même ?

Puisqu'il mit du temps à répondre, Gabrielle lui expliqua qu'on approchait de la fête des Morts, qui était les 1er et 2 novembre !

— Ce qui vous laisse trois jours pour trouver un costume, continua Cassandra.

— Je veux bien y aller. Mais j'aimerais bien savoir pourquoi tu demandes si j'irai « quand même », demanda Alexandre.

Cassandra regarda Gabrielle intensément. Ne voyant aucune réaction, elle répondit.

— Bien, depuis que vous êtes parti, les gens parlent de vous. De Gabrielle aussi. Parce que son père a dit à tout le monde qu'elle était comme sa grand-maman. Tony sait à propos de votre chien. Vous n'avez pas besoin de surveiller son arrivée. Je lui ai dit que moi et Gabrielle étaient les seules à pouvoir être en sa présence.

— Mais qu'est-ce que tu vas chercher ? Je préfère que Shadow n'aperçoive pas les gens, car il a parfois un comportement plutôt agressif.

La petite se leva d'un bond et courut vers Shadow qui était tapi près de l'escalier.

— On ne ment pas à ceux qu'on aime ! lança-t-elle.

Alexandre ne savait plus quoi dire. Pour une journée qui avait débuté en douceur ! Il était plus que temps qu'il quitte ce pays. Sans plus aucune faim, il trempait sa tortilla dans son assiette à demi remplie. La main de Gabrielle vint se poser sur son épaule.

— Elle a raison, vous savez. Vous ne pouvez plus rien cacher à présent.

— Alors, je partirai ce soir. Je vous ai causé assez de tort. Tout aurait été moins compliqué si j'avais choisi un autre pays que celui-ci.

— Peut-être. Mais n'oubliez pas que chaque chose a sa raison d'être.

Les écoutant parler, la petite était revenue près d'Alexandre. Le fait qu'elle était en colère contre lui n'était que momentané. Elle ne voulait aucunement qu'il parte.

— Vous allez partir à cause du monsieur qui vous cherche ? demanda-t-elle.

À cette question, Gabrielle laissa retomber l'assiette qu'elle venait de prendre. Alexandre regarda Cassandra sans trop comprendre. Comment Tony avait-il pu lui raconter cela, alors que Gabrielle lui avait spécifié de ne pas y faire allusion !

— De quel monsieur parles-tu ? demanda Gabrielle.

— Le monsieur avec le drôle de chapeau qui est venu me voir l'autre jour alors que je jouais dans ma cour. Il était plutôt gentil malgré son air méchant.

Si Alexandre s'était d'abord douté qu'il s'agissait de l'inconnu responsable de la mort de Tania, à présent il ne pouvait que constater que celui-ci était toujours à ses trousses. La clochette de panique tinta dans sa tête quand il comprit qu'il n'aurait peut-être même pas le temps de quitter le pays. Si l'homme en question avait suivi la petite, il ne devait pas être bien loin à présent. Gabrielle n'eut rien à dire : Alexandre comprit en la regardant qu'elle pensait la même chose que lui. Ils n'eurent pas le temps de demander à Cassandra si elle avait vu une voiture qui les suivait. De toute façon comment aurait-elle su ? On sonna à la porte à plusieurs reprises. Gabrielle se rapprocha de Cassandra et la couvrit d'un bras protecteur, sans vraiment se rendre compte qu'en agissant ainsi elle ne faisait qu'accroître la peur de la petite.

Alexandre se leva et se rendit à la porte. Avant de l'ouvrir, il jeta un coup d'œil pour voir si Shadow était toujours au salon. Mais il n'y était pas. D'un geste brusque, il ouvrit la porte. Quelle ne fut pas sa surprise quand il aperçut devant lui nul autre que Tony ! Il poussa un soupir de soulagement. Cassandra cria le nom de Tony d'un ton joyeux.

Plus tard dans la soirée, alors qu'ils bavardaient de choses et d'autres, Alexandre entreprit de ramasser ses effets. Il comptait partir tard dans la nuit. Il expliqua vaguement la situation à Tony qui ne sembla pas apprécier, mais ne tenta pas de l'en dissuader. Alexandre aurait souhaité en savoir plus sur ce que l'inconnu avait demandé à Cassandra. Mais celle-ci s'était endormie dans les bras de Gabrielle.

Juste avant qu'ils partent tous les trois laissant Alexandre seul avec son destin, Gabrielle surprit Alexandre encore une fois. Alors qu'il les saluait devant l'entrée, elle se retourna vers lui en prenant une grande inspiration.

— Vous savez, Alexandre, un jour ou l'autre vous aurez à le confronter. Pensez-y bien avant de partir d'un endroit où vous êtes à l'abri et où vous avez de véritables amis. Et puis, vous avez promis à Cassandra de venir fêter avec nous.

Alexandre émit un petit rire nerveux et caressa les cheveux de Cassandra qui était à moitié endormie dans les bras de Tony.

— Gabrielle, vous n'y pensez pas ! Cet homme veut ma peau, sans compter que si je vais à cette fête, il pourrait m'abattre devant la foule et en tuer plusieurs. Je sais ce dont il est capable, dit-il en se remémorant l'horrible scène dont il avait été témoin cette journée où il avait entrevu la scène du meurtre de Tania. Elle avait été assassinée sans pitié.

Ce fut la seule tentative de Gabrielle pour le garder près d'elle.

Cette même nuit, Alexandre était fin prêt pour son départ. Mais à la dernière minute, il se ravisa, non seulement parce que Gabrielle avait raison, mais aussi parce qu'il était attaché à elle. De plus, si l'inconnu savait où il se trouvait, il devait surveiller son départ. D'un autre côté, allait-il passer la nuit à l'attendre dehors ? Et s'il décidait d'en finir avec lui cette nuit même ? Alexandre sentit la tête de Shadow que celui-ci venait de poser près de ses pieds. Sa présence rassurante l'apaisa aussitôt, ce qui par la même occasion finit par le faire pencher vers la décision de rester.

Il passa plusieurs heures à se demander s'il faisait le bon choix, car comme il y avait pensé un peu plus tôt, il n'était pas certain que Gabrielle soit hors de danger. Après tout, elle avait été en contact à plusieurs reprises avec Shadow. L'homme venait-il pour elle ? De toute manière, il pouvait rester pour la fête des Morts et partir ensuite. Il en profiterait pour remettre une somme d'argent à Gabrielle, à

Tony ainsi qu'au père de Cassandra. Cependant, garder le contact une fois parti était hors de question.

Alexandre passa donc les trois jours qui suivirent à l'intérieur. Quand Shadow devait sortir, il le surveillait de près tout en jetant des regards aux alentours. Au bout du troisième jour, il se prépara pour se rendre au centre du village afin d'y rencontrer Gabrielle avant les célébrations. Il se demanda combien de temps il allait encore survivre à ce genre de vie misérable. Alors qu'il pensait à Gabrielle, il se sentait pleinement heureux, mais l'instant d'après tout basculait. Il savait pertinemment au plus profond de son être que partout où il irait ce serait la même chose. Autant en finir une fois pour toutes. Il donna à manger à Shadow, lui chuchota quelques mots à l'oreille puis quitta la maison d'un pied ferme.

EL DÍA DE LOS MUERTOS

La température était clémente. La journée s'annonçait sans l'ombre d'un nuage. Malgré cela, Alexandre ne se sentait aucunement à l'aise. Il se doutait qu'il courrait de grands dangers. L'inconnu l'attendait et cette fois, il savait qu'il n'y avait aucune échappatoire possible. Si Alexandre l'apercevait, il ne pourrait rien faire pour l'intercepter. Mais cela, Alexandre savait qu'il n'en aurait nullement besoin. L'homme en question ne s'évaporerait pas comme la première fois qu'il l'avait aperçu, car à présent, les policiers n'accourraient pas à la rescousse d'Alexandre.

Il se mit en route, prêt à sceller son destin. Les gens déambulaient déjà dans les rues. La plupart d'entre eux avaient des costumes aux couleurs chatoyantes. Une grande majorité avait le visage caché par un masque. Impossible de distinguer la personne qui le portait. Alexandre en vint à se demander s'il n'était pas venu au village trop tard. Il ne s'attendait pas à un si grand événement. Il se dirigea vers la maison de Cassandra. Si la petite et son père ne s'y trouvaient pas, il n'aurait qu'à rebrousser chemin et retourner chez lui.

En arrivant devant la petite maison, il aperçut la voiture d'Andros. Mais cela ne voulait rien dire : peut-être s'étaient-ils rendus à pied ? À l'instant où il gravit les quelques marches pour arriver devant la porte, il eut à peine le temps de frapper qu'il comprit qu'ils étaient toujours à la maison. Un cri strident de joie se fit entendre de l'intérieur. La porte s'ouvrit et Cassandra se trouva devant lui bondissant dans tous les sens.

— Je savais bien que vous viendriez ! s'écria-t-elle sur un ton victorieux.

Elle lui sauta littéralement dans les bras. Son père apparut l'instant d'après avec une mine affreuse. Il empestait la boisson. Les yeux à demi ouverts, cernés jusqu'au menton, il sourit faiblement à Alexandre qui le regarda, perplexe, ne sachant que dire ! En guise de réponse, le sourire qui avait été adressé à Cassandra quitta ses lèvres subitement. Alexandre avait pour cet homme, jusqu'à il y a quelques minutes encore, une grande estime. Apparemment il avait fait erreur à son sujet. Comment peut-on boire comme un ivrogne quand on a une petite fille à sa charge ? Mais Alexandre savait qu'il ne connaissait strictement rien à son sujet. Le fait qu'une personne nous soit sympathique ne change en rien sa personnalité réelle.

Alexandre déposa la petite au sol. Toujours sans rien dire, il tourna les talons. Les questions commençaient à jaillir dans son esprit. Quel calvaire Cassandra endurait-elle ? Devait-il partir sans rien tenter pour l'en sortir ? Il ne fit que trois pas, puis il sentit une main ferme atterrir sur son épaule. Il se retourna lentement. Cassandra n'avait prononcé aucun mot depuis que les deux hommes s'étaient lancé des regards de glace.

— Ne partez pas. Je comprends votre réaction et je suis conscient d'avoir agi comme un idiot en abusant de la boisson. Mais j'ai appris le décès de ma femme hier et je suis bouleversé. Cassandra l'a à peine connue et bien que nous soyons séparés depuis un bon bout de temps, j'ai du mal à l'accepter.

Le visage d'Alexandre perdit la couleur rouge qu'avait fait surgir sa colère. À présent il se sentait extrêmement mal à l'aise. Les souvenirs de la mort de Catherine n'étaient qu'encore trop frais dans sa mémoire, sans compter ceux de Tania. Il savait ce que signifiait la perte d'un être cher.

Après l'invitation d'Andros, il entra dans la maison. La demeure en question était munie de meubles en bon état mais quelque peu dépareillés. Tout était rangé mis à part des jouets qui se trouvaient au milieu du salon. Andros lui offrit un café. Alexandre accepta en se disant que le café serait plus profitable à son hôte qu'à lui-même. Voyant que tout semblait rentrer dans l'ordre, Cassandra retrouva l'usage de la parole.

— Alors, vous êtes venu *por el día de los muertos?* demanda-t-elle dans un mélange de français et d'espagnol.

Alexandre n'eut pas le temps de lui répondre. Le père prit la parole comme si la petite n'avait rien dit.

— Oui, bien entendu, je me doutais que vous n'étiez pas en visite de courtoisie. Gabrielle est venue garder Cassandra hier soir. En fait, elle est partie tôt ce matin. Elle avait quelques courses à faire, mais elle reviendra la chercher plus tard. Je ne crois pas que ce soit une bonne idée que j'y aille.

— Je comprends. Je resterai près d'elle si cela vous rassure, répondit Alexandre.

Sa phrase était sortie trop vite. Il le comprit en voyant le visage du père de Cassandra se contracter. De quel danger pouvait-il avoir peur ? Ce n'était qu'une célébration après tout. Personne, mis à part Gabrielle et Tony, n'était au courant qu'Alexandre était poursuivi par un homme mystérieux. Les pensées d'Alexandre se mirent à vaguer dans cette direction. Si sa vie était en danger, le fait de parader avec une femme et un enfant ne les mettait-il pas encore plus à risque ?

Cassandra était plantée là au milieu des deux hommes à les regarder avec béatitude. Elle ne comprenait absolument rien : Alexandre avait l'air d'être guéri, mais sa tête ne semblait pas être tout à fait présente; quant à son père, il lui avait expliqué qu'il était triste parce que sa mère était partie pour un autre monde. Mais ça, elle le savait déjà ! Son père lui avait expliqué tout cela quand elle lui avait demandé pourquoi elle n'avait pas de maman comme les autres enfants. Elle allait devoir en parler avec Gabrielle. Elle au moins saurait de quoi il en retourne. Sans rien dire, elle partit chercher son costume.

Alexandre adressa un sourire à Andros qui s'était tourné vers lui. Les traits de son visage n'étaient plus aussi durcis. Alexandre s'était soudainement rappelé qu'en tant qu'étranger, il ne connaissait pas les coutumes du Mexique. Pour n'importe qui d'autre, célébrer le jour des Morts en riant devait être perçu comme une façon plutôt ignoble de rendre hommage aux disparus.

— Vous savez, Alexandre, cela est ainsi depuis des siècles. Tôt le matin du jour des Morts, les gens vont au cimetière, ils nettoient les tombes et repeignent les croix. Ils prient pour le repos des défunts. Mais à mesure que la journée avance, ils festoient. C'est ainsi qu'ils leur rendent hommage. Il n'y a généralement aucun incident.

Alexandre hocha la tête. L'homme à ses côtés venait de perdre la femme qu'il aimait et c'était lui qui devait démontrer qu'il avait le contrôle. Mais Alexandre se sentait trop exténué mentalement pour entretenir la conversation. Après tout, Andros ne savait pas jusqu'à quel point Alexandre était dans le pétrin. Et mieux valait qu'il en reste ainsi. Ils continuèrent leur café sans discuter.

Gabrielle arriva une quinzaine de minutes plus tard. Elle avait sous le bras ce qui semblait être des costumes. La petite vint l'accueillir comme elle l'avait fait pour Alexandre. À les voir ainsi, on n'aurait jamais cru qu'elles s'étaient vues la veille et une partie de la matinée. Gabrielle se pencha pour écouter ce que la petite avait à lui dire. Un sourire apparut sur son visage. Elle tourna la tête vers le salon.

— Contente que vous soyez parmi nous, Alexandre. Apparemment, Cassandra avait raison ! dit-elle joyeusement.

— À quel sujet avait-elle raison ? demanda-t-il, se sentant plus à l'aise étant donné qu'elle n'était manifestement pas en colère contre lui.

— Elle m'avait dit que vous seriez présent. Parce qu'elle vous l'avait expressément demandé.

Alexandre reconnaissait que cette demande avait fait pencher la balance, ce qui augmenta le bonheur de la petite. En un rien de temps, elle avait enfilé son costume et pressa les deux adultes d'en faire autant.

Ils quittèrent donc la demeure de Cassandra en fin d'après-midi. Gabrielle était vêtue d'un costume de fantôme, le plus simple des trois d'ailleurs : un drap blanc jeté sur ses épaules avec un masque qui lui recouvrait complètement le vissage. Cassandra s'était déguisée en sorcière tout comme l'année précédente. Elle portait tout l'attirail en partant du chapeau jusqu'au soulier. Un long nez pointu muni d'une énorme verrue était attaché par un élastique à ses oreilles.

Pour Alexandre, Gabrielle et Cassandra avaient déniché un costume de diable, tout de rouge avec une longue queue qui, malgré la grandeur d'Alexandre, touchait presque le sol. Deux petites cornes pointaient sur sa tête.

À leur arrivée, ils avaient croisé beaucoup de gens, mais à présent le nombre avait triplé. Les enfants couraient çà et là, s'en donnant à cœur joie. Cassandra, quant à elle, était plutôt du genre tranquille. Elle souriait et les regardait s'amuser comme l'aurait fait un adulte. Elle ne semblait pas les envier. Elle ne lâchait pas Gabrielle et Alexandre de la main. Il régnait une forte odeur d'encens qui semblait provenir d'un peu partout.

Alexandre se sentait de plus en plus étourdi. Peut-être qu'en fin de compte il ne s'était pas complètement remis de ses malaises. Ou bien était-ce dû au fait qu'il ne cessait de tourner la tête dans toutes les directions ? Il était constamment dans la crainte d'apercevoir le meurtrier de Tania. En plus de cela, s'ajoutaient les enfants qui couraient en tous sens et l'odeur d'encens qui l'empêchait de respirer librement.

Gabrielle s'aperçut qu'il ralentissait le pas. Elle lui prit l'avant-bras afin de le soutenir.

— Nous sommes presque arrivés, dit-elle.

— Ça ira, Gabrielle. Mais dites-moi, à quel endroit allons-nous au juste ? Je croyais que nous ne faisions que nous balader.

— Nous allons chez ma cousine Lina. Elle a perdu un de ses fils il y a quelques années. Le premier jour des célébrations est celui des enfants défunts. Le lendemain, c'est celui des adultes.

— Ah ! Je vois, répondit simplement Alexandre.

Ils marchèrent encore pendant un certain temps qui parut très long à Alexandre. Il sentait qu'il avait moins de patience que Cassandra. À présent il regrettait d'être venu aux célébrations. Mais il était trop tard pour rebrousser chemin. Pendant les moments de silence, il s'imaginait rencontrer l'inconnu qui voulait sa peau. Il était tellement las qu'il n'aurait aucunement la force de se battre contre lui.

— Vous croyez que votre chien s'ennuie d'être seul à la maison ? lui demanda soudainement Cassandra.
— Mais pas du tout ! Il peut dormir à sa guise et personne ne vient l'embêter. En fait, je crois qu'il adore rester seul quelquefois.
— Comme lorsque vous l'avez rencontré ?

Le sourire aux lèvres, Alexandre s'apprêtait à lui répondre par l'affirmative quand il se rendit compte qu'elle ignorait tout de sa première rencontre avec Shadow. Il voulut la questionner sur ce sujet, mais fut interrompu par une jeune femme qui venait de les apercevoir.
— Gabrielle ! s'écria joyeusement celle-ci.

Elles restèrent quelques instants dans les bras l'une de l'autre. Puis Gabrielle fit les présentations. Alexandre, totalement distant, ne cessait de se demander comment Cassandra savait que Shadow était seul quand Alexandre l'avait rencontré. Mais une petite voix intérieure lui chuchotait qu'au fond cela ne pouvait provenir que d'une seule et même source : l'inconnu qui avait abordé Cassandra, car après tout, elle et Alexandre n'avaient toujours pas eu d'entretien au sujet de cette rencontre. Au moins, l'inconnu ne semblait pas l'avoir terrorisée. Ou peut-être n'était-elle simplement pas consciente du danger ?

Sans qu'il s'en aperçût vraiment, Alexandre se retrouva à l'intérieur de la demeure de Lina. L'odeur d'encens était semblable à celle qu'on pouvait humer de l'extérieur, mais la concentration était beaucoup plus forte. Dans le coin d'une pièce, on avait accumulé un tas de jouets de toutes sortes.

Gabrielle lui expliqua discrètement que les jouets étaient dédiés à son défunt fils.

Des cierges étaient allumés un peu partout dans la maison où se trouvaient plusieurs personnes. Aucune d'entre elles ne semblait triste. Alexandre fut présenté à quelques-uns, mais l'instant d'après leurs noms lui échappaient déjà.

Cassandra lui lâcha la main et se dirigea vers la cuisine. Elle revint peu de temps après avec plein les mains des pâtisseries en forme de tête de mort et de cercueil.

— Ce sont des *calaveritas*, dit-elle en l'invitant à en manger.

Alexandre en prit une et vint pour la porter à sa bouche quand il aperçut qu'il y avait une inscription dessus.

— Pedro, lut-il à voix haute.

Pendant qu'il dégustait le petit pain sucré, Cassandra lui expliqua qu'il s'agissait du prénom du garçon de Lina. Alexandre eut quelques difficultés à avaler le pain en question après cette annonce. Le morceau toujours en bouche, Alexandre ressentit une intense douleur à la tête. Tout autour de lui, il n'apercevait que du blanc. Puis, il vit le petit garçon, Pedro. Il le reconnaissait grâce aux photos qu'il avait vues un peu partout dans la maison.

Avec ses cheveux coupés très court et son petit nez retroussé, il ressemblait fort à sa mère. L'enfant portait un habit noir. Il semblait distant et ne paraissait nullement voir Alexandre.

Pendant ce temps, Cassandra tentait de faire revenir Alexandre à la réalité. Puis enfin, celui-ci entendit son nom.

— Alexandre !

Il regarda la petite et lui fit un sourire qui se voulait apaisant.

— Ça va. J'étais dans la lune, dit-il.

Se dirigeant plus loin avec Cassandra, il jeta un regard derrière, mais le petit Pedro n'y était plus.

Bien qu'Alexandre ne se sente pas à sa place, il était heureux d'être auprès de Gabrielle. Les gens qui l'entouraient parlaient surtout des personnes qu'ils avaient connues autrefois et qui n'étaient plus. Alexandre aurait pu se joindre à eux, mais il préféra rester seul. Le fait de voir tout ce monde sourire à l'évocation des défunts n'avait d'autre effet que de le déprimer. Que serait sa vie dans les temps à venir ? Contrairement au temps où il était avec Catherine, en ce jour il n'avait aucun projet d'avenir, aucune joie de vivre. Seule sa peur était constamment présente.

Pour chasser la déprime, il se leva et commença à marcher. Un des parents de Lina le croisa et lui offrit une tequila. Il lui murmura quelques paroles qu'Alexandre fut incapable de comprendre puis s'en alla en titubant. Alexandre porta le goulot à ses lèvres en se promettant de ne pas abuser de l'alcool comme une grande partie des gens, qui commençaient à être d'humeur un peu trop joyeuse. Il aperçut Gabrielle qui s'entretenait avec deux femmes. À la voir ainsi, on aurait facilement pu croire qu'elle n'était pas aveugle. Il continua sa marche en se demandant à quel endroit pouvait bien être Cassandra, elle qui avait semblé si distante avec les autres enfants. Peut-être qu'en fin de compte elle s'était faite complice de quelques enfants de son âge.

Il ne fut néanmoins pas surpris de la voir assise par terre, totalement seule. Elle contemplait les jouets dédiés au petit Pedro, qui n'en profiterait aucunement, pensa Alexandre.

— Bonjour ! lui dit-il en s'asseyant près d'elle à même le sol.

— Alexandre ! Regarde tous ses jouets ! Il en a de la chance, Pedro !

— En effet, il y en a beaucoup. Mais, tu sais, Pedro n'est pas aussi chanceux que tu le penses, car contrairement à toi, il ne peut pas jouer avec ces jouets.

Voyant le regard perplexe que lui fit Cassandra, il regretta ses paroles. Après tout, n'était-elle pas censée croire qu'il jouerait avec ? Il décida de ne pas essayer de rattraper son erreur. L'endroit était peut-être mal choisi, mais il décida de tenter d'apprendre ce qu'elle savait au sujet de l'inconnu.

— Alors, dis-moi, Cassandra, le monsieur que tu as rencontré l'autre jour et qui t'a parlé de moi et de Shadow, tu te rappelles ?

— Oui, bien entendu. Il était étrange mais gentil tout de même.

— Te souviens-tu de ce qu'il t'a dit ? demanda Alexandre plein d'espoir.

— Oh ! Un tas de choses. Il a dit qu'il viendrait vous voir d'ici quelques jours, dit-elle.

Un frisson parcourut l'échine dorsale d'Alexandre. Il avait envie de secouer la petite pour qu'elle lui raconte tout l'entretien qu'elle avait eu avec cet homme. Mais, Cassandra ne semblait pas vouloir en dire plus, sûrement parce qu'elle n'en voyait pas l'intérêt. Elle parla à Alexandre de la petite poupée que sa mère lui avait offerte. Mais, Alexandre ne l'écoutait plus. Il souriait bêtement. L'effet de l'alcool était de plus en plus puissant. Habituellement, il tolérait plutôt mal la boisson. Mais maintenant, il devait aussi ajouter à cela sa faiblesse. Il était constamment au bord de l'épuisement. D'où il se trouvait, il pouvait toujours apercevoir Gabrielle qui discutait avec un nouveau groupe de femmes. L'une d'elles, une femme assez âgée, se détacha du groupe et se dirigea vers lui. Quand elle arriva tout près, Alexandre vint pour se lever mais il n'en eut pas le temps. Elle lui décrocha un regard haineux et continua son chemin.

Alexandre reprit place à côté de Cassandra et haussa les épaules. Il se retourna en direction de la vieille femme à l'air maussade, mais elle était déjà hors de vue.

— Vous n'avez pas à vous en faire. Elle ne cherche que des problèmes. C'est ce que mon papa dit tout le temps à son sujet. Elle n'a rien de mieux à faire.

— Je vois. Mais elle ne sait même pas qui je suis ! répondit Alexandre.

La petite se leva d'un bond et courut en direction de l'entrée. Alexandre aperçut son père qui venait d'entrer.

Celui-ci salua quelques personnes et vint rejoindre Alexandre.

— Vous avez finalement décidé de sortir ? demanda poliment Alexandre.

— Oui, je m'ennuyais plutôt seul à la maison.

Il jeta un regard penaud tout autour de lui. Alexandre se dit qu'Andros avait peut-être manqué de boisson et qu'il pensait en trouver en cet endroit. Il le regarda d'un air désespéré tout en pensant qu'il se devait de lui faire la morale. Puis, enfin, il comprit. Andros avait les yeux rivés sur Gabrielle. Apparemment, il était amoureux d'elle. Selon toute probabilité, la vraie raison de sa venue était Gabrielle. Si la petite n'avait pas vu son père saoul jusqu'à l'os, Gabrielle, elle, l'avait vu. Il venait par le fait même d'annuler toutes ses chances auprès de l'élue de son cœur. Elle ne connaissait que trop bien les désastres causés par la boisson. Chaque jour qui passait, elle avait son père qui était là pour le lui rappeler.

Alexandre avait beaucoup de respect envers Andros. Et il n'y avait aucun doute que c'était réciproque, et ce, malgré qu'Alexandre soit désormais beaucoup plus près de Gabrielle que pouvait l'être Andros. Cependant, Alexandre ignora ce fait. Même s'il avait de forts sentiments pour Gabrielle, il savait qu'elle aurait une bien meilleure vie auprès d'Andros qu'avec lui, car, si elle ne voyait pas Shadow, elle n'était nullement à l'abri de toutes les complications et des dangers qui venaient avec lui.

— Le sait-elle ? demanda promptement Alexandre.

Contrairement à l'effet de surprise qu'Alexandre avait pensé produire, Andros parut soulagé, ce qui confirma à Alexandre que, malgré qu'ils soient tous les deux amoureux de Gabrielle, ils ressentaient de l'amitié l'un pour l'autre.

— Sans doute. Mais ça, c'est l'histoire de toute ma vie. J'aime celles qui ne m'aiment pas. Par contre, je crois qu'elle a un faible pour vous, Alexandre.

Celui-ci resta sans rien dire. Apparemment, il n'était pas le seul à l'avoir remarqué. Andros se rendit compte de l'inconfort qu'il avait causé par sa franchise. Il s'efforça de rétablir la situation.

— Le simple fait qu'elle soit près de moi me suffit. Qu'elle choisisse l'homme qui lui convient ! Pensez-en ce que vous voulez. Ça peut vous paraître étrange, mais...

— Je comprends ce que vous voulez dire.

Quelques minutes plus tard, les deux hommes se tenaient par les épaules avec une tequila en main. Le sujet de conversation était toujours Gabrielle. Quand ils se rendirent compte qu'elle n'était qu'à deux pas d'eux, ils rougirent comme deux adolescents avant d'éclater de rire. Malgré son jeune âge, Cassandra sembla avoir compris et déclara sur un ton solennel que, lorsqu'elle serait grande, elle produirait le même effet que Gabrielle sur les hommes, ce qui les fit tous rire de bon cœur et attira l'attention des invités.

Ils décidèrent de partir pour aller rendre visite à d'autres connaissances. La nuit était fraîche et le ciel rempli de milliers d'étoiles. Alexandre releva la tête et se rendit compte qu'il en avait oublié jusqu'à l'inconnu qui le recherchait. Il était heureux de ne pas être seul. Cassandra remarqua qu'il avait la tête relevée vers le ciel et elle parut envier sa grandeur. Elle demanda à son père la permission de grimper sur ses épaules afin de pouvoir être aussi grande qu'Alexandre. Andros satisfit sa demande. Sur les épaules de son père, elle n'arrivait à surpasser Alexandre que de peu. Celui-ci était soulagé qu'elle n'ait pas demandé de grimper sur ses épaules. Il ne supportait pas aussi bien les effets de l'alcool qu'Andros et tentait de le cacher du mieux qu'il le pouvait.

Quelle ne fut pas sa surprise quand ils arrivèrent enfin devant une grande maison et qu'à l'intérieur, il aperçut Anne, la petite amie de Tony ! Elle le reconnut et l'accueillit avec le même enthousiasme que les autres. Alexandre trouva Tony assis dans le divan, une tequila à la main. Il vint le saluer. Tout comme Andros, Tony appréciait la compagnie d'Alexandre. Ils discutèrent un certain temps. Puis, ils décidèrent d'aller faire une promenade. Gabrielle accepta de les accompagner. L'air frais revigora un peu Alexandre, mais il avait légèrement abusé de la boisson. Seule une bonne nuit de sommeil pourrait le retaper.

Chemin faisant, Tony leur raconta les nouvelles mésaventures qu'il avait vécues avec Anne. Quand Alexandre lui demanda pourquoi il restait avec cette pauvre fille, il ne sut que répondre à part qu'il l'aimait. Il était persuadé qu'elle l'aimait aussi. Le problème était ce Fabio. Anne était de toute évidence prise entre les deux jeunes hommes. Ne sachant lequel choisir, elle restait avec les deux, qui manifestement obéissaient à ses moindres désirs tout en se haïssant l'un l'autre !

Alexandre avait du mal à comprendre comment Tony pouvait éprouver de l'amour pour une femme aussi peu scrupuleuse, mais il écouta tout de même attentivement ce que le jeune homme avait sur le cœur. Puis Alexandre l'interrompit soudainement, pris de panique. Une chaleur accablante était venue le submerger. Il entendit des cris venant de toutes parts. Puis, il s'effondra lourdement au sol. Quand il revint à lui quelques secondes plus tard, il était tout en sueur. Il ouvrit les yeux et s'écria :

— La maison là-bas ! Elle est en feu !

Tony regarda dans cette direction tandis que Gabrielle humait l'air ambiant. Alexandre s'apprêtait à aller secourir les gens qui s'y trouvaient, mais Tony le retint par le bras. Celui-ci tenta de garder son sérieux pour lui apporter des explications, mais il en fut incapable. Il pouffa de rire. Gabrielle comprit enfin et éclata à son tour. En regardant de plus près la maison, Alexandre s'aperçut qu'elle n'était pas réellement en feu. Enfin, Tony lui expliqua que certains Mexicains font des feux devant leurs maisons pour se signaler aux défunts amis et chasser les mauvais esprits. Alexandre en fut soulagé et gêné en même temps. Pour briser son malaise, Gabrielle rajouta que les Celtes avaient eux aussi des croyances semblables. Lors de la nuit de Samhain, ils allumaient des feux dans le but de fêter les morts de l'année et d'éloigner les mauvais esprits.

Gabrielle trouva étrange le fait qu'Alexandre se soit évanoui à cause de la chaleur qui émanait de la cour de cette maison, car elle arrivait à peine à humer la fumée. La maison était donc à une assez grande distance de l'endroit où ils se trouvaient. Elle n'en fit cependant pas mention, pas plus qu'Alexandre ne parla des cris de douleur qu'il avait entendus avant de s'évanouir, car il savait que ces voix n'avaient rien de réel. Par la suite, ils continuèrent leur promenade sans vraiment s'éloigner et changèrent de sujet. Un peu plus tard, Anne vint les chercher pour qu'ils viennent manger.

La boisson ouvrait l'appétit et Alexandre ne pouvait que confirmer ce fait. Il dévora les plats qu'on lui offrait avec avidité. Il parla avec tous ceux qui l'entouraient. Son espagnol s'était amélioré de beaucoup depuis son arrivée, mais avec la tequila qu'il avait consommée ce soir, il avait tendance à introduire des mots français dans ses conversations.

Quand il fut incapable de manger davantage, Andros vint s'asseoir près de lui. Il lui chuchota à l'oreille qu'il avait, selon lui, assez bu. Il ne devait pas décevoir Gabrielle. Alexandre éclata de rire mais se reprit aussitôt, voyant qu'Andros ne partageait pas sa joie. Andros lui expliqua qu'il avait demandé l'autorisation pour Alexandre d'aller dormir dans une des chambres au deuxième étage s'il le souhaitait. Sans protester, Alexandre s'y laissa donc conduire. En chemin, il s'informa des propriétaires de ladite maison.

— Mais c'est la demeure des parents d'Anne. Vous savez, la petite amie de Tony ?

— La petite amie ! dit Alexandre en ricanant. C'est une petite garce ! Elle le fait souffrir.

Andros n'ajouta rien d'autre à cette conversation. Il déposa Alexandre sur un grand lit et prit la peine de lui retirer ses chaussures. Alexandre s'endormit presque aussitôt malgré les bruits incessants qui provenaient des pièces voisines.

Alexandre se réveilla après deux heures de sommeil réparateur. Quelqu'un se trouvait dans la chambre obscure avec lui. Il se mit en position assise sur le lit. Son cœur se mit à battre intensément. De même, sa respiration dut s'accélérer, car il entendit une voix féminine à peine audible l'appeler.

— Vous êtes réveillé, Alexandre ?

Tout d'abord, il fut soulagé qu'il s'agisse de quelqu'un d'humain. Puis, il pensa que c'était Anne puisqu'il était chez elle. Mais il se rectifia aussitôt, car s'il voyait cette personne debout et que celle-ci pouvait sentir qu'il était réveillé, il ne pouvait s'agir que de Gabrielle.

— Oui, je suis réveillé, dit-il d'une voix douce.

Gabrielle s'approcha près du lit. Manifestement, ils se sentaient tous les deux mal à l'aise. Alexandre prit sa main et sans rien dire, l'invita à s'asseoir sur le lit. Il se recoucha et après quelques instants d'hésitation, elle en fit autant. Il humait ses cheveux qui sentaient bon. Il l'observait dans la demi-pénombre du clair de lune. Sa peau de pêche sans défaut était douce comme un pétale de rose. Il s'imagina combien il devait être difficile pour elle de ne rien voir. Il ferma ses yeux. Il pouvait toujours sentir sa délicieuse odeur. Il entendait sa respiration. Puis, alors qu'il sentait qu'elle s'approchait doucement, il en fit autant sans toutefois ouvrir les yeux. Elle posa ses mains sur son visage et le toucha délicatement en prenant soin d'en sentir sous ses doigts toutes les formes. Ils s'embrassèrent longuement avec volupté.

La maison était silencieuse; il devait être tard. Alexandre avait du mal à se contenir. Il n'arrivait plus à penser. Mais, il était trop tard pour se demander si quelqu'un viendrait les interrompre. Déjà, il s'enfonçait en elle avec un soupir de soulagement et d'excitation.

Il fut incapable de s'endormir, peut-être à cause du bonheur et de la peur qui l'envahissaient, ou tout simplement parce qu'il n'était pas chez lui. La respiration de Gabrielle était lente et régulière. Alexandre tenta de se lever sans faire de bruit, mais cela ne servit à rien.

— Alexandre ? Tu ne peux pas dormir ?

— Pas vraiment.

Se rendant au salon avec Gabrielle, il dut se rendre à l'évidence que les Mexicains fêtaient très tard le jour des Morts. Plusieurs personnes étaient toujours présentes, même Andros et sa fille Cassandra s'y trouvaient. Celle-ci dormait cependant poings fermés. En apercevant Alexandre et Gabrielle, Andros annonça qu'il était temps qu'ils partent. Andros offrit à Gabrielle de la reconduire chez elle. N'entendant pas Alexandre se prononcer, elle accepta. Celui-ci désirait rester seul. Il se sentait coupable d'avoir partagé quelques heures avec Gabrielle. Après tout, formaient-ils vraiment un couple à présent ?

Alexandre sortit le premier de la maison suivi de Gabrielle et Andros lequel portait la petite dans ses bras. Quelle ne fut pas sa surprise d'apercevoir Tony le visage couvert de sang ! Il comprit aussitôt ce qui venait de se passer. À quelques mètres de lui gisait Fabio en tout aussi mauvais état. Il se releva tranquillement et se dirigea en titubant vers Tony qui l'attendait en montrant les poings.

— Tu en veux encore ? Tu n'as pas compris ? demanda Tony avec une voix rauque.

L'autre ne répondit pas et se lança sur lui à une vitesse fulgurante. L'état d'ivresse dans lequel se trouvait Tony fit en sorte qu'il lui eût été impossible d'éviter son adversaire, mais Alexandre l'intercepta à temps. Cependant, il reçut en plein ventre le coup qui était destiné à Tony, ce qui ne l'empêcha pas de maîtriser Fabio l'instant d'après.

Andros déposa Cassandra dans la voiture et accourut vers Alexandre.

— Ça va, dit Alexandre.

— Bien sûr ! Il ne peut rien vous arriver, sorcier que vous êtes ! Où est votre chien voleur d'âmes ? Sachez que je n'ai pas peur de vous ! lâcha Fabio en crachant ses mots.

Malgré qu'il eût envie à son tour de lui foutre une raclée, Alexandre n'en fit rien. De plus, il savait qu'il ne pouvait contredire les propos de Fabio. Il se dirigea vers sa voiture d'un pas las. Andros et Gabrielle y avaient installé Tony. Sans rien dire, celui-ci hocha la tête en signe d'approbation; Gabrielle partie avec Andros et Cassandra, il n'avait apparemment pas le choix de se laisser conduire chez lui par Alexandre. Quant à Fabio, Alexandre pouvait apercevoir dans son rétroviseur Anne qui venait de le rejoindre. Il n'en dit rien à Tony.

Chemin faisant, malgré le fait que la boisson lui donnait un mal de tête fulgurant, Tony tenta d'expliquer une fois de plus la situation qu'il vivait avec Anne.

— C'est une bonne fille malgré tout, s'acharnait-il à dire.

Alexandre l'écouta quelques minutes, mais rapidement, il fut contraint d'y mettre un terme. Il ne pouvait comprendre ce point de vue de Tony. S'il avait été dans la même situation que lui, il savait qu'il aurait quitté la femme en question. Durant la conversation, Alexandre en arriva même à implorer Tony qu'il se sépare d'elle. Il tenta vainement de lui expliquer que, mis à part des ennuis, elle n'aurait rien d'autre à lui donner, et il valait mieux que cela. Mais Tony continua de parler comme si Alexandre n'avait rien dit. Selon ses dires, Anne avait un faible pour Fabio, car contrairement à lui, il avait reçu une bonne éducation. Sans grand espoir, Alexandre lui dit que, s'il aimait vraiment Anne, il la laisserait partir. Mais Tony était encore trop enragé pour écouter. Il mit l'accent sur le fait que Fabio n'était qu'un sale menteur et qu'il fréquentait des tas d'autres filles. Alexandre s'empressa de lui répondre qu'Anne s'en apercevrait elle-même le temps venu. Alexandre dut se rendre à l'évidence qu'il en était de même pour Tony.

Ils ne s'adressèrent plus vraiment la parole une fois qu'ils furent à la maison. Alexandre installa Tony sur le divan et alla se coucher à son tour. Au passage, il empoigna les écuelles de nourriture de Shadow. Celui-ci l'attendait près de la porte de la chambre. Il ne tenta point d'en sortir et il s'empressa de venir rejoindre Alexandre une fois que celui-ci fut au lit.

Lorsqu'au petit matin, Alexandre alla rejoindre Tony, il le trouva déjà réveillé. Il avait préparé du café et semblait pleinement heureux. Il ne ressemblait guère à quelqu'un qui avait abusé de tequila la veille. En ce qui concernait la bagarre, seuls son œil enflé et ses jointures en témoignaient. Quant à Alexandre, il se sentait plutôt maussade, bien qu'il eût passé une bonne nuit. Il prit un peu de café et vint s'asseoir près de Tony. Il fit ses plans mentalement. Tout d'abord, il irait reconduire Tony chez lui et ensuite, il passerait chez Gabrielle. À cette pensée, un petit sourire émergea à la commissure de ses lèvres.

Tony dut s'y reprendre à deux fois pour attirer son attention. Mais même ainsi, Alexandre ne capta que la fin de ce qu'il disait.

— … il viendrait et verrait votre chien.

— Quoi ? Qui verrait Shadow ? demanda Alexandre, perplexe.

— Fabio enfin ! Vous n'écoutez pas quand on vous parle ?

Sans en savoir davantage, Alexandre comprit que Tony désirait causer la mort de Fabio en passant par Shadow. Le meurtre parfait. Ainsi, Tony croyait les ragots qu'on répandait au sujet de son chien. En allait-il de même pour Gabrielle ?

— Je suis sûr d'une chose à présent, continua Tony, c'est que Shadow est vraiment le messager de la mort et que celle-ci rôde tout près. Je le sais, car je l'ai vue.

Alexandre se sentit pâlir soudainement. Tony en savait beaucoup plus qu'il ne devrait. Alors, Alexandre tenta de le convaincre du contraire.

— Voyons, Tony ! Cesse de raconter des histoires. Tu es plus mature que cela !

— Peut-être. Mais alors, votre chien, vous voulez bien me le montrer ? S'il n'y a aucun danger, pourquoi vous le cachez sans arrêt ?

À l'évidence, le manque d'éducation n'équivalait point au manque d'intelligence; Tony venait une fois de plus de lui prouver ce fait. Alexandre se sentait extrêmement nerveux. Décidément, partout où il irait, il n'obtiendrait jamais la paix ! Il devait composer avec l'inconnu qui lui collait au derrière et Tony qui voulait provoquer la mort de Fabio, sans compter tout ce que les gens racontaient à son sujet même s'il était en ces lieux depuis peu de temps.

Tony n'avait pas poursuivi la conversation, mais semblait néanmoins attendre une explication de la part d'Alexandre. Ce dernier ignorait s'il devait ou non certifier les dires de Tony. Au point où il en était rendu, il ne pouvait plus continuer de mentir au sujet de Shadow. Tony n'avait aucune preuve de ce qu'il venait d'avancer, par contre, le simple fait

qu'Alexandre ne puisse le contredire suffisait amplement à lui donner raison sur ses théories.
— Écoute, Tony, peu importe ce que tu penses ou ce que tu as entendu dire à mon sujet, tu dois comprendre que ce que l'on a dans la vie, aussi grand que cela puisse être, cela ne nous donne en aucune façon un droit sur la vie des autres.
— Mais, ce n'est pas vous qui tuez des gens ! Vous n'êtes que l'assistance ! s'exclama Tony.
— Bordel, Tony ! Je ne suis pas Dieu ! ragea Alexandre, hors de lui.

Il se leva et quitta la pièce en se maudissant intérieurement d'être si bon avec tout le monde. Il avait offert le gîte au jeune homme afin de lui éviter une confrontation avec son père au sujet de son état lamentable de la veille, et voilà ce qu'il avait en retour ! Un compte rendu sur sa misérable vie. Les mots de Tony résonnaient encore dans sa tête : « Vous n'êtes que l'assistance. » Sans aucun doute, il avait raison. Alors, pourquoi Alexandre devait-il endurer tout cela ? Il n'était pas indispensable à Shadow.

Une quinzaine de minutes plus tard, les deux hommes prirent place dans la voiture d'Alexandre. Tony demanda à Alexandre de le conduire à la station-service de son père. Ensuite, durant tout le trajet, ils n'échangèrent aucun mot.

Le père de Tony était planté devant la porte à l'attendre. L'inquiétude se lisait sur son visage. Finalement, pensa Alexandre, il aurait peut-être mieux valu que Tony rentre directement chez lui hier soir.

Au lieu de retourner chez lui, Alexandre fit un arrêt dans une petite taverne, peu attrayante, à la sortie du village. L'endroit était extrêmement délabré et une forte odeur d'urine émanait de toutes parts. Mais ces détails ne le dissuadèrent pas de prendre une tequila. Il n'y avait que quatre hommes, assis pêle-mêle, dans la taverne. Ils semblaient se connaître mais restaient à distance les uns des autres. Ils se parlaient tout en restant à leur place respective.

Après avoir consommé quelques tequilas, Alexandre sentit sa tête commencer à protester. Ses gestes ralentissaient et sa vue se troublait. Il n'avait aucune idée de combien il avait bu de tequilas jusqu'à maintenant. Il se sentit soudainement étourdi. Les gens tout autour de lui paraissaient irréels. Au début, il croyait que cela était dû à la boisson. Puis, il s'aperçut que parmi les personnes présentes, certaines étaient entourées d'un halo de feu. Puis, brusquement, tout redevint normal. Alexandre les salua distraitement de sa bouteille.

Il cessa vite de prêter attention aux autres quand la porte s'ouvrit pour laisser entrer une jeune femme. Comme des bêtes assoiffées, les hommes se mirent à siffler et à l'appeler par de petits noms affectueux.

Quand la jeune femme en question s'approcha du bar où Alexandre se trouvait et qu'il la reconnut, il ressentit sa rage resurgir. Anne le reconnut aussi et s'avança pour venir le rejoindre. De ses yeux vitreux, Alexandre la regarda avec mépris. Avant même de se rendre compte qu'il parlait, sa question était posée :

— Pourquoi agissez-vous de cette façon avec Tony ?

La franchise de la question parut la déstabiliser, mais elle reprit le contrôle l'instant d'après. Elle porta son bras autour des épaules d'Alexandre et d'une voix suave, elle lui répondit :

— Soyez patient ! À chacun son tour. Mais si vous êtes trop pressé, je veux bien me libérer pour ce soir.

En terminant sa phrase, elle sortit la langue et lui lécha l'oreille. Alexandre se leva d'un bond et l'empoigna par les épaules pour la repousser.

— Ne t'avise jamais de recommencer ce petit manège avec moi !

Deux des hommes présents vinrent porter secours à Anne. L'un d'eux la prit par la taille afin de l'éloigner. L'autre, beaucoup plus costaud, se chargea de mettre Alexandre à la porte. Celui-ci se retourna avant de franchir le seul. Il aperçut Anne qui se tenait dans les bras de son sauveur qui lui palpait le derrière afin de s'assurer qu'il était aussi prometteur physiquement que visuellement.

— Rien de cassé, ma belle ? demanda-t-il d'une voix rauque.

Voyant qu'Alexandre la regardait toujours, elle dirigea la main libre de son sauveur vers un de ses seins.

— J'ai une petite douleur ici, dit-elle.

Alexandre quitta l'endroit pour rentrer directement chez lui.

À son arrivée, il eut à peine le temps de saluer Shadow que celui-ci prenait la fuite dehors.

— C'est ça, va faire ton boulot, dit Alexandre à voix haute.

Alexandre se sentait désespéré. Même dans son état d'ébriété avancée, il trouva le moyen de réfléchir à sa vie. Tout aurait été différent s'il n'avait jamais invité Shadow à le suivre. Non, il chassa cette idée, car il savait sans l'ombre d'un doute que la véritable responsable n'était nulle autre que Catherine. Était-ce elle qui avait initié son amie Erika ou le contraire ? À quelques reprises Catherine avait parlé à Alexandre de sujets insolites, mais il ne s'était jamais douté jusqu'à quel point elle en savait. De toute manière, il était maintenant beaucoup trop tard. Il n'était pas parti du Mexique parce qu'il savait au plus profond de son être que cela ne lui servirait à rien. Tôt ou tard l'inconnu le rattraperait. Par contre, pourquoi ne s'était-il pas montré le jour des Morts ?

S'il avait un projet en tête, il devrait le mener à terme, sans manquer son coup. Dans un tiroir, Alexandre aperçut une corde assez longue. Sans aucun doute elle ferait l'affaire. Mais il doutait que ses mains soient assez habiles pour lui permettre d'arriver à ses fins. Il laissa retomber la corde mollement au sol. Puis, il s'empara d'un autre objet qui pourrait lui faciliter la tâche. Moins rapide que la corde mais pas moins efficace. Il retourna au salon, s'assit à même le sol et enleva sa chemise. Sa vue se troubla, mais il n'aurait su dire si c'était dû à l'alcool dont il avait abusé ou à ce qu'il s'apprêtait à faire. Il se passa la main dans les cheveux dans un geste de nervosité évidente. Puis, il empoigna le couteau et se trancha les poignets.

Durant sa lente descente vers la mort, Alexandre aperçut sa femme Catherine comme dans un rêve qu'il se souvenait avoir eu ! Erika s'y trouvait aussi et une fois de plus, elle et Catherine se livrèrent à une sorte de rite qui fit surgir Shadow. Alexandre entendit celui-ci aboyer plusieurs fois, mais de moins en moins clairement ! La fin était proche. Il n'avait plus peur à présent.

L'HÔPITAL

De loin, il entendait la voix d'une femme qui n'était pas Catherine. Elle était tremblante et rapide. Il connaissait cette voix, mais n'aurait pu dire à qui elle appartenait.

— Mais puisque je vous dis qu'il vit seul ! s'exclama Gabrielle sur un ton hystérique.

— Je comprends, lui répondit paisiblement la voix masculine. N'empêche, cela ne fait aucun doute qu'il est Américain. Nous n'avons trouvé aucun papier d'identité chez lui. Il est difficile de croire que personne ne viendra s'informer à son sujet.

Gabrielle n'avait pas mentionné le nom de l'homme qu'elle avait emmené et avait supplié Andros d'en faire autant. Elle s'était tue, car elle savait pertinemment qu'il était poursuivi. De toute manière, cela n'aurait rien changé pour la docteure d'apprendre son nom. Mais Gabrielle se maudissait de ne pas avoir eu le réflexe d'en donner un faux. À présent, ils ne voudraient jamais le laisser partir sans le questionner d'abord.

Une fois qu'on avait confirmé qu'Alexandre était hors de danger, Andros avait laissé Gabrielle à l'hôpital afin d'aller chercher de quoi payer les honoraires du médecin. Si Alexandre se réveillait avant le retour d'Andros, le médecin lui demanderait aussitôt son identité. Dans le cas contraire, Andros irait voir Alexandre dans l'espoir qu'il se réveille et lui expliquerait la situation. Tout en attendant patiemment le retour d'Andros, Gabrielle se demanda si Alexandre Montreuil était vraiment son nom. Pourquoi s'était-il débarrassé de toutes ses cartes d'identité s'il donnait son nom véritable ?

Quand Andros arriva, il trouva Gabrielle faisant les cent pas dans la salle d'attente. S'il avait vu qu'elle dormait, il aurait probablement agi de la même façon. Il l'empoigna par les deux épaules et lui chuchota :

— Vite, il est réveillé. Je viens de passer devant sa chambre. L'infirmière s'apprêtait à partir. Je resterai devant la porte et vous irez lui parler.

Gabrielle se leva d'un bond et se laissa guider jusqu'à la chambre. Le fait qu'Andros eut pensé comme elle la soulagea. Sans dire un mot, il la poussa dans la chambre et referma doucement la porte.

Elle tenta d'avancer au son de la respiration d'Alexandre. Mais cela lui fut impossible. Elle entendait plusieurs personnes. Les bruits de l'hôpital lui parvenaient de tous les côtés. Mais à travers cela, elle put dénombrer trois respirations dans la chambre. Elle en voulut à Andros de ne pas l'avoir conduite jusqu'au lit d'Alexandre.

En avançant vers sa gauche, elle élimina la possibilité qu'il s'agisse d'Alexandre. La personne alitée chuchotait des prières en espagnol. Gabrielle se dirigea vers la droite quand la porte s'ouvrit.

— Au fond à gauche ! lança Andros.

Elle poussa un soupir de soulagement. Elle s'avança jusqu'au mur du fond et se retourna, les bras tendus vers l'avant, cherchant le lit à tâtons. Une fois qu'elle l'eut atteint, elle remonta doucement jusqu'au visage. L'espace d'un moment, la nuit qu'ils avaient partagée lui revint en mémoire. Les formes de son visage confirmaient qu'il s'agissait bien d'Alexandre. Elle se pencha et déposa un baiser sur ses lèvres.

— Bonjour.

— Tu es réveillé depuis longtemps ? demanda-t-elle, surprise.

— Assez longtemps.

Elle ne put entendre le reste de la réponse, car leur moment de solitude était terminé. À l'extérieur de la chambre, elle entendait Andros qui parlait au docteur. Il s'exprimait à voix haute afin qu'elle l'entende. Il s'informait auprès du docteur sur l'état d'Alexandre. Elle n'entendait pas les réponses du médecin, mais elle se doutait qu'il serait bref.

— Tu diras que tu ne te rappelles pas ton identité et que je viens chez toi pour t'apporter de la nourriture. Je leur ai...

La porte s'ouvrit et sa phrase resta en suspens.

— Bonjour ! Je suis le docteur Hernandez.

Gabrielle se réjouit qu'il ne s'agissait pas du même docteur. Celui-ci semblait beaucoup plus humain. Néanmoins, il n'accepta pas la présence de Gabrielle au chevet d'Alexandre.

— Madame, je crois que vous devriez nous laisser pour un moment, lui dit-il gentiment.

Elle agrippa le bras que lui tendait Andros et se dirigea vers la sortie.

— Madame ? Puis-je vous poser une question ? lui demanda-t-il une fois qu'elle fut près de la sortie.

— Bien entendu, dit-elle en pensant qu'il s'informerait sur sa non-voyance.

— Vous êtes bien sa femme de ménage, n'est-ce pas ? Vous semblez bien proche de lui pour quelqu'un qui ignore son nom.

Tous les espoirs qu'elle venait de fonder sur le nouveau médecin s'effondrèrent. Il ne s'agissait pas d'un remplaçant de nuit qui ne faisait que son boulot sans poser de questions.

— J'ai de la sympathie pour cet homme pour qui je travaille. Et, je ne suis pas sa femme de ménage ! Je ne fais que lui apporter à manger. Ce soir, je venais m'informer sur ce qu'il désirait, dit-elle en espérant qu'Alexandre en saisirait le sens.

Effectivement, elle n'avait emporté aucune nourriture en se rendant chez lui et sans nul doute ce cher docteur s'informerait de ce détail. Il était clair qu'il se doutait qu'on lui cachait quelque chose.

Contrairement à ce qu'ils avaient pensé, le Dr Hernandez ne resta que très peu de temps avec Alexandre. Quand il sortit, il demanda à Andros et Gabrielle s'il était possible de les voir séparément. Il avait quelques questions à leur poser. Pour le bien-être d'Alexandre et aussi pour éliminer les doutes qui persistaient, ils acceptèrent. Ils s'étaient mis d'accord sur le fait de dire la vérité sur leur rencontre avec Alexandre pour que tout concorde, en y ajoutant les services culinaires de Gabrielle ainsi que les transports d'Andros.

Gabrielle fut la première à suivre le docteur. Quant à Andros, il fut autorisé à aller voir Alexandre pour quelques instants seulement. En le voyant, Alexandre parut un peu navré. Andros pensa qu'il croyait probablement avoir le plaisir de voir Gabrielle. Alexandre l'invita à s'asseoir. Il prit la peine de s'excuser pour les ennuis qu'il lui causait.

— Je vais vous rembourser les frais médicaux que vous avez déboursés pour moi.

— Je n'en doute pas. Mais, je ne crois pas que ce sera pour bientôt.

— Que voulez-vous dire ? s'enquit Alexandre.

— Ils ont envoyé des gens fouiller votre maison. Je doute qu'ils aient seulement fouillé pour trouver vos papiers. Si vous aviez de l'argent comptant...

— Mon argent est en sécurité. Je l'ai enterré dans la cour.

— Bien. Et le docteur ne vous a pas trop fait mordre la poussière ?

— Non, j'ai l'habitude avec ce genre de personne. J'ai donné un nom fictif et je lui ai dit qu'il m'était trop difficile pour l'instant de parler de ma situation. Dites-moi, la petite Cassandra va bien ?

— Oui, en allant chercher l'argent chez moi, je suis repassé chez la voisine à qui je l'ai laissée. Elle y passera la nuit. Je l'ai prévenue que vous étiez à l'hôpital.

Ils continuèrent à bavarder jusqu'à ce qu'une infirmière vienne prier Andros de partir. Alexandre tenta de rester éveillé dans l'attente de voir Gabrielle. Mais la fatigue l'accablait. La chambre baignait dans la noirceur et l'hôpital était assez silencieux. Quelques pleurs de nourrissons se faisaient entendre au loin et des voix lointaines, mais sans plus. Ses deux voisins de chambre dormaient profondément.

Son sommeil fut plutôt agité. Dans son rêve, il se trouvait dans un endroit sombre et froid. Il ne voyait presque rien. Des sons lui parvenaient, mais ils étaient à peine audibles. Il marcha pendant ce qui lui parut une éternité. Puis, lentement, une lueur se fit entrevoir. Alexandre put alors distinguer quelques visages, mais aucun ne lui était familier. Il se sentait inexorablement poussé à aller de l'avant. Il régnait une chaleur accablante. La lumière qui lui permettait de voir provenait de plusieurs flammes tout autour. C'est alors qu'il aperçut Shadow, qui ne sembla point le reconnaître ! Alexandre l'approcha, mais le chien s'éloigna en émettant un grognement. Il était seul à présent. Les flammes, les gens et Shadow n'y étaient plus.

Alexandre se réveilla en sursaut le lendemain. Le soleil était déjà haut dans le ciel, mais il n'avait aucune idée de l'heure qu'il pouvait bien être. Gabrielle devait être passée alors qu'il dormait. Le docteur traitant apparut quelques instants après son réveil. Sa première rencontre avec lui fut assez brève. Il venait pour lui signer son congé. Il lui offrit de prendre un déjeuner avant de partir. Alexandre refusa. Il ne voulait pas rester un instant de plus dans cet endroit. Il s'informa cependant sur son congé si prestement accordé. Le docteur lui expliqua que quelqu'un en avait donné l'ordre au docteur Hernandez la veille. Alexandre sourit en pensant au subterfuge qu'avaient pu utiliser Andros et Gabrielle.

Une infirmière vint l'aider à s'habiller. Elle l'informa qu'un certain M. Andros était en route pour venir le chercher. Andros arriva après une bonne demi-heure. Le sourire narquois sur le visage d'Alexandre disparut aussitôt qu'il vit Andros dont l'expression reflétait l'étonnement. Sans qu'Alexandre le lui demande, il savait qu'Andros n'était pas responsable de son congé.

Andros lui raconta que Gabrielle n'était pas du tout au courant de son départ puisque Andros lui avait téléphoné avant de partir pour l'hôpital. La dernière éventualité restait qu'il s'agissait de Tony. Par contre, il ne savait pas du tout qu'Alexandre était à l'hôpital.

À peine avait-il fait quelques pas hors de l'hôpital qu'Alexandre fit demi-tour. En y entrant de nouveau, il tomba face à face avec le docteur Hernandez. Celui-ci l'accueillit avec un grand sourire.

— Ah? Vous êtes toujours ici? s'enquit-il, visiblement étonné.

— Bonjour ! Je voulais simplement savoir : qui a donné l'ordre de mon congé ?

Si le docteur Hernandez avait paru en parfait contrôle la veille, à présent la confusion se percevait clairement dans sa façon d'être.

— Euh ! C'est que, voyez-vous, cela est un renseignement confidentiel. Enfin, je veux dire qu'il est préférable que…

— Oui, ça va, j'ai compris, le coupa Alexandre d'un ton acerbe. On vous a payé.

Tout comme si le docteur le lui avait dit clairement, Alexandre savait qu'il ne pouvait s'agir de nul autre que l'inconnu. Si ce dernier avait auparavant essayé de le mettre à mort, il avait manifestement changé de cap. Perdu une fois de plus dans ses pensées, Alexandre ne remarqua pas qu'Andros l'observait. Il marcha en direction de la voiture en continuant de se questionner inlassablement, car en fait, l'inconnu qui le poursuivait n'avait jamais, autant qu'Alexandre sache, attenté à sa vie. Il n'y avait aucun doute qu'il avait tué Tania de sang-froid. Alexandre se remémorait la vidéo dans laquelle l'homme au chapeau melon était vu à la quincaillerie peu après le meurtre. Il avait été sur le lieu du crime. Mais l'avait-il commis ?

— Alors, Alexandre ? Vous désirez rentrer chez vous ? Si vous voulez passer à la maison, vous êtes le bienvenu, ou bien je peux vous déposer chez Gabrielle.

Andros prononça sa dernière question sur un ton beaucoup plus bas. Apparemment, il avait toujours un faible pour Gabrielle.

— Je vais rentrer chez moi, lui répondit Alexandre sur un ton vague.

— Je me demande bien qui vous a fait sortir de là. Vous avez une idée ? Enfin, l'hôpital, ce n'est pas comme une prison, mais tout de même ! En fait, je ne crois pas que ce soit une bonne idée de vous laisser seul, continua Andros, mal à l'aise.

— D'accord, si je suis toujours le bienvenu chez vous...

Alexandre avait changé d'avis en raison du fait qu'il venait de se rappeler que Cassandra avait vu l'homme qu'Alexandre recherchait. Car c'était bien Alexandre à présent qui voulait le voir et non le contraire. Il commença même à croire que la mort ne voulait nettement pas de lui.

Une fois qu'il fut à destination, Andros laissa Alexandre chez lui et repartit chercher Cassandra. Alexandre savait qu'il ne devait pas la brusquer. C'est souvent un grand problème avec les enfants, pensa-t-il, s'ils ne jugent pas que les informations sont importantes, ils ne vous en parlent pas. Parfois même si on tente de leur sortir les vers du nez.

Ils arrivèrent cinq minutes plus tard. Alexandre resta quelque peu surpris quand il aperçut Gabrielle. Un immense sourire inondait son visage. Malgré les circonstances, elle était radieuse. Quant à la petite, elle avait tant de choses à raconter qu'elle en était étourdissante. Ils mangèrent un peu, puis Gabrielle demanda à Alexandre s'il voulait bien l'accompagner pour une promenade. Cassandra vint pour ouvrir la bouche, mais le regard de son père l'en dissuada.

Dehors, le temps se montrait plutôt capricieux. Le vent s'était levé, portant avec lui un air frais. Sans même réfléchir, Alexandre entoura la taille de Gabrielle. Ils avaient des sentiments l'un pour l'autre, mais tout était si compliqué. Il était évident que Gabrielle aurait eu une vie beaucoup plus simple avec un homme comme Andros, mais le destin en avait décidé autrement.

Gabrielle entama la conversation; elle lui raconta qu'elle avait eu une longue discussion avec Cassandra. Selon elle, l'homme n'avait pas effrayé la petite. Il s'était adressé à elle d'une façon très douce.

— Et qu'a-t-il dit à mon sujet ?

— Que vous aviez beaucoup de choses à apprendre !

— Est-ce qu'il veut ma mort ou bien vient-il pour me secourir ? À présent, je n'en suis plus du tout certain. Mais comme on dit : dans l'incertitude, mieux vaut s'abstenir. Alors, je crois qu'il est préférable que je ne le voie pas. Après tout, ce doit être Shadow qu'il veut et il me revient de le protéger du mieux que je le peux.

Ils poursuivirent la conversation encore un peu, abordant des sujets sans grande importance. Après leur courte promenade, ils retournèrent chez Andros. Alexandre accepta de souper en leur compagnie.

Il faisait déjà nuit quand Alexandre se retrouva seul chez lui. Gabrielle avait insisté pour rester, mais il avait catégoriquement refusé. Shadow ne s'était toujours pas montré. Alexandre l'avait appelé à maintes reprises sans obtenir de résultat. Tard dans la nuit, Alexandre avait déposé ses écuelles à l'extérieur, devant la maison.

Cette nuit-là, il ne dormit pas très bien. Sans vraiment rêver, il eut des sortes de visions momentanées : le visage de Catherine qui riait aux éclats, puis son rire qui devint des pleurs. Ensuite, il ne vit qu'un immense feu. Mais à son réveil, aucun souvenir de son inconfortable nuit ne refit surface. À l'extérieur, les écuelles de nourriture laissées à l'intention de Shadow étaient toujours pleines.

Alexandre était très attaché au chien. D'un autre côté, il savait que celui-ci ne lui apporterait que des problèmes. Peut-être était-ce mieux qu'il parte : si Shadow ne refaisait pas surface, Alexandre vivrait sa petite vie peinarde. Mais, Alexandre avait plutôt l'impression que tôt ou tard il reviendrait. Tout comme l'inconnu qui était à ses trousses. Tel était son destin à présent.

Il sortit de la maison et se dirigea vers l'arrière. Il n'avait pas grand espoir d'y trouver Shadow. C'est alors qu'il s'aperçut que la terre avait été retournée. Il se rapprocha pour être certain de ce qu'il voyait. Il aperçut de petites mottes de terre çà et là dans la cour. Il savait bien qu'il avait enterré un sac de plastique contenant un peu de sa fortune qu'il avait rapportée du Canada. Il avait pris la peine d'en cacher un peu partout. Ainsi, si quelqu'un venait à découvrir l'endroit où il avait caché son argent, il lui en resterait tout de même suffisamment. La personne qui avait creusé devait savoir que l'argent s'y trouvait. Ce n'était pas un animal quelconque. Un seul des six sacs avait été trouvé. Alexandre avait des sentiments de rage et de désespoir. Le seul qui était au courant de sa cachette était Andros. Comment avait-il pu agir ainsi ?

Son seul soulagement était qu'il n'avait pas tout perdu. Mais, il devait à présent affronter Andros. Celui-ci lui avait sauvé la peau, mais cela ne lui donnait pas le droit de venir chercher ce qu'Alexandre lui devait pour les frais médicaux. Ce dernier se demandait s'il devait en parler à Gabrielle. Puis décida qu'il était préférable de ne rien lui dire, du moins, pour le moment. Même s'il avait la certitude qu'Andros avait délibérément volé son argent, il n'arrivait toujours pas à le croire. Gabrielle aurait probablement la même réaction, sans compter que, si Andros niait le tout, ce serait sa parole contre la sienne. Gabrielle avait une grande affection pour les deux hommes. Certes, il ne s'agissait pas du même amour, mais la parole d'Andros compterait aussi beaucoup pour elle.

Il se prépara rapidement. La rage montait en lui : dire qu'il avait pris cet homme pour un ami ! Alors qu'il s'apprêtait à sortir, il entendit un bruit de grattement à la porte arrière de la maison. Il s'y précipita, croyant qu'il s'agissait de Shadow. Mais lorsqu'il ouvrit, il ne trouva rien d'autre qu'une forte bise qui lui fouetta le visage. Il prit la peine de regarder un peu partout aux alentours pour voir si Shadow n'y était pas. En effet, il n'y avait pas l'ombre d'un chat. Il referma la porte et se dirigea de nouveau vers l'avant de la maison. À cet instant précis, il ressentit un immense inconfort. Instantanément, son corps se couvrit de frissons. À quelques centimètres à peine de lui, se trouvait une ombre gigantesque couvrant une grande partie du mur. Il ne prit pas la peine de réfléchir un seul instant. Il fonça droit sur la porte arrière et s'enfuit à toutes jambes vers la voiture. L'ombre allait-elle le suivre ? De toute évidence la chose savait que Shadow n'était plus là pour protéger Alexandre. Tout en s'éloignant de la maison à une vitesse fulgurante, il se demandait si aller se mettre à l'abri chez Gabrielle était vraiment la solution. Allait-il mettre la vie de certaines personnes en danger ? Si Gabrielle ne voyait pas l'ombre, il en était tout autrement pour son père. L'ombre n'était en rien comparable avec Shadow. Certes, ils apportaient chacun à leur façon la mort, mais avec Shadow, la mort survenait de façon naturelle. Même les accidents n'avaient rien à voir avec l'atrocité dont faisait preuve l'ombre des ténèbres pour mettre fin à la vie de ses victimes.

Durant tout le trajet, il regardait dans la voiture dans la crainte d'y apercevoir l'ombre. Enfin, il finit par se rendre en un seul morceau chez Gabrielle. Malheureusement, elle n'y était pas. Par contre, le père de Gabrielle vint l'accueillir. Il sentait la boisson à plein nez. À l'instant où il ouvrit la porte, il savait qui était Alexandre. À demi chancelant, il regarda Alexandre des pieds à la tête avec un air de dédain.

— Gabrielle n'est pas là ! dit-il simplement.

Étant donné le regard glacial avec lequel il avait été accueilli, Alexandre s'était attendu à recevoir des remarques désobligeantes. Mais bien que complètement ivre, le père de Gabrielle savait parfaitement qu'il ne faisait pas le poids à côté d'Alexandre. Celui-ci aurait voulu lui demander s'il avait une idée de l'endroit où Gabrielle se trouvait, mais il s'abstint. Il le remercia et s'en alla aussitôt.

Alexandre n'avait aucunement conscience que la journée était fraîche. Son corps était en sueur et il ne savait plus très bien ce qu'il faisait. Il devait à tout prix voir Gabrielle. Il se rendit donc chez Andros en pensant qu'elle serait avec la petite Cassandra.

À son arrivée chez Andros, la petite vint lui ouvrir. Gabrielle était assise au salon. Apparemment, Andros ne se trouvait pas avec elles. Alexandre en fut soulagé. La dernière chose qu'il souhaitait présentement était se quereller.

— Bonjour, *señor* Alexandre ! s'exclama la petite en le voyant.

Avant même qu'il eût le temps de répondre, elle courut rejoindre Gabrielle pour lui chuchoter quelque chose à l'oreille. Gabrielle se leva d'un bond et vint rejoindre Alexandre.

— Qu'est-ce qui ne va pas ? Cassandra m'a dit que vous étiez très blanc. Vous avez rencontré l'homme qui vous recherche ?

— Andros revient-il bientôt ? demanda-t-il prestement en ignorant la question qu'elle lui posait.

— Non, il n'en a pas pour longtemps. Il est juste à côté.

Alexandre prit la peine de réfléchir quelques instants. Il devait à tout prix retrouver Shadow.

Alexandre se leva en se demandant s'il devait rester pour parler à Andros de la disparition de son argent et à cet instant, Andros entra. Quand celui-ci l'aperçut, il vint droit à lui. Alexandre eut un moment de doute sur le fait qu'il ait pris son argent. Alexandre lui tendit la main pour le saluer, mais Andros la refusa catégoriquement. Il regarda Alexandre dans les yeux puis tendit les bras.

— Je suis très content de te voir, Alexandre. Comment vas-tu ?

Alexandre ne savait pas trop comment réagir. Andros serait-il hypocrite à ce point ? Il fut incapable de se retenir plus longtemps. Il tenta une approche sarcastique.

— Je vais bien ! Et vous, Andros, j'espère que vous n'avez pas manqué d'argent ?

Andros le regarda en fronçant les sourcils. Le sourire narquois qu'affichait Alexandre ne portait pas à la plaisanterie. La réaction de complet étonnement d'Andros signala à Alexandre qu'il avait eu tort de le juger. Il se sentit aussitôt mal à l'aise devant celui qui l'avait aidé.

— Une partie de mon argent a disparu, Andros. Vous étiez le seul à connaître l'endroit.

Bien qu'il fût un peu vexé, Andros comprenait la réaction d'Alexandre.

— J'imagine qu'il doit y avoir une explication logique. Peut-être le propriétaire ? Ou un simple passant ?

— Aussi affamés peuvent-ils être, les gens ne viennent pas creuser des trous dans les terrains privés.

Gabrielle qui était restée près de la petite vint les rejoindre. Elle n'avait pas ouvert la bouche depuis le début de leur conversation et elle n'en avait écouté que quelques bribes.

— Depuis quand êtes-vous au courant de la fameuse cachette, Andros ? demanda-t-elle.

— Alexandre m'en a parlé durant son séjour à l'hôpital.

— Ça alors ! Si j'avais su, je me serais précipitée sur le magot ! dit Gabrielle en pouffant de rire.

Les deux autres en firent autant. Puis au bout d'un moment, le sourire d'Alexandre s'effaça graduellement et ses sourcils s'arquèrent sous l'effet d'une révélation.

— Les deux patients de l'hôpital ! s'exclama-t-il.

Andros comprit le sens de ces paroles immédiatement. Gabrielle mit un peu plus de temps à se souvenir des deux autres patients qui se trouvaient dans la chambre d'Alexandre. S'ils avaient entendu la conversation entre Alexandre et Andros — encore fallait-il qu'ils comprennent le français —, ils auraient pu commettre le méfait.

— On pourrait toujours aller vérifier à l'hôpital. Si l'un d'eux a eu son congé, nous aurions par le fait même notre réponse ! tenta Andros.

— Non, n'importe qui peut donner des renseignements à un autre pour qu'il fasse le boulot à sa place. Et de toute manière, cela ne sera pas nécessaire.

Jusqu'à la nuit tombée, Gabrielle et Alexandre se promenèrent dans les rues aux alentours de la maison qu'avait louée Alexandre. Ils cherchèrent Shadow en vain. Pendant les moments où ils ne parlaient que très peu, Alexandre ressassait mentalement la question de l'ombre. Devait-il en parler à Gabrielle ? Finalement, alors qu'ils se dirigeaient vers la maison, il conclut qu'il n'aborderait pas le sujet. Faisait-il une erreur en retournant là-bas sans Shadow ? D'un autre côté, il avait réussi à s'échapper sans problème alors que Shadow n'était pas là. Si ses jambes ne restaient pas clouées au sol comme la première fois qu'il avait aperçu l'ombre, il devrait pouvoir s'en sortir. Au point où il en était, ces phénomènes n'étaient plus une nouveauté pour lui.

À l'instant même où Alexandre et Gabrielle franchirent le seuil de la porte, celle-ci lui sauta dessus. Il répondit en l'embrassant férocement. Sans prendre la peine de s'avancer plus loin dans la maison, ils se couchèrent à même le sol. De son corps dur et musclé, Alexandre couvrit Gabrielle. Il tenta de lui caresser les cheveux, mais elle rabattit sa main au plancher. Puis, il porta de nouveau sa bouche sur la sienne, mais elle se détourna brusquement. Il était au bord de ses limites. Il voulut entrer en elle sans plus attendre. Elle se refusait obstinément, elle qui pourtant s'était lancée sur lui quelques instants auparavant. Voyant qu'il relâchait un peu son emprise, elle le fit tourner et monta sur lui. Elle l'embrassa avec fougue. Avec une certaine férocité, il la coucha de nouveau sur le plancher. Avant qu'ils perdent tous les deux le fil de la conscience, elle lui chuchota :

— C'est pour cela que tu as été choisi. Tu es celui...

Elle fut incapable de terminer sa phrase qui se termina par un cri de bonheur !

Gabrielle passa la semaine complète chez Alexandre. Ils avaient pris la peine d'en avertir Andros et Tony pour qu'ils ne s'inquiètent pas. Mais pour Alexandre, il s'agissait aussi d'éviter qu'ils ne s'amènent et voient Shadow qui, d'ailleurs, n'était toujours pas réapparu ! Il manquait terriblement à Alexandre.

Un matin, Gabrielle s'était levée et avait la ferme intention de faire un petit jardin dans la cour arrière.

— Si tu le fais dans l'intention de mettre la main sur mon argent, je dois t'avouer qu'il n'est plus à cet endroit, dit Alexandre en riant de bon cœur.

— Peuh ! Je suis certaine que même dans ma condition, j'arriverais à trouver ta cachette.

Ils partirent en début de journée pour aller acheter des semences. À leur retour, Gabrielle se mit aussitôt à l'œuvre. Pendant ce temps, Alexandre en profita pour faire sa tournée des environs, mais il revint bredouille comme les autres fois. Ensuite, il concocta un souper gastronomique.

Cette nuit-là, Gabrielle se réveilla en sursaut. Elle n'émit aucun cri mais parlait d'une voix saccadée.

— Oh ! Alexandre, là dans le coin, lui dit-elle en pointant le fond de la chambre.

Avant même qu'il regarde à son tour, Alexandre savait ce qu'elle voyait. Inconsciemment, il appelait Shadow. Mais il savait pertinemment que celui-ci ne viendrait pas. Puis, la logique s'imposa lentement dans son esprit : comment Gabrielle pouvait-elle voir l'ombre si elle était aveugle ? Soudainement, il se retourna pour faire face à ce que « voyait » Gabrielle. Mais il n'y avait absolument rien sur le mur. Il se détendit un peu. Il se rapprocha d'elle et lui expliqua qu'elle venait de faire un cauchemar. Ils continuèrent à parler pendant un moment. Par la suite, bien qu'ils restassent muets, aucun ne parvint à se rendormir.

Le lendemain, Gabrielle était à bout de nerfs. Elle ne tenait pas en place. Alexandre se demandait s'il devait quitter la maison. Son hésitation était due au fait qu'il savait fort bien que la maison n'avait rien à voir avec les faits étranges. Gabrielle avait eu un cauchemar. Et lui, il verrait l'ombre, peu importe l'endroit où il irait. De plus, s'il partait et que Shadow revenait à la maison, il ne le retrouverait jamais plus.

Alexandre tenta une approche.

— Tu as souvent des cauchemars, Gabrielle ?

— Écoute, je suis aveugle, mais je sais tout de même séparer la réalité des rêves ! J'ai réellement vu cette chose hier. Elle était dans le coin du plafond et me guettait. Elle s'avançait lentement vers moi.

— Mais bon sang ! Tu es aveugle, Gabrielle !

— Pourquoi crois-tu que j'ai si peur à présent ? Si tu peux me confirmer qu'il n'y a pas un bureau brun à six tiroirs dont le dernier est gris dans cette partie de la chambre. Et qu'il y avait un chandail bleu sur le plancher ainsi que…

Elle n'eut pas besoin d'en rajouter. Elle avait réellement vu, peu importe par quel mystère, et il la croyait. Cela signifiait indéniablement qu'elle était en danger, tout comme sa femme Catherine et sa petite amie Tania l'avaient été.

Il décida d'aller la reconduire. Peut-être reviendrait-il prendre ses affaires par la suite. La meilleure solution pour lui était de partir, quitte à retourner au Canada. Sans protester, elle prit place dans la voiture. Alexandre pouvait voir que son corps était toujours recouvert de frissons. Ils roulèrent un peu, Alexandre s'assura qu'elle rentrait bien dans sa demeure puis sans rien dire, il reprit la route.

Sur le chemin du retour, il regardait un peu partout dans l'espoir d'y voir Shadow. Il se demandait si le fait de partir ne le rendrait pas vulnérable à l'emprise de l'ombre. Mais surtout, il se questionnait au sujet de Gabrielle. Était-elle en sécurité à présent ? Ou bien retrouverait-elle la vue une fois de plus pour apercevoir l'ombre ?

En arrivant chez lui, il remarqua une voiture garée dans l'allée. Le conducteur était toujours assis au volant et semblait attendre. En s'approchant, Alexandre vit qu'il s'agissait d'Anne, la petite amie de Tony. Lorsqu'elle le vit à son tour, un sourire enjôleur apparut sur ses lèvres.

— Bonjour, mon chou, lui dit-elle en espagnol.

— Écoutez, je suis pressé. Je n'ai vraiment pas le temps de vous parler, lui répondit sèchement Alexandre.

— Oh ! Ça va, j'ai compris. De toute façon, vous n'êtes pas mon type d'homme. Je passais seulement vous demander si vous n'aviez pas vu Tony.

— Non. Il doit être à la station-service.

— Il n'y est pas. Dommage, je voulais me réconcilier. On s'est disputés hier.

Alexandre ne rajouta rien dans l'espoir qu'elle parte. Elle était toujours assise dans sa voiture et semblait fixer l'arrière de la maison d'un œil distrait.

— Bon d'accord, je pars. En passant, c'est une magnifique bête que vous avez !

Il se retourna en pensant voir Shadow, mais il n'y était pas. La voiture d'Anne avait déjà commencé à reculer avant qu'il eût le temps de lui demander à quoi elle faisait allusion. En entrant la clef dans la serrure de la maison, il comprit qu'effectivement, elle l'avait vu. Shadow se trouvait à présent sur le porche avec lui.

Anne en avait pour combien de temps à vivre ? Et Tony en découvrirait-il la raison ? Vraiment, Alexandre avait complètement manqué son plan de départ avec son objectif de se fondre dans la nature dès son arrivée. Tout s'était déroulé si vite. Lui qui auparavant était si bien dans sa solitude, il ressentait maintenant le besoin de fraterniser ! Peut-être que, finalement, tous ces morts en étaient la cause. Mais tôt ou tard, il devrait redevenir aussi solitaire qu'il l'avait été lors de la mort de Catherine. Il ne savait toujours pas si Shadow décidait invariablement de ses victimes ou bien s'il y allait au gré du hasard. Dans le dernier des cas, Anne devrait mourir avant son heure.

Shadow, quant à lui, ne semblait aucunement préoccupé par le décès imminent d'Anne ou de qui que ce soit. Il vaquait à ses occupations et démontrait l'intense joie des retrouvailles avec Alexandre. Celui-ci lui rendait la pareille, mais ne pouvait s'empêcher de penser à Gabrielle.

Cette nuit-là, il fit de terribles cauchemars. Catherine l'accusait impunément de l'avoir tuée. De plus, Carl, son ami d'enfance, le montrait du doigt. Il lui en voulait de lui avoir enlevé son existence, lui qui à présent n'avait plus toute sa tête. Sa femme n'était plus de ce monde et leur enfant était un orphelin. Mais le pire dans ce défilement de cauchemars fut quand il aperçut sa femme, Catherine, s'en donnant à cœur joie : elle s'affairait à couper l'oreille de Shadow et jetait des regards malicieux sur Alexandre.

Il se réveilla le lendemain avec un épouvantable mal de tête. Avec la nuit qu'il venait de passer, il était à présent persuadé qu'il devait quitter cet endroit. Il ignorait s'il devait partir hors du pays. Peut-être pourrait-il s'installer dans une autre ville. Mais d'un autre angle, les choses qui se disaient déjà à son sujet le poursuivraient. Loin du Mexique qu'adviendrait-il de Shadow ? Car partout où il irait, des gens allaient indéniablement mourir à cause de sa présence. Puis, il se mit à s'imaginer vivant dans une montagne loin de toute civilisation. Il pourrait faire quelques provisions et partir finir sa vie au loin. Mais s'il partait maintenant, les gens de son entourage auraient des doutes au sujet d'Anne. À cette pensée, il se mit à rire de vive voix. Des doutes ? Mais ils en avaient déjà ! Tout le monde parlait de lui et de son chien. Malgré tout, devait-il quitter Gabrielle d'une façon aussi insolente pour autant ? Il pourrait partir, mais pas avant de lui avoir parlé. De toute manière, elle avait une nette idée de ce qui se passait et sans nul doute, elle comprendrait.

Lentement, il se mit à empaqueter le peu de vêtements qu'il avait en sa possession. Ce faisant, il se mit à penser : qu'avait-il fait pour avoir une telle vie ? Ou plutôt, quel rapport Catherine avait-elle exactement avec Shadow ? Mais le fait était qu'il n'aurait jamais réponse à ses questions. Les gens croient souvent et à tort qu'ils savent presque tout. Cependant, tant de choses étaient inexplicables; Shadow en était la preuve indéniable. Et, dans l'ignorance des hommes, il passait inaperçu. Alexandre, le premier, avait renié ce qui pourtant lui avait sauté aux yeux. Aujourd'hui, il n'y avait que les gens baignant déjà dans de telles croyances qui pouvaient savoir ce qui se passait réellement.

Une fois que tout fut prêt, Alexandre s'apprêta à quitter la maison pour se rendre chez Gabrielle quand il aperçut Tony qui arrivait.

— Manquait plus que celui-là, dit-il, mécontent.

Avant même que Tony frappe, Alexandre lui avait déjà ouvert la porte. Il s'inquiétait à peine de savoir si Shadow était tout près ou non. Au point où il en était !

— Bonjour, Alexandre ! lança Tony.

— Bonjour, Tony. Écoute, tu ne tombes pas dans un bon moment. Je m'apprêtais à partir, lui dit en retour Alexandre sans grand espoir.

Comme de fait, Tony vint s'asseoir sur le divan et croisa ses bras derrière sa nuque. Il ferma les yeux et émit un long soupir. Quand il se retourna, il aperçut Alexandre toujours penché devant la porte d'entrée encore ouverte.

— Je n'en ai pas pour longtemps ! Je voulais juste vous dire que je suis plus avec Anne. C'est moi qui ai rompu la relation. J'ai pensé que vous seriez content de l'apprendre !

Le désarroi se lisait pleinement sur le visage d'Alexandre. Si Tony avait pris la peine de le regarder, il aurait probablement compris qu'il n'était pas surpris mais plutôt mal à l'aise. Avoir réussi à se séparer de sa petite amie était une chose, mais apprendre sa mort était tout autre. Comment allait-il réagir ? Allait-il faire le lien entre la mort d'Anne et Shadow ? Les questions tournoyaient dans la tête d'Alexandre jusqu'à ce qu'il s'aperçoive que Tony parlait toujours.

— ...difficile au début mais j'y parviendrai.

— Je compatis avec toi, l'interrompit Alexandre.

Il hésitait s'il devait lui faire part de son départ imminent de la région. À contrecœur, Tony se leva. Il était venu discuter avec un homme qu'il considérait comme un ami, mais apparemment celui-ci avait des choses plus importantes à faire que de l'écouter. Avant de traverser la porte, Tony lui demanda s'il croyait qu'Anne partirait rejoindre Fabio qui, selon Tony, la rejetterait une fois qu'il saurait qu'elle n'était plus avec lui ! Alexandre lui donna une réponse vague tout en se remémorant la fois où il avait rencontré Anne au bras d'un autre homme. Certes, elle lui avait fait des avances, mais ce n'était pas une raison pour lui souhaiter la mort. Alexandre décida de ne rien dire au sujet de cette histoire. Tony était beaucoup trop attaché à elle, sans compter que, bientôt, elle ne serait plus.

Alexandre réussit enfin à partir chez Gabrielle. Il n'avait aucune idée de la façon dont elle le recevrait après les événements qu'elle avait vécus chez lui. Si sa grand-mère avait été une adepte de ce genre de phénomènes, il en était tout autrement pour elle. De plus, il pouvait comprendre ce qu'elle avait ressenti en tant que non-voyante. Voir pendant un instant le monde qui nous entoure tel qu'il est réellement devait être bouleversant, ajouté à cela l'ombre de la mort qui plonge droit sur nous.

Il fit le chemin sans s'arrêter. Il était préférable de voir le moins de monde possible. À son arrivée, Gabrielle était assise dans une chaise berçante sur le porche. Elle semblait dormir. Alexandre hésita quelques instants à s'avancer. Si elle était éveillée, elle avait probablement entendu la voiture arriver. Il fixait ses paupières closes, puis la chaise se mit doucement à faire son balancement. Gabrielle ouvrit les yeux et il sembla à Alexandre qu'elle le regardait.

— Je crois qu'il est préférable que l'on ne se fréquente plus, Alexandre.

Il resta quelques instants surpris, puis il se dit qu'elle l'avait probablement reconnu au son de ses pas ou encore d'après l'odeur qui émanait de la voiture. Une fois l'effet de surprise passé, il se sentit un peu offusqué. Elle avait tout à fait raison de rompre, sans oublier que c'est exactement ce qu'il venait faire. Qu'elle le quitte avant même qu'il ne prononce un mot l'avait tout simplement dépassé.

— Je suis désolé. Je ne sais pas quoi dire, Gabrielle.

— Ne va surtout pas croire que je suis en colère ou que je ne t'aime pas. Cependant, si tu décides de rester, ne t'approche pas de moi. Si tu choisis de partir, ce qui est, selon moi, la meilleure solution, fais-le et ne regarde pas en arrière. Je t'aime beaucoup. Mais des forces qui t'entourent m'empêchent de te percevoir tel que tu es réellement. Et surtout, je dois dire que cela m'effraie. J'ai toujours su garder un certain éloignement vis-à-vis des choses qui m'échappaient.

Les larmes coulaient le long de ses joues, mais elle ne s'en préoccupait pas. Ses traits étaient durcis par l'inquiétude. Tout ce qu'elle venait de dire aurait dû simplifier la tâche d'Alexandre, mais au lieu de cela, il éprouvait un sentiment d'abandon. Il savait très bien qu'elle pouvait vivre pleinement sans lui, tout comme elle l'avait fait avant de le rencontrer. Il venait de prendre conscience qu'il avait beaucoup plus besoin d'elle que le contraire. Toujours en le fixant de son regard vide, elle ajouta :

— Peu importe où tu iras, les forces qui t'entourent seront là. Pour une raison obscure, elles te protègent. C'est peut-être à cause du chien. Je les perçois dans mes rêves qui sont de plus en plus fréquents. Le mal t'entoure et si tu ne fais rien pour l'en dissuader, il t'aura.

Alexandre tenta une dernière fois de faire comprendre à Gabrielle qu'il n'était pas responsable de ce qu'il lui arrivait.

— C'est Catherine qui a fait en sorte que des portes s'ouvrent. Je n'y suis pour rien.

Elle tenta de lui sourire, mais ses lèvres ne courbèrent point. Puis, elle détourna la tête. Alexandre allongea la main pour la réconforter, mais finalement, il n'osa point. Sa main se referma pour former un poing. Il le serra de toutes ses forces et fit demi-tour en tentant de consumer sa rage.

Le cœur lourd, il partit en se demandant si les choses auraient pu être autrement. Mais il savait bien au fond de lui que toute cette suite d'événements était due au mystère qui entourait l'ombre. Pourquoi s'était-elle manifestée à Gabrielle, elle qui, mis à part en rêve, ne pouvait rien voir ?

Il retourna dans sa demeure provisoire. Sans qu'il ne puisse rien y faire, la rage se faisait ressentir au plus profond de son être. Ce n'était pas tant la colère qui le submergeait, mais plutôt le sentiment de ne rien pouvoir changer, d'être impuissant face aux événements de sa vie. Si l'ombre était inefficace contre lui, elle le manipulait tout de même à sa guise. Et à combien s'élèveraient les pertes de vies humaines s'il s'abandonnait aux mains des hommes ?

À l'intérieur, tout était calme. Il aurait voulu se coucher afin d'oublier, mais, depuis quelques jours, il en était de moins en moins capable. Si, après sa première rencontre avec Shadow, il sombrait fréquemment dans le sommeil, à présent, il ne dormait que la nuit. Il tenta d'en trouver l'explication, mais en vain.

Shadow semblait captivé par quelque chose à l'extérieur. Grimpé sur le rebord de la fenêtre, il gémissait. Alexandre s'approcha de lui et jeta un coup d'œil à la fenêtre, mais ne vit rien d'anormal. Puis, il se dirigea vers la porte et l'ouvrit.

— Si tu veux sortir, mon vieux, c'est par ici.

Mais, Shadow resta immobile, tout en continuant d'observer ce que lui seul voyait. Il avait cependant cessé de gémir.

TÉNÈBRES

Le lendemain, Alexandre se rendit au lac dont Gabrielle lui avait parlé, ce fameux lac où ils s'étaient baignés ensemble, celui dont un sentier situé à proximité menait à la maison de la grand-mère de Gabrielle. Cette vieille femme était la seule qui pouvait faire quelque chose pour lui.

La noirceur n'était pas tout à fait encore tombée quand il parvint enfin à trouver le sentier. Il laissa la voiture en bordure de celui-ci. La nuit s'annonçait plutôt fraîche. Il prit deux chandails de laine qu'il enfila et une lampe de poche.

Le sentier était à peine praticable. Une épaisse couche de feuilles, branchages et autres le couvrait. Apparemment, on ne l'avait pas emprunté depuis longtemps. Rien n'y avait poussé depuis des lustres.

Alexandre marcha pendant plus d'une heure. Il commençait à se demander si le chemin menait réellement quelque part. Shadow le suivait d'un pas vigoureux. Il était à l'affût de tous les bruits qui émergeaient autour d'eux. Après un bon moment, Alexandre n'y voyait presque plus rien. Il s'assoupit près d'un arbre pour reprendre son souffle.

Il se maudissait d'être parti en début de soirée. Le mieux aurait été d'attendre au petit matin. Il s'aperçut qu'il avait extrêmement chaud malgré l'absence de soleil. Il enleva ses chandails de laine.

Sans vraiment s'en rendre compte, il s'assoupit et relâcha sa vigilance. C'est alors qu'il la vit, la vieille dame aux cheveux complètement blancs qui lui retombaient jusqu'au bas du dos. Ceux-ci étaient entremêlés à plusieurs endroits. Son visage dont chaque parcelle était recouverte de rides profondes paraissait extrêmement sévère. Ses yeux gris pâle semblaient pétiller de malice. Alexandre n'aurait su dire ce qu'il ressentait. Elle le captivait. Une chose dont il était certain cependant était qu'il n'avait pas peur du tout, peu importe le pouvoir qui émanait de cette femme. Appuyée sur une branche de bois, elle le regardait des pieds à la tête.

— Je vous attendais depuis longtemps, dit-elle simplement.

Elle se mit à marcher et Alexandre en fit autant. Shadow menait la marche. Alexandre pensa vaguement que la vieille allait bientôt rendre l'âme puisqu'elle avait vu Shadow.

Ils arrivèrent devant une petite maison de bois. Alexandre avait du mal à s'imaginer cette femme construire une maison. Tout autour, il y avait de petits amoncellements de branches ayant servi à de quelconques sortilèges.

Il la suivit à l'intérieur de son antre. Un petit feu chauffait la pièce et projetait une lueur tamisée. Une forte odeur régnait dans la maison. Dans ce qui servait de cuisine, il y avait quelques carcasses d'animaux mutilés et des dizaines de pots contenant des herbes de toutes sortes ainsi que des organes d'animaux.

Alexandre se demandait en quoi tout cela pouvait bien servir à cette femme qui, à présent, vivait en recluse. À qui pouvait-elle bien jeter des sorts ?

La grand-mère de Gabrielle s'approcha d'un pas lent et saccadé. Elle tendit à Alexandre une tasse contenant un liquide chaud qu'il refusa catégoriquement de boire.

— J'aurais souhaité vous voir plus tôt, dit la vieille femme. Vous auriez dû retourner là où tout a commencé. Les choses n'ont pas suivi le cours prévu. Mais à présent tout a changé, continua-t-elle.

— Je ne comprends rien à ce que vous me racontez. Et puis, d'abord, qui vous a informé à mon sujet ?

La vieille dame le regarda. Alexandre la voyait totalement inoffensive. Comment pouvait-elle inspirer de si grandes craintes ?

— Retour à la source ! s'écria-t-elle. Il n'y a rien que vous puissiez changer en gardant une si grande distance avec le lieu où tout devait s'accomplir.

Elle s'empara de quelques herbes qu'elle mélangea avec ce qui semblait être des os écrasés. Tout en brassant sa mixture, l'œil hagard, elle continua de parler.

— Ceux qui ouvrent des portes doivent en subir les conséquences.

— Écoutez, je n'ai rien ouvert du tout !

Alexandre contenait sa rage. Il n'était pas venu pour écouter les balivernes d'une vieille folle.

— Vous êtes bien nerveux. Serait-ce la crainte de vous retrouver seul avec moi en cet endroit ? lui dit-elle en s'approchant.

Il soutint son regard, ses yeux bleus ancrés dans ceux, petits, gris et sournois, de la vieille femme.

— Je ne crains absolument personne. Je n'ai peur de rien. Le fait que je sois venu devrait suffire à vous le faire comprendre.

Toujours le regard fixe, la vieille lui sourit.

— Bien entendu, vous n'avez peur de rien. Le mal veille sur vous. Cela, vous l'avez compris dès le départ.

Alexandre commençait à être exaspéré. Pourquoi était-il venu voir cette vieille illuminée ? Que pouvait-elle pour lui ? Qu'avait-il pensé au juste, qu'elle pourrait faire en sorte que Shadow devienne un chien normal ?

Comme si elle avait capté ses pensées, elle lui répondit de vive voix :

— Vous êtes venu afin de savoir si je pouvais vous délivrer.

— Le pouvez-vous ? s'enquit Alexandre plein d'espoir.

— Chaque chose en ce bas monde a sa raison d'être. Ma fin approche et s'il m'est possible de servir le mal avant, je le ferai.

— Évidemment ! J'ai été fou de croire un instant que vous pourriez m'aider.

À présent c'est à peine si elle se rendait compte de sa présence. Elle était comme dans un état second. Elle versa un liquide vert sur le mélange qu'elle venait de préparer. Alexandre l'entendait murmurer des paroles inintelligibles.

Pendant ce temps, d'un simple regard il avait fait le tour de la pièce, la seule et unique de la maison. La vieille s'était fabriqué une petite table et une seule chaise avec des billots d'arbre. Cependant, elle ne manquait pas de petits contenants de toutes les grandeurs, de chaudrons et d'ustensiles. Même si la cabane de bois était mal éclairée, Alexandre pouvait tout de même voir la saleté ainsi que les toiles d'araignées qui, en quelque sorte, ornaient les murs et les recoins. Il reconnut à quelques endroits les mêmes symboles qu'il avait dessinés dans son calepin lorsqu'il était endormi.

Toujours avec son mélange, elle s'approcha d'Alexandre. Elle y avait ajouté d'autres ingrédients et une odeur nauséabonde s'en émanait.

— Vous devez y retourner ! lança-t-elle encore une fois.

Il aperçut alors qu'elle avait un petit couteau en mains. Mais, avant même qu'il ne puisse réagir, elle lui avait entaillé le bras.

Une fois l'effet de surprise passé, Alexandre empoigna la vieille à la gorge.

— Qu'est-ce que vous foutez, vieille folle ? hurla-t-il.

Elle tenta de se dégager. Mais les mains d'Alexandre enserraient toujours son maigre cou. Il ne relâcha son emprise que lorsque les yeux de la femme virèrent au blanc. Il recula de quelques pas. C'est alors qu'elle se mit à rire, de ce même rire qu'Alexandre entendait parfois dans ses rêves. Il franchit la porte qui claqua après son passage.

À l'intérieur, la vieille récupéra les gouttelettes de sang qui perlaient sur le couteau. Elle le mélangea avec les autres ingrédients. Une lueur malicieuse brilla dans son regard.

Tout en se dirigeant vers le chemin qui menait à sa voiture, Alexandre se maudissait d'avoir pensé qu'elle aurait pu l'aider. Il poursuivit sa route et pendant une dizaine de minutes, la colère était toujours à son comble. Puis à la première goutte de pluie, il se rendit compte que Shadow n'était pas à ses côtés. Il fit donc demi-tour sans hésiter une seconde. Il était hors de question de laisser Shadow avec cette vieille folle, même pour le peu de temps qui lui restait à vivre.

Quand il arriva de nouveau devant la cabane, la pluie tombait à un rythme régulier. Il fit un tour rapide pour voir si Shadow s'y trouvait. Aucune trace de lui. Un feu brûlait toujours à l'intérieur. Il s'approcha de l'unique fenêtre de la maison, mais il n'aperçut ni la vieille femme ni Shadow tant il faisait sombre.

Il décida donc d'entrer. La porte n'était munie d'aucune poignée. Il la poussa lentement et entra. Mais avant qu'il puisse avancer plus loin, il entendit un craquement derrière lui. Il se retourna rapidement et évita de justesse le coup qui venait droit sur lui. Il n'avait aperçu qu'une large silhouette munie d'un objet contondant. Il se jeta au sol et empoigna les jambes de son agresseur afin de le faire tomber. Avant d'y parvenir, il ne put cependant éviter le deuxième coup qui atterrit sur son dos. Il réussit néanmoins à se relever rapidement, évita un troisième coup et se jeta sans hésiter sur son agresseur. Il parvint à le maîtriser en plaçant un bras sous sa gorge. Mais, il n'y voyait toujours rien, la noirceur étant tombée.

— Où est-elle ? demanda-t-il.

En guise de réponse, l'homme émit un petit rire guttural.

Soit l'homme couché au sol ne comprenait rien, ou bien il refusait obstinément de parler. Alexandre lança autour de lui des regards enragés. Il devait garder l'homme à l'intérieur. Il tenta de se relever, mais l'homme en profita pour se débattre frénétiquement. Alexandre le replongea au sol et lui enfonça son poing dans la figure. Puis, il le refit à plusieurs reprises sans pouvoir s'arrêter. Plus il le faisait, plus l'homme riait. Jusqu'à ce qu'enfin, le silence règne.

Alexandre se retourna et à la lumière du feu dans la maison, il vit la silhouette de Shadow. Il était assis et observait son maître sans broncher. Puis, Alexandre aperçut la vieille assise par terre dans un coin de la pièce. Il se leva et avança vers elle. Elle avait un petit pot entre ses mains. À l'intérieur se trouvait la photo de Cassandra. Alexandre comprit à cet instant qu'il allait mettre un terme à la vie de cette femme dangereuse. Si elle désirait réserver à la petite le même sort que Gabrielle, il ne lui en laisserait pas la chance.

Mais, avant qu'il ne réagisse, la vieille le devança.

— Détrompez-vous, mon cher. Je ne désire pas la rendre aveugle. Je la veux en tant qu'apprentie.

Il voulut s'avancer et la ruer de coups. Mais derrière lui, tout près de sa nuque, une respiration lente se fit entendre. L'homme était debout. Il laissa le temps à Alexandre de se retourner et, à la lueur du feu, celui-ci le reconnut enfin, l'inconnu, celui qui l'avait suivi, le même qui avait mis fin aux jours de Tania.

Malgré les coups qu'il avait reçus, son visage paraissait intact. Il gardait un air impassible. Un sourire à peine perceptible apparut à la commissure de ses lèvres.

— Je crois que je vous ai laissé amplement le temps de découvrir la vérité, dit-il simplement.

Alexandre était encore abasourdi de constater qu'il avait pratiquement tué cet homme et que celui-ci semblait à peine ébranlé.

— Laissez-moi, à présent, vous rafraîchir la mémoire, parce que, voyez-vous, tout ce que vous vouliez savoir s'y trouve.

Alexandre, malgré lui, voulait entendre ce que cet homme avait à lui dire. Il cherchait néanmoins un moyen de se débarrasser de lui le moment venu. La vieille ne posait pas vraiment de problème. Il pourrait l'achever rapidement.

Pendant qu'Alexandre concevait un plan, l'homme poursuivait son monologue. Avec tout ce qui s'était passé au cours des derniers mois, Alexandre n'avait d'autre choix que de le croire.

— Souvenez-vous de l'accident que vous avez eu avec Catherine, votre femme. Tout était orchestré. Vous en êtes l'instigateur. Que devait-il se passer une fois l'accident enclenché ?

Alexandre tenta de se remémorer les événements douloureux de son passé. Ce qu'il se rappelait, c'est qu'il n'avait rien effectué pour que l'accident ait lieu. Ce n'était que le fruit du hasard. Après l'accident, Catherine n'était plus. Le désespoir s'était emparé de lui. Puis, il avait ressenti un grand choc et la vie avait poursuivi son cours. Le temps avait atténué sa douleur et, un an plus tard, Shadow était apparu.

Comme s'il avait tout raconté à voix haute, l'homme acquiesça d'un signe de tête. Celui-ci semblait capter les pensées d'Alexandre.

— Mais, qu'avez-vous ressenti une fois qu'elle n'était plus ? Décrivez-moi le choc.

— Je ne sais pas. J'étais désespéré et ensuite en colère. Comment pouvait-elle m'abandonner à ce moment ?

Alexandre avait du mal à croire qu'il se confiait à cet homme qui s'avérait être son pire ennemi. Il devait néanmoins gagner du temps. Et si cela devait l'aider à comprendre sa situation, il n'en demandait pas moins.

— C'est tout à fait la question adéquate. Comment pouvait-elle vous abandonner à ce moment précis ? continua l'homme en passant la main sur son crâne dégarni.

— Je ne sais pas. Le destin en a décidé ainsi. Je lui en voulais de partir parce que nous n'allions pas avoir l'occasion de vieillir ensemble.
— Vous vous éloignez. Vous étiez sur la bonne piste. Qu'a-t-elle abandonné en laissant la mort s'emparer de son être ?
— Moi ! lança Alexandre, hors de lui.
— Mais qui êtes-vous réellement ?

Puis, graduellement, il se souvint. Quelques instants avant l'accident, alors qu'ils roulaient en toute quiétude, Catherine s'était mise à parler. Il ne comprenait rien à ce qu'elle marmonnait. Puis, il avait remarqué qu'elle fronçait les sourcils. Elle regardait fixement devant elle. Quand il lui avait demandé si tout allait bien, elle n'avait rien répondu. Elle avait apparemment peur.
— Oui, elle avait peur, reprit la voix de l'inconnu. Elle ne voulait plus donner sa place.
— Mais de quoi avait-elle peur ? J'étais avec elle, bon sang !
— Mais, dites-moi, Alexandre, qu'avez-vous ressenti alors qu'elle prononçait ce qui devait être ses dernières paroles ? Faites abstraction de la température ambiante et des questions qui vous tourmentaient à ce moment précis.

Alexandre se revoyait, légèrement inquiet de la tournure qu'avait prise la soirée. Pour quelle raison Catherine avait-elle paru si perturbée soudainement ? Les paroles qu'elle prononçait avaient rendu Alexandre mal à l'aise. Il avait ressenti comme une vague d'affliction déferler sur eux.

— J'ai ressenti le mal nous envahir, répondit Alexandre à la grande satisfaction de l'homme, prostré devant lui.
— Et ensuite ? Que s'est-il passé ? demanda celui-ci malgré qu'il connût la réponse.

Le camion avait percuté la voiture. Alexandre avait constaté la mort de Catherine. Puis, pendant un instant, il n'avait plus été lui-même. En l'espace d'une minute seulement, il s'était demandé ce qu'il faisait dans cette voiture aux côtés d'une femme qui lui était totalement inconnue. Elle était inerte, presque sans vie et malgré cela, durant ce court moment, il avait voulu l'achever.
— Non, ce n'était pas moi. Je n'aurais jamais souhaité qu'elle meure, dit Alexandre en essuyant la sueur qui perlait sur son front.
— Vous ne l'auriez jamais souhaité. Mais, celui qui devait prendre possession de son corps pensait tout autrement. Elle devait lui offrir son âme afin qu'il puisse régner en ce bas monde ! Mais, à la dernière minute, Catherine s'est désistée. Elle savait que le moment critique approchait, alors elle a prononcé les paroles qui éloignaient le mal. Malgré cela, il a tenté sa chance. Elle est toutefois morte avant qu'il ne puisse s'emparer de son être.

Alexandre tentait frénétiquement de lutter contre la voix qu'il entendait au plus profond de son être, cette voix qui n'était pas la sienne. Il revit Gabrielle qui tentait de lui faire comprendre que le mal était en lui; Shadow n'était qu'un messager. La mort venait à cause d'Alexandre. Il la représentait. Malgré cela, il ne voulait pas quitter ce monde et devait absolument s'échapper.

— Cela ne vous mènerait à rien, continua l'homme qui gardait un calme constant. Vous êtes à présent conscient qu'il y a une âme en vous qui n'est pas la vôtre. Vous êtes mort durant l'accident, Alexandre. Admettez-le.

— Je ne suis pas mort, puisque je me trouve devant vous.

L'homme continua de donner des explications à Alexandre. Mais, cette fois, il s'adressait à lui dans une langue qui lui était inconnue. Alexandre s'aperçut du changement et malgré cela, il comprenait parfaitement.

— Je n'étais pas certain si le transfert avait fonctionné au début. Mais, je me suis vite aperçu que nous avions échoué. L'âme du maître venu de l'enfer a intégré votre corps, mais peut-être justement parce que celui-ci ne lui était pas réellement offert, l'impact du choc fut trop grand. Vous avez gardé les souvenirs d'Alexandre Montreuil. Absolument tout, dans les moindres détails de son existence. Alors, le chien n'y a vu que du feu et il vous a protégé de l'ombre de la mort.

— Et pourquoi avoir attendu tout ce temps pour me reprendre ? s'enquit Alexandre en regardant tout autour pour une échappatoire.

— Je devais être certain que vous ne serviez pas le mal. Sinon, il aurait pu en être tout autrement pour votre destinée. Vous étiez autrefois mon maître dans les bas-fonds de l'enfer. Je vous devais obéissance. Maintenant, je dois vous ramener dans l'ombre afin que vous retrouviez votre suprématie.

L'homme leva ensuite la main droite et la dirigea vers Alexandre. Celui-ci ressentit une intense douleur aux jambes et s'écroula au sol. D'une voix forte et rapide, l'homme prononça les paroles qui devaient ramener l'âme du mal aux enfers. Au même moment, avec la mixture pâteuse et malodorante qu'elle avait préparée plus tôt avec le sang d'Alexandre, la vieille sorcière transcrivait, à même le sol, les symboles qui se trouvaient sur les murs de sa maison. Alexandre, toujours au sol, comprit enfin qui il était réellement. L'âme qui s'était emparée de son corps avait fait en sorte de jumeler les deux âmes pour n'en former qu'une seule. Le bien et le mal se trouvaient en lui, comme dans chaque homme ! Cependant, les âmes avaient quelque chose en commun : toutes deux désiraient rester sur terre.

En émettant un son guttural qui fit frémir la vieille femme et malgré la douleur qui lui tenaillait les jambes, Alexandre se leva. À cet instant, l'univers autour de lui se modifia. Tout devint plus sombre. Le feu éclairait toujours la pièce, mais les choses étaient d'une noirceur extrêmement dense.

Sans même bouger, il attrapa l'homme qui avait été son serviteur et le réduisit en poussière. Il procéda de même avec la vieille femme qui s'était recroquevillée sous la table. Il se sentait extrêmement puissant. Mais cela ne dura point, car, l'instant d'après, le regard d'Alexandre suivit la trajectoire de l'ombre. Celle-ci était située au milieu du mur et elle se prolongeait jusqu'au sol. Puis, toujours en la suivant du regard, Alexandre vit qu'elle était à ses pieds. Il ne ressentait aucune douleur. Il tenta de se mouvoir afin de s'en détacher, mais elle le suivit. Elle était sienne. À présent, il ne pouvait plus renier ce fait irréfutable. Les souvenirs de ce qu'il avait été jadis ressurgirent : il redevenait ce qu'il avait toujours été. Alexandre savait que sa tentative de s'accrocher à la vie était vaine. Et pour le mieux, il devait se laisser emporter par l'ombre. La dernière chose qu'il vit en jetant un regard vers la fenêtre fut Cassandra qui observait le tout avec Shadow à son côté.